U0093075

盛期之風貌

臥龍生作品　帶動武俠風潮

《飛燕驚龍》開一代武俠新風

《飛燕驚龍》(1958)爲臥龍生成名作，共48回，約120萬言。此書承《風塵俠隱》之餘烈，首倡「武林九大門派」及「江湖大一統」之說，更早於香港武俠巨匠金庸撰《笑傲江湖》(1967)所稱「千秋萬世，一統」達九年以上。流風所及，臺、港武俠作家無不效尤；而所謂「武林盟主」、「江湖霸業」等新提法，竟成爲社會大眾耳熟能詳的流行術語了。

《飛燕》一書可讀性高，格局甚大。主要是寫江湖群雄爲覬覦傳說中的武林奇書《歸元秘笈》而引起一連串的明爭暗鬥；再以一部假秘笈和萬年火龜爲餌，交插敘述武林九大門派（代表正派）彼此之間的爾虞我詐，以及天龍幫（代表反方）網羅天下奇人異士而與九大門派的對立衝突。其中崑崙派弟子楊夢寰偕師妹沈霞琳行道江湖，卻如夢似幻地成爲巾幗奇人朱若蘭、趙小蝶之絕世武功技驚天龍幫，而海天一叟李滄瀾復接連敗於沈霞琳、楊夢寰之手；致令其爭霸江湖之雄心盡泯，始化解了一場武林浩劫云。

在故事佈局上，本書以「懷璧其罪」（與真、假《歸元秘笈》有關）的楊夢寰屢遭險難，卻每獲武林紅妝垂青爲書膽(明)，又以金環二郎陶玉之嫉才害能，專與楊夢寰作對(暗)爲反派人物總代表。由是一明一暗交織成章，一波未平，一波又起，極盡波譎雲詭之能事。最後天龍幫冰消瓦解，陶玉帶著偷搶來的《歸元秘笈》跳下萬丈懸崖，生死不明，卻予人留下無窮想像空間。三年後，作者再續寫《風雨燕歸來》以交代陶玉重出江湖，爲惡世間，則力不從心，當屬狗尾續貂之作。

在人物塑造方面，臥龍生寫男主角楊夢寰中看不中用，固然乏善可陳，徹底失敗；但寫其他三名女主角如「天使的化身」沈霞琳聖潔無瑕，至情至性，處處惹人憐愛；「正義的女神」朱若蘭氣質高華，冷若冰霜，凜然不可犯；「無影女」李瑤紅則刁蠻任性，甘爲情死等等，均各擅勝場。乃至寫次要人物如「賓中之主」海天一叟李滄瀾之雄才大略，豪邁氣派；玉簫仙子之放蕩不羈，爲愛痴狂；以及八臂神翁聞公泰之老奸巨猾，天龍幫軍師王寒湘之冷傲自負等，亦多有可觀。

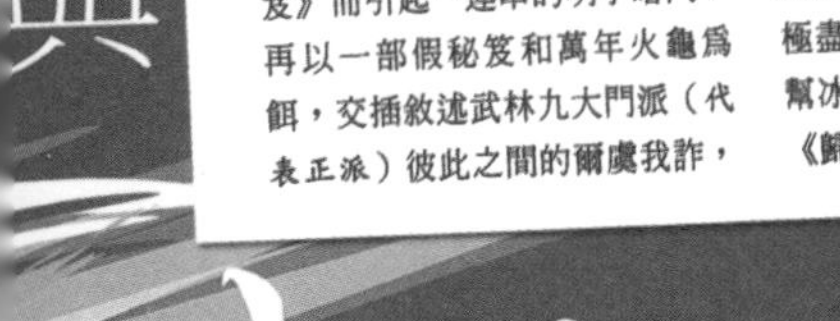

摘自 葉洪生、林保淳著
《台灣武俠小說發展史》

武俠小說

台港武俠文學

流行天王

臥龍生

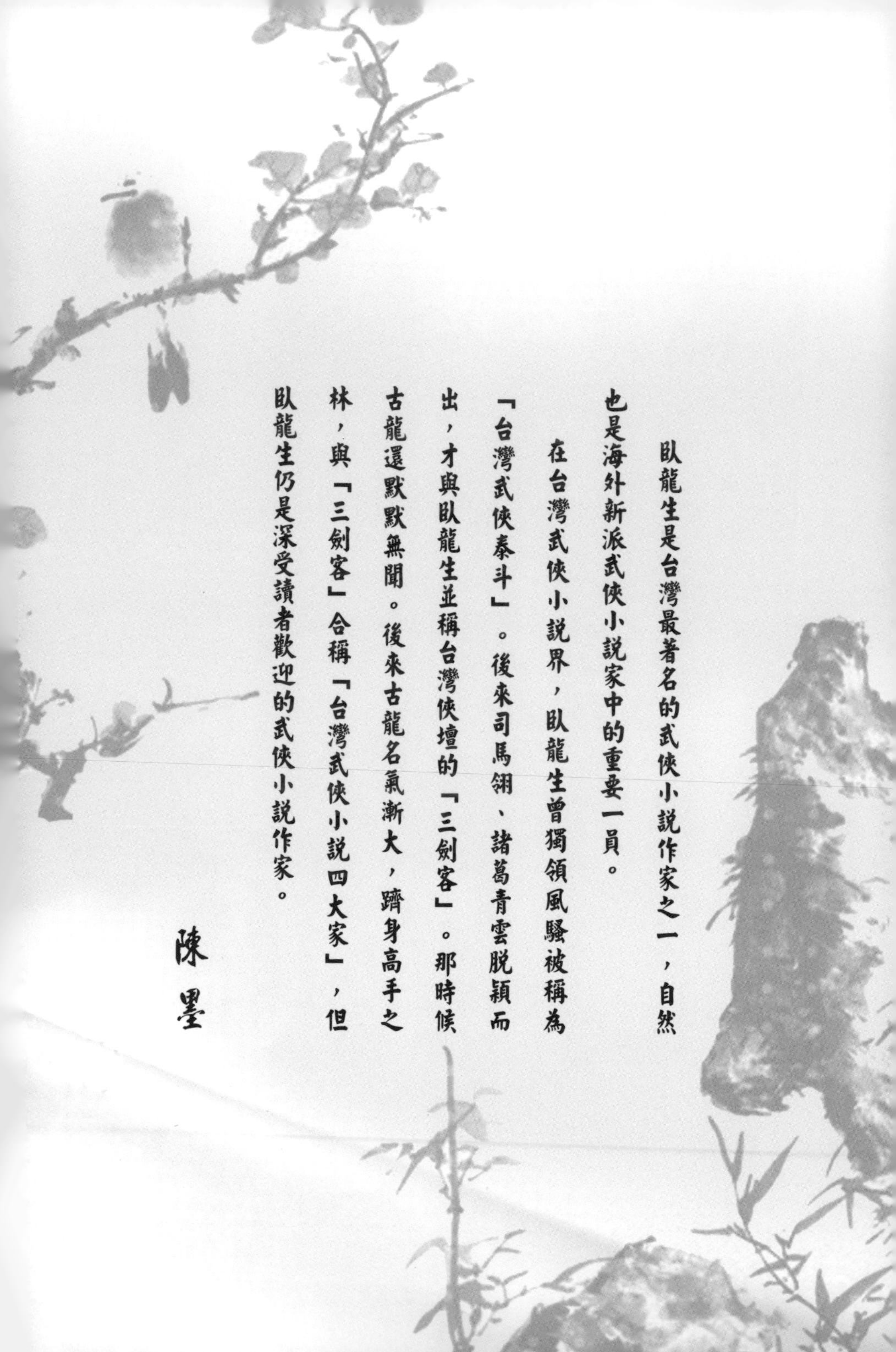

臥龍生是台灣最著名的武俠小說作家之一，自然也是海外新派武俠小說家中的重要一員。

在台灣武俠小說界，臥龍生曾獨領風騷被稱為「台灣武俠泰斗」。後來司馬翎、諸葛青雲脫穎而出，才與臥龍生並稱台灣俠壇的「三劍客」。那時候古龍還默默無聞。後來古龍名氣漸大，躋身高手之林，與「三劍客」合稱「台灣武俠小說四大家」，但臥龍生仍是深受讀者歡迎的武俠小說作家。

陳墨

翠袖玉環
（二）
臥龍生
武俠經典珍藏版
38
臥龍生

臥龍生精品集 38

翠袖玉環（二）

十四　欲擒故縱

但聞一陣呵呵大笑，道：「不錯，正是老夫。」

江曉峰轉目望去，星光淡月下，只見藍天義身著長衫，卓然而立，左面站著一個七歲的勁裝小童，手捧長劍，右首是身穿玄色勁裝，背插長劍的藍家鳳。

身後並排站著四人，依序是老管家藍福、金陵劍客張伯松、少林高僧無缺大師，和武當名宿玄真道長。

雙方相距，也不過一丈多些。

公孫成暗暗吁一口氣，忖道：「藍天義一個到來，已夠我們對付了，帶著這多高手同來，如若鬧翻動手，我們實無半分取勝之機。」

他為人冷靜多謀，強敵當前，心神仍然不為所動，暗自分析敵情，籌思對敵之策。

只聽藍天義緩緩說道：「方姑娘在我們莊院中時，老夫已經發覺，但我們故作不知，任你瞧去莊院中的隱密，因為，老夫相信，在姑娘身後，必然另有著主謀之人，這就是老夫雖然發覺了你，仍然不肯揭露的原因。」

方秀梅冷笑一聲，道：「果然是老奸巨猾。」

藍天成道：「但我想不到你身後主謀之人，竟然是公孫成！」

公孫成道：「客氣，客氣，藍大俠太誇獎兄弟了。」

原來，他暗中分析今日之局，實已全無生望，膽小畏怯設法逃避，也是難免一死，倒不如死得坦蕩，有英雄氣概。

想通了生死之關，心中反而輕鬆了不少。

只聽藍天義哈哈一笑，道：「公孫成，玄真道長、無缺大師，在江湖上比你的聲望如何？」

公孫成道：「如要我據實而言，兩位僧、道高手，比我高過甚多。」

藍天義道：「這就是了，他們既然能夠身爲老夫屬下，你如投在我教之中，大約也不會辱沒你的身分吧。」

公孫成冷冷說道：「在下相信無缺大師、玄真道長，都是世外高人，他們決非自甘爲你手下。」

心中暗自想道：「想那無缺大師，乃是少林高僧，極爲武林同道愛戴，不知何故，竟然甘爲那藍天義的爪牙，這一點，倒真叫人思解不透，難道這位少林高僧，當真是一個貪生畏死之人，遇到了性命交關之時，就變得全無骨氣，甘願爲人所役，今日倒是要問他一個明白，了然此事，死了也少一樁心願。」

心中念轉，口中說道：「在下倒想問明詳情，如若是無缺大師，當真是心甘情願的歸爲你的屬下，在下倒要認真想想這件事了。」

藍天義回目望了無缺大師一眼，道：「你去勸那公孫成投我教中，如其不允，立予搏殺無赦。」

大師一欠身道：「敬領法諭。」僧袍飄飄地行了過來。

距離公孫成三尺左右時，停下了腳步，一揮手，道：「公孫施主。」

公孫成一皺眉頭，道：「大師素爲武林同道敬重，想不到竟然會自甘爲人之奴。」

以那無缺大師在江湖上的聲望，公孫成相信這幾句話必然激怒於他。哪道事情竟然完全出了公孫成的意料之外，無缺大師不但毫無愧疚之色，而且也全無惡意，淡淡一笑，道：「投效藍大俠，又有什麼不好呢？」

公孫成呆了一呆，緩緩說道：「大師望重武林，難道就不惜一世英名麼？」

無缺大師淡淡一笑，道：「老衲行心之所欲，世俗如何評論，老衲並不重視。」

公孫成怒聲喝道：「少林寺清規森嚴，難道你不怕少林門規懲罰麼？」

無缺大師平靜得很，只見他淡然一笑，緩緩說道：「老衲在少林寺和在藍大俠的手下聽命，不知有何不同……」

公孫成接道：「天下武林豪傑，一向都把那少林寺看作武林中泰山北斗，大師可以不爲自己想，難道那少林寺的清譽，大師也一點不顧慮麼？」

無缺大師冷冷說道：「這是老衲的事，和你無關！」

公孫成冷冷說道：「想不到我們一向敬重的無缺大師，世外高僧，竟然是一個善變、險詐的無恥小人。」

藍天義哈哈一笑，接道：「無缺大師乃是江湖上名重一時的高僧，但他卻願意列身老夫屬下，不惜背棄少林，如若老夫待人不好，豈有此等事情？……」

語聲一頓，聲音變得十分冷漠，道：「公孫兄請仔細的想想，如若不肯投入老夫教中，只有死亡一途。」

公孫成心中一直在推敲，那無缺大師背棄少林門牆，投入藍天義手下，只覺此事疑雲重重，令人費解。

藍天義久久不聞公孫成回答，不禁冒火，冷冷說道：「公孫兄既不願投入我教，那是選擇死亡一途了？你一向敬佩無缺大師，那就讓你死於大師手中吧！」

無缺大師接道：「敬領法諭。」揚手一掌，劈向公孫成的前胸。

公孫成身軀一閃，避開掌勢，右手一翻，反向無缺大師右腕脈穴之上扣去。

無缺大師乃少林少數高僧之一，功力深厚，劈出掌勢中，帶有強烈的勁風，一擊不中，身形一轉，招數早變，公孫成反擊之勢雖快，但仍然落空。

但見無缺大師隨著轉動的身軀，又是一掌劈來。

公孫成久年在江湖上走動，對敵經驗，豐富無比，目睹無缺大師幻變的身法、掌勢，竟然無法知曉他攻襲之處，當下不再反擊，一吸氣，疾快地退後八尺。

但見人影閃動，藍天義身後的藍福、玄真道長和金陵劍客張伯松，已然分別搶站了三個方位，團團把幾人圍了起來。

無缺大師卻追蹤而上，展開了凌厲的攻勢。

掌勢幻起，重重波波地攻了過來。

公孫成不善拳掌之學，準備抄出兵刃迎敵，但那無缺大師的掌勢，一招連接一招，攻勢如長江大河一般，綿綿不絕，迫得公孫成連取兵刃的時間也是沒有，只好施展擒拿手，混入點穴手法，突穴斬脈，封阻那無缺大師的連綿攻勢。

轉眼之間，雙方已惡鬥了數十招。

無缺大師掌力雄渾，一招快過一招，力道也一招強過一招。

公孫成一開始，就陷入被動之局，全無還手之力，數十招過後，已呈不支狀態。

常明低聲對江曉峰道：「小要飯的雖然沒有見過無缺大師，但卻知曉這位和尚的人名，乃是少林寺中高僧，公孫叔叔已呈不支之狀，小要飯上去替他下來。」

江曉峰道：「小弟心中早有此意，只是不便開口而已，既是可以替代，小弟去替他就是。」

常明自知武功跟那公孫成尚有一段距離，更遑論勝過那無缺大師了。

是以，聽到了江曉峰要出手，立時接道：「江兄的金蟬步，至少可避開他的掌勢，不可和他硬拚，這和尚內力深厚，恐非我們能夠及得。」

江曉峰眼看公孫成已漸不支，連忙上前數步，躍入戰圈，把公孫成替換了下來，他仗著「金蟬步」法，和無缺大師周旋，雙雙打成平手。

無缺大師功力深厚，掌風虎虎，若以真實功夫比鬥，江曉峰決非其敵，但他那「金蟬步」法，神妙新奇，往往在最危急的時候，閃步而過。

藍天義見無缺大師久戰無功，漸有力不從心之感，且江曉峰身懷絕毒兵器「奪命金劍」，深恐無缺大師有所閃失，忙高叫一聲：「住手。」

公孫成唯恐江曉峰有失，忙上前一步道：「藍大俠有何指教？」

藍天義道：「像這樣比鬥下去，何時才能分出勝負，這樣吧，只要你們有人能接老夫三招，你們就可全身而退，老夫決不願多造殺孽！」

他哈哈一笑又道：「老夫一生作爲，有目共睹，但武林中惡人太多，老夫一人之力，也無法斬盡除絕，因此成立天道教，使武林統一，永絕殺伐。」

公孫成淡淡笑了一笑，道：「原來，藍大俠成立了天道教，兄弟孤陋寡聞，不知故名天道的用意何在？」

藍天義冷笑一聲，道：「替天行道。」

公孫成道：「好一個替天行道，武林中近年之中，原本是一片平靜，但藍大俠這天道教一成立，就搞一個天翻地覆，天道二字，藍大俠不覺著用得很慚愧麼？」

只見藍天義淡淡一笑道：「千百年來，武林中門戶紛爭，從沒有停息過，一時的平靜，不過是暴風雨前的片刻安寧而已。」

公孫成接道：「藍大俠組織這天道教，可算得一陣狂風暴雨，整個武林，都爲之震盪不已。」

藍天義笑道：「霹靂手段，菩薩心腸，老夫這天道教，用心在統一武林之各大門派，雖然在起事之初，難免要鬧出幾場流血慘局，但一勞永逸，一旦各派各門，統一納入天道教之後，那就永遠不會再有紛爭了。」

公孫成道：「如若藍大俠確實這般用心，兄弟倒有幾句奉勸之言。」

藍天義似是有著無比的耐性，淡然一笑道：「公孫兄儘管暢所欲言，老夫洗耳恭聽。」

公孫成輕輕咳了一聲，接道：「各門各派，爭雄江湖，千百年殺伐不息，誠然是一大憾事，但它也有它的好處，……」

「門戶紛立，互爲牽制，一門一派中，縱然出了一、兩個不肖弟子，謀得掌門權位，但他

也不敢太過胡作非為，恐引起武林公憤，往事昭彰，並非區區捏造。如若各門各派，統納一教之下，萬一有不肖之人，竊得權位，荼毒所及，就非只限於武林了，何況千百年來，不少奇才梟雄，心存武林霸業之願，但卻從未有一人能夠心願得償。」

藍天義目光一掠公孫成，道：「人各有志，勉強不得，公孫兄既不肯聽我良言，那只有動手一途了，老夫一諾千金，接下我三招，老夫決不再卜令追殺，公孫兄請準備，老夫要出手了。」一面說，一面舉步向前。

方秀梅大聲喝道，「慢著！」

藍天義微微一笑道：「方姑娘是女流之輩，老夫破例優容，只要你接我一招。」

方秀梅道：「你身挾金頂丹書、天魔令中絕技，一擊殺我，並非難事。」

藍天義道：「哈哈，姑娘是明白人，此刻應允入教，老夫還願收留。」

方秀梅大義凜然地說道：「我方秀梅雖然是一個弱女子，但還能明辨是非，生死早已不放在我的心上了。」

藍天義冷笑一聲，道：「方姑娘很有豪氣。」

方秀梅道：「藍教主親身到此，大約我們是死定了。不過，在死去之前，賤妾想請問兩件事，不知藍教主是否答允？」

藍天義雖然心機深沉，但喜愛聽人奉承乃人之天性，方秀梅那兩頂高帽子，又戴得不著痕跡，藍天義甚感受用，微微一笑，道：「姑娘有著視死如歸的豪氣，也有著判論事務的聰明，你既知必死，老夫自也不吝回答你問的事情了。」

方秀梅嗯了一聲，道：「藍大俠組成天道教，志霸武林，籌備了二十年不著痕跡，這份心機，陰險可怕，卻也叫人佩服，我想藍大俠在這近二十年中，除了暗中訓練了那十二劍童，和十二個飛龍童子，以及莊院中那批怪物之外，定然早已在各大門派中置有內應眼線了。」

藍天義沉吟了片刻，道：「方秀梅，老夫如若告訴你內情，那你就非死不可，除非你能投入我教之中。」

方秀梅道：「如是真要面對死亡之時，也許我會改變心意，答允投入天道教中。」

藍天義仰天打個哈哈，道：「沒有，目下江湖上人才鼎盛，各大門派中，都有才慧很高的人，老夫如若在各大門派中廣布眼線，此事只怕早在十幾年前，就已經被揭穿了，哪裏還能等到老夫選擇發動的時機？」

公孫成怔了一怔，道：「藍大俠的陰沉，倒非古人能及了。」

藍天義微微一笑，道：「老夫默察歷代武功才能絕高之人，竟未能有一人完成霸統武林之願，他們的錯誤正在於事不機密，他們只管羅致人手，廣布眼線，雨未至，雷先響，那無疑告訴了別人，所以還未發動，已使武林中有了警覺，迫於情勢，提先發動，終於落得個一敗塗地。但老夫的準備，一直限於鎮江藍府，直到此時，江湖上也是沒有幾人知曉。」

公孫成冷笑一聲，欲言又止。

方秀梅心中暗道：「今日情景，的確是生機茫茫，唯一有機會逃離此地的，只有江曉峰一人，他憑仗奪命金劍，和金蟬步的奇幻武功，我如能再連絡公孫成等，捨死掩護他，更可增進他逃走的機會，但在他離此地之前，必得使他了然大部份內情，始可把此事傳佈於武林之中。」

她心中有了一套完美的設想，便顯得氣定神閑，格格一笑，舉手理一理鬢邊的散髮，笑

道：「閣下的保密工夫，可算得前無古人，直到你藍大俠發動大變之前，我方秀梅還在費盡心機的替你賣命。」

藍天義道：「就憑這一點，老夫對你也應該破例優容。」

方秀梅道：「藍大俠盛情心領，但我在江湖上的聲名，一向不好，投入天道教下，實也無助你藍大俠……」

語聲微微一頓，接道：「我一生之中，有一個最大的毛病，那就是最怕被人裝入悶葫蘆中，所以，我希望在死去之前，能夠死得明明白白。藍大俠如若對我方秀梅，還有一點顧惜，希望你能夠讓我償此心願。」

藍天義笑道：「老夫盡量答你所問。」

方秀梅道：「賤妾一直想不明白，想玄真道長、無缺大師這等人物，怎會甘願爲你役用，這其間必有一種很特殊的手段。賤妾細察他們，又不似被一種藥物控制，這就讓賤妾想不明白了。」

藍天義笑道：「如若用藥物控制他們，那將使他們心智大受損傷，而且體能、武功，都將會隨著時間，日漸萎縮，終致變成無用之人，老夫豈肯如此。」

方秀梅道：「所以，賤妾就想不明白了，有什麼方法，能夠使兩個世外高人，一夕間性情大變，甘爲所用？」

這幾句話，說得聲音甚高，希望能使無缺大師和玄真道長，能夠有所反應。

但細查兩人形態，一片沉靜，恍如未聞。

只見藍天義淡淡一笑，道：「這是魔道中移情神通，昔年魔道中第一高手，勾魂真人，創出此法，還未在江湖上用過，但他卻留在了天魔令中……」

「只是那移情神通，博大深奧，老夫縱然願意告訴你，也非短時間所能了然……」

方秀梅點點頭，接道：「不用解說了，賤妾再問一事，然後就可受死了……你養了那許多似猿非猿的怪物，不知是何作用。」

藍天義笑道：「老夫要仰仗牠們之力，除去老夫謀霸武林的阻力。」

常明低聲說道：「奪命金劍，乃武林中第一的絕毒暗器，百年以來，從未聽說過有人逃過劍中毒針，咱們既有此物，何不用它除去藍天義？」

方秀梅低聲道：「只怕是傷不了他。」

只聽藍天義冷笑一聲，道：「方秀梅，你可是認為那奪命金劍，真能夠傷得老夫麼？」

公孫成道：「百年以來，從無人能逃過奪命金劍的毒針，藍大俠雖然練有正邪兩道中的絕高武功，但也未必能夠逃過奪命金劍。」

藍天義冷冷說道：「如若奪命金劍，當真有那等厲害，老夫今宵非得把它毀去不可。」

回顧了藍家鳳一眼，道：「鳳兒，去把那金劍奪回來。」

江曉峰似是未料到那藍天義，竟然狠心到讓自己親生的女兒，以身相試這種絕毒暗器，不禁一呆。

就在他一怔神間，藍家鳳已經向前行進了七、八步，唰的一聲，抽出背上的長劍，護住前胸，緩步向前行來。

江曉峰心頭大急，道：「藍姑娘，這套毒針惡毒無比，見血封喉，而且細如牛毛，無聲無息，劍中彈簧力道奇強，可及兩丈以外，就算是練有金鐘罩、鐵布衫的功夫，也無法擋這毒

針。」

藍家鳳淒涼笑道：「我知道。」口中說話，人卻仍然向前行來。

江曉峰疑目望去，淡月星光下，只見她臉上笑容淒迷，衣袂在夜風中微微飄動。那是一幅絕佳的圖畫，充滿著淒涼的美，幽暗的夜色，使得淒涼中又增加一分迷濛。

江曉峰雙目盯住那張美麗無倫的臉兒，執著金劍的右手，微微在發抖。

藍家鳳那淒迷的笑意，有如一道閃光電流，使得江曉峰全身無力，無法按動劍柄上的機簧。

其實，木然發呆的又何止是江曉峰，就是公孫成、常明、方秀梅，亦被那藍家鳳淒迷的笑意所惑。

突然，一聲夜梟長鳴，方秀梅的神智陡然一清，伸手從江曉峰手中搶過奪命金劍，高聲說道：「江曉峰也許下不得手，但我方秀梅人稱笑語追魂，什麼事都能夠做得出來。」

她口中大聲呼叫，人卻微微偏過臉去，不敢和藍家鳳的目光相觸。

但聞藍天義高聲說道：「鳳兒，快回來，功敗垂成，不能怪你。」

方秀梅突覺腦際中靈光一閃，右手微微加力，按動機簧。

只聽蓬然一聲，藍家鳳突然倒在地下。

那金劍內細針劇毒，見血封喉，藍家鳳一聲未哼，倒在地上，顯然已經中了劍中毒針。

江曉峰啊了一聲，叫道：「藍姑娘中了……」

他心中一直深印著藍家鳳那嬌美絕倫的音容，雖然彼此敵對相處，這印象仍然是這樣鮮明，目睹藍家鳳中針倒在地下，不自禁地驚呼出聲。

方秀梅低聲說道：「鎭靜些。」

這時，瞥見人影一閃，疾如電閃一般，直向場中撲去。

他動作太快，快到方秀梅無法分辨那人的身分。

但方秀梅卻知曉那人決不是藍天義，因爲她一直在留心著藍天義的舉動。

那人影快如電光石火一般，一掠而過，探手間，抓起了倒在地上的藍家鳳。

方秀梅急轉手中金劍，正待按動劍柄上的機簧，打出毒針，突覺一股暗勁，無聲無息而至。

這暗勁來得十分奇異，事後全無痕跡，但一和方秀梅身子觸接之時，威力突發。方秀梅如受重擊一般，身不由主地向後退了三步，手中的奪命金劍，也不由自主失手而向地上落去。

江曉峰一側身，右手疾快絕倫地一抄，抓住奪命金劍，就在出手的同時，一條人影也疾衝而至。

江曉峰距離較近，動作亦快，先那人影一步，抓住了奪命金劍。

那人未搶到奪命金劍，伸出的右手，原式不變，一翻手背，易抓爲掌，拍向江曉峰的右臂。

江曉峰雙肩晃動，使出金蟬步法，身子一轉，靈巧絕倫地閃避開去。

那人影一掌未中，呼的一聲，疾掠而過，直飛三丈開外，這些變化銜接綿密，也不過是剎那的工夫，當真迅如奔雷閃電一般。

江曉峰轉目過去，才瞧出奪劍之人，大袖飄飄，正是武當名宿玄真道長。

救去藍家鳳的，卻是曾和自己對過掌的老管家藍福。

但見方秀梅啊了一聲，張嘴吐出一口鮮血，雙肩搖擺，似是站立不穩！

常明一伸手，扶住了方秀梅，低聲道：「姑娘傷得很重麼？」

方秀梅慘然一笑，道：「傷得不輕。」

只聽藍天義冷冷地說道：「方秀梅，你已被老夫五相神掌，擊傷內腑，老夫雖非全力施為，但相信你也受不了這一擊，遲則十二個時辰，快則三個時辰，必將嘔血而亡。」

江曉峰避過了玄真道長一擊之後，雙方又成了一個對峙之局。

藍天義口中雖未提奪金命劍，但他對那江曉峰手中的絕毒暗器，似是也有著幾分憚忌，一直保持著兩丈左右的距離。

江曉峰相度一下形勢，暗道：「今日之局，全仗這奪命金劍，保持微妙的平衡，如果他們能夠想出對付奪命金劍的辦法，我們將立時傷亡在他們的手中，但相持下去，總非結局。」

心中念轉，口中卻緩緩說道：「藍天義，你想不想救你女兒之命？」藍天義對女兒受了重傷，即將喪命，心中悲忿已極，但他乃一代梟雄，雖然在極度悲痛之中，仍然保持表面的鎮靜，心中卻在籌思對付那奪命金劍之策。

聽得江曉峰說出女兒有救，心中大喜，但表面上仍然保持平靜，冷冷說道：「據老夫所知，這奪命金劍中人無救……」

江曉峰道：「有救，不過，不能超過半個時辰，而且，武林中也極少有人知曉施救之法。」

藍天義微微一笑，道：「你知道麼！」

江曉峰道：「在下自然知道！」

藍天義回顧藍福懷抱中的愛女一眼，冷肅地說道：「你要什麼條件，可以提出來了。」

江曉峰道：「那麼你救方姑娘，我教令嬡，誰也不吃虧。」

藍天義點點頭，道：「很公平。」

方秀梅突然接口說道：「不行。」

江曉峰微微一怔，道：「爲什麼？」

方秀梅道：「你救活了藍家鳳，藍天義就沒有顧慮地殺害咱們了，他武功高強，你手中雖有奪命金劍，但亦不可久持。」

江曉峰沉吟了一陣，低聲道：「姊姊之意呢？」

方秀梅道：「我和藍天義談談……」

她氣血未平，勉強說得幾句話，又張嘴吐出一口鮮血。

藍天義道：「我如果加上三分氣力，你此刻就沒有法子說話了。」

方秀梅道：「我爲藍大俠可惜，爲什麼不多加一分內力，不過，現在已經太晚了，藍大俠後悔也遲了。」

藍天義道：「你說吧！還有什條件？」

方秀梅道：「很簡單，只要藍大俠放我們走，三個時辰之內，不許派人追蹤。」

藍天義略一沉吟，笑道：「那是說，諸位相信三個時辰之內，就可以逃往安全之區了？」

方秀梅道：「那是我們的事了，用不著閣下擔心。」

藍天義道：「好吧！就此一言爲定，我先爲你療傷。」

右手一拍，道：「接著療傷丹藥。」一點黑影，直飛過來。

江曉峰右手一伸，接在手中，凝日望去，只見那是一顆鵲蛋大小的白色丹丸。

藍天義道：「服法很簡單，吞入腹內，調息一刻即可，這是對症之藥，立竿見影，很快就可以復元了。」

方秀梅道：「我相信藍大俠不會說謊。」

伸手從江曉峰手中取過丹丸，吞了下去。

江曉峰轉對藍福道：「放下藍姑娘，在下替她療傷。」

江曉峰緩步行到藍家鳳身前，蹲下身子，探手從懷中摸出一個火摺子，迎風一晃，亮了起來。

江曉峰低頭查看了一刻，低聲道：「在這裏了。」

抬頭望了藍天義一眼，道：「令嬡傷在左肩之處，必須挑開她的衣服。」

藍天義沉吟了一陣，道：「救命大事，那也顧不得什麼男女之嫌了，你覺著應該如何，只管動手就是。」

江曉峰點點頭，伸手撕開了藍家鳳的左肩衣服，火光之下，只見藍家鳳雪白的玉肩上，有一塊綠豆大小的青點，江曉峰連出數指，點了藍家鳳「肩井」、「會臑」、「雲門」、「鐵盆」四處穴道，接道：「在下就要動手起出她身上毒針了。」

藍天義道：「好！」

這時，火摺子已經燒完，火光一閃而熄。

江曉峰望了方秀梅等一眼，道：「他們可以走了吧！」

藍福冷冷說道：「教主答應了放你們，一言九鼎。不過，目下藍姑娘傷勢還未療好，這承

諾還未生效。」

江曉峰道：「在下留在這裏，如若我醫不好藍姑娘，替她抵命就是。」

藍福冷冷說道：「你可是覺著你那金蟬步，一定能夠活得出去麼？」

江曉峰道：「在下並未存有逃走的打算，我既然承諾了為她醫傷，自然是醫好了才能夠走。」

藍天義揮揮手，道：「藍福，讓他們去吧！」

藍福欠身道：「老奴領命。」

江曉峰提高了聲音道：「方姊姊，你傷勢怎樣了？」

只聽方秀梅道：「藍教主給的對症之藥，已覺著大見好轉。」

江曉峰道：「那很好，你們可以走了。」

常明道：「只有你一個人留這裏麼？」

江曉峰道：「我要替藍姑娘醫傷，那是非留此地不可。」

公孫成道：「咱們走吧！」當先舉步而行。

常明知他心計多端，也不多問，低聲對方秀梅道：「小要飯的手很髒，姑娘不要嫌棄才好。」

扶著方秀梅，緊追在公孫成身後而去。

江曉峰目睹幾人背影消失不見，探手從懷中取出一塊磁鐵，左手緊抓藍家鳳肩上肌膚，右手磁鐵緩緩在藍家鳳傷處移動。

大約有一刻工夫，江曉峰舉起手中磁鐵一瞧，隨手在草中一試，道：「毒針已然起出，目

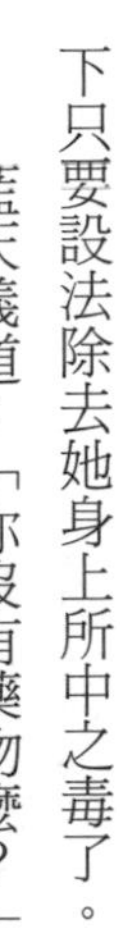

下只要設法除去她身上所中之毒了。」

藍天義道：「你沒有藥物麼？」

江曉峰道：「她毒針起出，三、五個時辰之內，不致於再有危險了。」

藍福怒道：「你沒有藥物，竟敢承諾爲我家姑娘療傷，看不出你小小年紀，竟然是一個十分詭詐的人物。」

江曉峰道：「但我胸有療毒之方，淬針之毒，十分複雜，除我之外，天下再無人知此藥方。」

藍天義道：「好吧！你開出藥方吧！」

江曉峰抬頭望望天色，道：「明日午時之前，配好解毒之藥，還來得及，要請藍教主代在下備匹快馬，趕往市鎮中藥店配藥。」

藍天義仰天大笑兩聲，緩緩說道：「如是市鎮藥店中能夠購得之藥，老夫那別莊之中都備得有，只要勞駕同往別莊一行了。」

江曉峰略一沉吟，道：「聽說教主那別莊之中，養了很多人猿，在下也很想去見識一下。」

藍福冷冷說道：「膽子不小。」

藍天義探手從懷中摸出一粒丹藥，投向江曉峰，道：「接著這粒丹藥，讓小女服下。」

江曉峰依言接過丹丸，放入了藍家鳳的口中。

藍福似是突然想起了什麼大事一般，低聲說道：「就老奴所知，那奪命金劍中的毒針，一向中人無救，不用聽他的鬼話了。」

江曉峰冷冷說道：「那只怪你的見識太少了。奪命金劍中的針上之毒，雖然見血封喉，但它卻並非無救之毒，最惡毒的還是這枚細小的毒針，隨著血行，在身體之內運行，十二個時辰之內，這毒針就隨行血刺中心臟，那時，縱然是華陀重生，也無法療治，中針如不在一個時辰之內，設法取出毒針，那毒針隨行血移動，就不易再行找尋了。」

藍福道：「你剛才用以吸出毒針，可是一塊磁鐵麼？」

江曉峰道：「不錯，但要最好的磁鐵，才能收效，除此之外，還要截住行血才成。」

藍福冷冷說道：「老夫只要知曉它用磁鐵取針，那就夠了。」

藍天義淡淡一笑，道：「你得了金蟬子的武功，就目下武林而言，也算得第一流頂尖的人物，如是肯和老夫合作，日後不難擔當一方雄主，如是還要和老夫作對，那是自取滅亡，再一次咱們相遇之時，老夫非取你性命不可。」

江曉峰略一沉吟，道：「這個晚輩自有主意。」

藍天義道：「你若相信老夫能為你保密，那就為小女留下藥方。」

江曉峰道：「晚輩覺著，這藥方並無不可告人之處，但不知要寫在何處？」

藍天義道：「就寫在小女的衣衫之上如何？」

江曉峰略一沉思，用燃過的枯枝，在藍家鳳衣衫上寫下藥方，道：「照方服用兩副，一日內其毒自解。在下就此別過了。」

藍福舉手一揮，玄真道長和金陵劍客張伯松，已雙雙躍出，並肩擋住了江曉峰的去路。

江曉峰一舉手中奪命金劍，冷冷說道：「兩位如若再中此劍毒針，在下不再施救了。」

藍天義道：「我們已知療救之法，縱然中針，也並非無救，三大高手，分由三方攻襲，

最多你只能傷得一個，識時務者爲俊傑，聽老夫相勸，還是放下兵刃，歸依我教，即可保全性命。」

江曉峰暗暗吸一口氣，道：「想不到，鼎鼎大名的藍天義，竟然無信無義，你們只管出手……」

藍天義哈哈一笑，喝道：「你們閃開。」

藍福微微一怔，道：「放虎容易捉虎難……」

藍天義冷冷接道：「我要你們讓開。」

藍福不敢再行多口，右手一揮，張伯松、玄真道長立時又返回原位。

藍天義道：「江曉峰你去吧！有時間，好好想想老夫的話。」

江曉峰不再多言，轉身大步而去。

藍天義目睹江曉峰背影消失之後，低聲對藍福說道：「加派人手，監視他們的行蹤，然後，集中人手，一網打盡。」

藍福一欠身，道：「老奴遵命。」

藍天義抱起藍家鳳，轉身而去。

且說江曉峰行約十丈之後，正待加快腳步向前奔去，突聞一個極低微的聲音，傳了過來，道：「江兄弟麼？」

人影一閃，常明已奔到身前。

敢情他就隱身在不遠一片草叢之中。

江燒峰正待答話，常明已牽住了江曉峰的衣袖，向前奔去。

兩人連袂而行，一口氣奔出了六、七里路。

常明停下腳步，四下打量了一眼，舉步向一座高大的古墓行去。

那大墳四周古柏環繞，四周生滿了長約數尺的青草。

江曉峰低聲說道：「常兄！這是什麼所在？」

常明微微一笑，道：「這是我們三個存身之地。」

江曉峰啊了一聲道：「常兄才慧過人，未雨綢繆。」

常明道：「這叫做狡兔三窟，對付藍天義那種陰惡人物，不得不用點心機了。」

談話之間，已然行近巨墓旁側。

只見叢草啓動，燈光透出，公孫成探出一個頭來，道：「快些進來。」

常明一把牽住江曉峰，鑽了過去。

江曉峰抬頭看去，只見幾根木樁，支在地上，原來，他們竟在這巨墳一側，挖了一個大洞，用木柱撐持，外面青草覆蓋，不知內情之人，實是無法瞧出。

這土洞不大，不過幾尺方圓，勉可容得四、五個人。

公孫成笑道：「挖人墳地，用以存身，實是不大該爲的事。」

常明接道：「這周圍十餘里，很少有人家居住，咱們如不經營幾處存身之地，如何能逃避那藍天義的耳目。」

公孫成微微一笑，道：「聽你口氣，似乎是還有幾處隱密歇腳地方了？」

常明道：「小叫化在這片荒野中，經營了七、八處避身之地，就算他藍天義手下眾多，也

夠他找上十天半月了。」

公孫成長長歎一口氣，道：「今宵一會，使在下感覺到事態嚴重，咱們機會不多了……」

方秀梅道：「不錯，憑咱們幾人之力，實無法和藍天義抗拒。」

目光轉到江曉峰的臉上，道：「兄弟，你怎麼離開了他們？」

江曉峰輕輕歎息一聲，把經過之情，很仔細地說了一遍。

公孫成點點頭道：「藍天義表面上雖然鎮靜，但他內心很明白，他的武林霸業，和女兒有著很大關係。」

方秀梅搖搖頭道：「這個麼？賤妾不敢苟同。」

公孫成點點頭道：「姑娘如此說，必有卓見了。」

方秀梅道：「過去，我也這麼想，覺著那位藍姑娘，對藍天義的武林霸業，定然有著很大的作用，但我在那莊院中住了幾日之後，覺著其中大有問題。藍天義的霸業，不一定要仰仗女兒。」

公孫成道：「姑娘可否說得詳盡一些？」

方秀梅道：「我會詳盡的說給諸位，藍天義不知在何處，找了那許多巨大的人猿，而且又尋得了深諳猿語的人物，把人猿都訓練成了身負絕技的怪物……」

常明道：「身負絕技？」

方秀梅道：「不錯，我親眼看到人猿和武林高手相搏，看到牠們生裂活人的手段。」

公孫成道：「方姑娘所謂的武林高人，不知是何許人物？」

方秀梅道：「南嶽三英，公孫成老前輩知道吧！藍天義以三頭人猿，和南嶽三英動手，結果在一百招內，南嶽三英被三個人猿生裂而死，並且吸食了三英身上的鮮血。」

常明道：「人猿生裂了南嶽三英之後，是否已發了獸性呢？」

方秀梅道：「可怕的就在此了，那三頭人猿，生裂了三英之後，竟然仍聽從號令，自行進入鐵籠，似乎是那些人猿，都已被訓練得通了人性，聽命令行事，而且奮不顧身。」

公孫成點點頭，道：「那別莊之中，一共有多少人猿？」

方秀梅道：「賤妾沒有仔細地數過，約略的估計一下，大約有五、六十頭。」

公孫成怔了一怔，道：「那的確是一股不可輕視的力量，五、六十位第一流高手，絕對忠心不變，不辨是非，不受名利之誘，除非能找出一個精通猿性的人，找出獸性的缺點，加以利用，否則對藍天義毫無辦法。」

方秀梅道：「一時之間，到哪裏去找這樣一位人物呢？藍天義準備了二十年，他有足夠的時間，設法去找出精通猿語、獸性的人，這些人物，不是被他所用，也已經被他殺死了。」

長長歎一口氣，道：「神算子王修，上知天文，下知地理，胸羅萬有，無所不能，不知他是否通解猿語？」

公孫成道：「這方面在下也不清楚，不過，如若能找到他，至少他可以告訴我們一個辦法。」

方秀梅道：「就目前形勢而言，那藍天義已有著足夠的實力，藍家鳳似乎並非是舉足輕重的重要人物了。」

公孫成長長吁一口氣，道：「就方姑娘所見，藍天義那些人猿，是否已經完全馴教成功了呢？」

常明霍然站起身子，一口吹熄了燈火，低聲說道：「公孫叔叔，來人很像是鳥王呼延嘯。」

方秀梅正待答話，突聞一陣淒厲的怒嘯之聲，傳了過來。

公孫成道：「那是說，近日之內，江湖即將發生大變了？」

方秀梅道：「就賤妾所見，人猿似是已馴教成功了。」

公孫成奇道：「那呼延嘯已然息隱江湖二十年，你怎麼會知曉此人？」

常明道：「小要飯的有一次隨師父同行，在魯南境內，聽到這種嘯聲，只覺它淒厲無比，叫人聽來心悸，小要飯的在江湖行走很久，從來沒有聽到過這等怪異的嘯聲，因此問起師父，師父就很詳細的告訴我，鳥王呼延嘯的往事。」

公孫成道：「距此有多少時間了？」

常明道：「大約半年。」

公孫成道：「半年前，鳥王呼延嘯，又行重出江湖了。」

方秀梅道：「賤妾也沒有見過呼延嘯，但卻久聞其名，據說此人能奴役百鳥。」

公孫成道：「不錯，他精通鳥語，能役百鳥，說起此人，也算當代一大魔頭，一生縱橫江湖，武林人聞嘯退避……」

語聲一頓，接道：「難道鳥王出山，也和藍天義有關不成！」

語聲方落，又是一聲尖厲的怪嘯聲傳了過來。

這一聲聽得極是清楚，顯然，來人又行近了幾人停身之處。

方秀梅低聲說道：「此人除了役使百鳥之外，不知他武功如何？」

公孫成道：「第一流的身手，當年藍天義，曾和他動手相搏過一次，兩人力拚三百招未分勝負，但鳥王卻未敗而退。」

方秀梅道：「呼延嘯陡然在江湖之上出現，只怕個中另有內情。」

公孫成道：「在下亦甚懷疑，如若他當真是受藍天義邀請出山，咱們又多了一個強敵，而且他善役百鳥，咱們決無法逃過他的搜查……」側耳靜聽了一陣，接道：「目下咱們對藍天義企圖已明，那莊院中的隱密也已知曉，實也再無留此必要。」

方秀梅道：「只怕藍天義早已在各處要道之上，設了埋伏，咱們逃走不易。」

常明接道：「小要飯的自信安排的幾處落腳處，十分隱密，就算他們人手眾多，也未必能很快找到，不如在此多留幾日，讓他們追尋不獲之後，防守鬆懈之時，咱們再走不遲。」

公孫成道：「我本也有你這等想法。但鳥王呼延嘯突然出現，情勢已然大變，如是他幫助藍天義，必可很快找到咱們的行蹤，因此，咱們要走得愈快愈好，據我所知，那鳥王雖能役使百鳥，但夜間群鳥目力不濟，咱們被發現行蹤的機會減去不少，不過，此刻處境，步步殺機，咱們四個人，只怕很難完全走脫，只好走一個算一個了。」

望了江曉峰一眼，接道：「江兄懷有金蟬步的絕技，又有奪命金劍，在咱們四人中，走的機會最大。」

江曉峰道：「晚輩江湖閱歷，不及諸位甚多，單憑武功，走脫的機會，只怕難及諸位。」

公孫成道：「藍天義實力強大，咱們誰能逃出他們圍困，一大半要靠運氣，不論何人能夠脫身，都請趕往黃山一行。」

方秀梅道：「趕往黃山作甚？」

公孫成道：「我對天立過重誓，不洩露他們藏身之地，十幾年來，我一直未對人說過，但此刻情勢不同，武林大難，迫在眉睫，就算日後身應誓言而死，那也顧不得了。」

方秀梅道：「公孫兄說的什麼人？」

公孫成沉吟了一陣，道：「方姑娘，請恕在下賣個關子，咱們四人之中，還無法確定，哪一個能夠脫身離此，在下實是不便先說出來。」

方秀梅道：「你如不肯說出，就算有人逃離此地，那也是沒有用了？」

公孫成道：「在下寫好三封書信，諸位各帶一封，誰能逃離此地，就趕奔黃山盤龍谷去……」

方秀梅道：「盤龍谷？小妹在黃山住了數日之久，怎麼從未聽過盤龍谷？」

公孫成低聲對常明道：「小要飯的，你出去瞧瞧看，那呼延嘯是否停在附近。」

常明點點頭，輕啓草門，緩緩探出頭去，四下打量一陣，不見人蹤，才回退室中道：「目力所及，不見人蹤馬跡，大約是不在此地了。」

公孫成晃燃火摺子，點起燭火，就地畫出盤龍谷的形勢，並指點兩人住的地方，但卻始終不肯說出兩人的姓名。

江曉峰道：「這兩個老前輩可有姓名麼？」

公孫成道：「姓名自然是有，但在未見到兩人之前，諸位最好是不用知曉。一則可保隱密，萬一咱四個人都未能離此時，在下未說出他們身分，也算沒有違犯立下的誓言。」

江曉峰心中暗道：「不知是什麼樣的人物，竟然如此神秘。」

但聞公孫成道：「三位記牢那盤龍谷的形勢，這是救目下武林大劫，唯一的希望了。」

方秀梅道：「地形已熟記胸中，但此地沒有筆墨，公孫兄如何修書呢？」

公孫成苦笑一下，從身上取出一方白色絹帕，撕成三份，咬破右手中指，寫了「垂憐蒼生」四個血字。

三份血書，寫得一樣。

一種悲壯、淒涼的氣氛，使每個人都有著負重千斤的感覺。

公孫成緩緩把三份血書，折疊起來，分交三人收好，神色肅穆地說道：「諸位萬一不幸被擒，只要不說出地名，血書落入藍天義的手中，他也無法猜出血書作用。」

方秀梅道：「公孫兄但請放心，如若無法逃走，也決不讓他生擒，我會自作了斷。」

常明道：「小要飯的身上帶有一粒毒丸，一遇攔劫，我就含毒口中，那毒丸藥性奇烈，咬破入口，必死無疑，寧叫毒發身亡，也不會損你公孫叔叔的台。」

公孫成點點頭，道：「很好，很好。」

目光轉到江曉峰的臉上。

他口雖未言，但神情之間，顯然是要那江曉峰，也許下承諾。

江曉峰乃極端聰明之人，豈有不知之理，當下說道：「晚輩如若遇上攔阻，定會盡奪命金劍中的毒針，和他們一決勝負，盡我所能破圍而出，如是力難從心，唯死而已。」

公孫成輕輕歎息一聲，道：「我們四人中，你的破圍希望最大……」

語聲一頓，道：「咱們該走了。」一站起身子，向外行去。

常明低聲說道：「公孫叔叔，咱們一起走呢，還是分開行動？」

公孫成道：「走在一起，實力要強大很多，事非得已時，再行分散，咱們都有破釜沉舟之

心，只要不是遇上藍天義攔截，足可和他們一戰。」

常明道：「置之死地而後生，小要飯的開道。」

身子一側，搶在公孫成前面而行。

方秀梅嫣然一笑，道：「我瞧咱們幾人，都不是早夭之相，也許一個也不會死。」

幾人心懷大仁，反把生死之事看得淡了，千古艱難唯一死，但幾人笑談生死大事，輕描淡寫，全不放在心上。

公孫成撕下一塊藍衫，包起傷指，緊隨在常明身後。

方秀梅居三，江曉峰斷後而行。

十五 群鳥襲擊

這時，天色已來到五更，夜色正濃，幾人藉夜色掩護放步疾奔。

常明精明無比，記憶之能，更是人所難及，凡是他行過之處，地理、形勢都能熟記於胸，走起路來，有如輕車熟道。

四人一口氣奔出八、九里路，到了一處雜林外面。

常明突然停下腳步，低聲道：「情形有些不對。」

公孫成道：「怎麼回事？」

常明道：「我記得這片雜樹，枝葉並不繁茂……」

話未說完，突聞頭上幾聲鳥鳴，接著一陣羽翼撲風之聲，幾隻巨鳥，正向幾人飛了過來。

公孫成道：「咱們跑到了鳥王的宿夜之地。」

但聞勁風破空，迎面撲來，一隻巨鳥疾向兩人撲來。

公孫成右掌一翻，迎空拍出一記劈空掌力。

那巨鳥下撲之勢，吃那劈空掌力一撞，斜向一邊偏去。

公孫成發掌很有分寸，拍出的掌力，只不過撞偏了那頭巨鳥，但那巨鳥並未受到傷害。

就這一瞬工夫，幾人頭頂之上，已然雲集了無數的巨鳥，盤旋交錯，聲勢十分驚人。

江曉峰心中暗道：「一個人能將這多巨鳥雲集施用，如臂使指，實非易事，這鳥王可也算得一代奇人了。」

突然一聲長鳴，數十隻巨鳥同時疾撲而下，襲向幾人。

公孫成當先發出掌力，一面說道：「不要傷了他的鳥兒！」

江曉峰、方秀梅等接著發出掌力，拒擋那巨鳥的撲去之勢。

那巨鳥凶猛異常，雖然被幾人掌力逼退，但卻立時重又撲了上來。

江曉峰道：「巨鳥眾多，纏鬥不休，如若咱們不能放開手傷牠們幾個，不知相持到幾時？」

只聽一聲長長的怪嘯，傳入耳際。

那不停撲去的巨鳥，突然停住了向下攻擊之勢，但仍然在幾人頭上盤旋不去。

一個冷冷的聲音，傳了過來，道：「什麼人？」

公孫成道：「在下公孫成。閣下是鳥王呼延兄了！」

呼延嘯應道：「正是老夫。」

隨著那答話之聲，一條人影，緩緩向幾人行來。

江曉峰凝目望去，只看那鳥王呼延嘯，身材瘦長，穿著長衫，似是用很多顏色拼在一起，夜色中雖然無法看得清楚，但隱隱可辨出那是一件彩衣。

公孫成一抱拳，道：「呼延兄別來無恙，我們很多年不見了吧！」

呼延嘯並不立刻答話，兩道炯炯目光，緩緩由江曉峰、常明、方秀梅等臉上掃過，才頷首應道：「想不到公孫兄，還認得我這個玩鳥的人。」

公孫成道：「呼延兄，役鳥之能，前不見古人，別說兄弟，天下武林同道，又有哪一個不佩服呼延兄的役鳥手段。」

呼延嘯似是很愛受人奉承，面現喜色，道：「公孫兄有何要事，這般連夜趕路？」

公孫成心中忖道：「呼延嘯是否已役在藍天義的手下，還難逆料，這等事，又不便當面詢問，此地不宜久留，早些離去得好。」

心中念轉，一揮手，道：「兄弟去探望一位朋友，咱們就此別過了。」一抱拳，轉身就走。

江曉峰等正待舉步隨行，瞥見人影一閃，呼延嘯已然在公孫成的前面，冷冷道：「公孫兄去探看什麼人？」

目光一掠方秀梅等，接道：「這三個又是何許人物？」

江曉峰待要發作，卻為方秀梅輕輕一扯衣袖，只好忍了下去。

公孫成眼看被呼延嘯攔住了去路，反而沉著了下來，微微一笑，道：「這三位都是武林中的後起之秀！」

方秀梅接道：「賤妾方秀梅。」

常明道：「小要飯的常明。」

江曉峰道：「在下江曉峰。」

呼延嘯目光轉到那方秀梅的臉上，道：「方姑娘可是人稱笑語追魂麼？」

方秀梅道：「不登大雅之堂匪號。」

呼延嘯道：「老夫倒是聽過你的名頭……」

目光由江曉峰和常明臉上掃過，道：「這兩位，老夫確是從未聽人說過。」

公孫成道：「他們出道不久，呼延兄近十年又甚少在武林走動，自然是不會聽過了。」

呼延嘯道：「老夫息隱之後，武林中似有了甚多的變化。」

公孫成心中一動，道：「呼延兄此番重出，不知是否有所作爲？」

呼延嘯哈哈一笑，道：「江湖上傳說公孫兄最工心計，從這番問話之中，可譜傳言不虛了，公孫兄心有所凝，爲何又不肯坦然說出呢？」

公孫成略一沉吟，道：「呼延兄一向是獨來獨往，如是兄弟說得太坦率，引起呼延兄的不滿，豈不是要翻臉成仇，此實非兄弟所願。」

呼延嘯仰首望天，冷冷說道：「公孫兄，可是懷疑兄弟，爲那藍天義脅迫出山麼？」

公孫成道：「呼延兄一代人傑，自是不甘爲人所用，但兄弟卻不能不有此一慮。」

呼延嘯道：「不幸的是，公孫兄憂慮的不錯。」

公孫成微微一怔，繼而淡淡一笑，道：「所以，呼延兄才攔住我們去路？」

呼延嘯道：「那只怪公孫兄和幾位的運氣不好，自己送上門來。」

公孫成暗中運氣戒備，口中卻淡淡說道：「呼延兄的意思是？」

呼延嘯接道：「請諸位隨在下，同往天濤別莊一行，見見藍教主。」

公孫成道：「原來那養滿人猿的莊院，叫天濤別莊，名字倒是雅致的很……但呼延兄一定要帶走我們麼？」

呼延嘯道：「老夫奉命，限明日午時之前，搜查出你們行蹤，難得你們自動送上門來，這叫踏破鐵鞋無覓處，得來全不費工夫。」

公孫成道：「呼延兄，我們不會束手就縛。」

江曉峰突然探手入懷，摸出奪命金劍，道：「閣下見識過這件兵刃麼？」

呼延嘯望了那金劍一眼，肅然道：「奪命金劍？」

公孫成道：「不錯，呼延兄如是不肯放手，咱們只好在閣下身上，試試這金針的威力了。」

呼延嘯突然一個仰身，一式「金鯉倒穿波」，退出了二丈多。

他身法快速無比，又一個飛躍，人已隱失在夜暗之中不見。

常明哈哈一笑，道：「看來，這奪命金劍的氣勢，還能震懾惡人。」

只聽呼延嘯的聲音，傳了過來，道：「你們已陷入老夫鳥群陣中，只要老夫一聲令下，立時將有萬隻以上的巨鳥，施行群襲，就算你們武功高強，也無法長時抵抗我這群巨鳥不斷的攻襲。」

公孫成高聲說道：「呼延兄之意呢？」

呼延嘯道：「老夫奉命找尋你們，同往天濤別莊一行，藍教主目下正在需要人手之時，諸位都是可用之材，決不至傷害你們。」

公孫成低聲說道：「據說呼延嘯，除了能夠役使一般鳥之外，自己還養了幾隻特別惡毒的巨鷹，十分厲害，諸位要小心一些。」

常明道：「鳥群雖然凶惡，咱們幾人合力，還可對付。他既然畏懼奪命金劍，想來決不敢延身攔阻，但憑群鳥，未必能阻攔咱們，此地不宜久留，早走為主。」

公孫成道：「好，你和江兄在前開路，我和方姑娘斷後，今日之局，已難善終，不用顧及

傷到他的群鳥了。」

隨手折斷了身側一棵小樹，左手探入懷中，摸出一把匕首，削去樹上的枝葉。

常明目光一轉，也伸手拔了一棵鴨蛋粗細的小樹，折去樹身叉枝。

方秀梅拔出長劍一揮，斬去一棵小樹，道：「兄弟，你奪命金劍留作對付強敵，用這根木棍對付鳥群。」

她一面說話，一面動手，很快地削去樹身上的軟枝，遞給了江曉峰。

幾人動作奇快，斬樹折枝，也就不過是片刻工夫。

只聽呼延嘯道：「你們好了沒有？」

常明一揮木棍子道：「我們走！」當先舉步向前奔去。

江曉峰收起奪命金劍，緊追在常明身後。

但聞兩聲淒厲的怪喝，傳入耳際，那盤旋在幾人頭頂上的巨鳥，突然疾撲而下。

公孫成揮動手中小樹枝削成的木棍，砰然輕震中，擊落了一隻巨鳥。

但聞鳥羽破空之聲，無數巨鳥，由林中飛了出來，有如烏雲壓頂，密密層層，無法算計。

公孫成、方秀梅，雖然都是久走江湖之人，但目睹此等聲勢，亦不禁心頭駭然。

呼延嘯役鳥之能，果然是舉世無雙的奇技，群鳥如蝗，分由四面八方，把幾人團團圍了起來。

鳥群如潮，蜂湧而至，太過密集，羽翼響起了一片卜卜之聲，集成巨鳴，有如海浪擊岸。

常明手揮木棍，橫劈直擊，眨眼間，擊落了數十隻巨鳥。

但那漫空鳥群，在呼延嘯役使之下，有如著了魔一般，不停地向幾人撲攻。

三個人、三條木棍，一把百煉精鋼的長劍，揮舞削去，穿刺劈打，有如滾湯潑雪一般，劍棍過處，鳥屍紛紛落下。片刻之間，四人的周圍，堆滿了死傷的鳥兒，不下數百隻之多。

傷禽的悲嘯，夜暗中刺耳驚心。

但那鳥群攻勢，並未消挫，仍是前仆後繼地直撲過來。

公孫成目睹這等死傷累累的鳥屍，亦不禁爲之驚心。

方秀梅雖被稱爲笑語追魂，一生中身經無數惡戰，但也從未殺死如此多的鳥禽，細看那鳥群中，百禽雜陳，有烏鴉，也有善良的黃鶯，巨鷹、小雀，無所不有。

不禁心中黯然，忖道：「這鳥王呼延嘯，可算得天下第一等殘忍的魔頭，驅使凶禽傷人，也還罷了，竟把小雀、黃鶯等全無對敵之力的鳥兒，全都召來送死。」

她心中念轉，手中長劍一緩，一隻巨鷹疾衝而至，在她頭上啄了一口，兩隻利爪同時抓在了左肩之上，衣破皮傷，肩頭被抓了數條血痕，雖未傷及筋骨，但也覺十分疼痛。

頭上被咬了一口，也被啄得皮破血流，不禁大怒，長劍一揮，把頭巨鷹活生生劈成兩半，急展長劍，寒芒簇飛，連劈了十餘隻巨鳥。

公孫成等凝神舞棍，拒擋鳥群，都未留心到方秀梅受傷之事。

常明打得性起，手中木根一面大開大劈，一面高聲說道：「呼延嘯，你有本領，就該親身臨敵，和我一決生死，驅使這多無辜的鳥兒送死，算得什麼英雄豪傑。」

呼延嘯哈哈大笑道：「老夫這鳥王之稱，難道是白叫的麼？老夫已招來十萬以上的鳥兒，讓你們殺個痛快。」

常明聽得心中一沉，暗道：「如果這等鳥兒永不停息的這般撲攻，我們終有殺至力盡筋疲

之時，那時，他再用凶禽猛攻，不傷在禽爪之下才怪。」

只聽公孫成說道：「咱們不能和這鳥群對耗下去，先找個棲身之地，再想對付鳥群的法子。」

常明道：「小要飯記得這枯林一側，有一座石塊砌成的小屋，屋中主人，似是獵戶，常不在家。

公孫成道：「距此好遠？」

常明道：「大約有兩里多些。」

公孫成道：「快些帶路。」手中木棍一緊，又劈落四隻鳥兒。

常明舞棍開道，江曉峰隨後而行，方秀梅、公孫成魚貫跟上。

四人手中的劍、棍全力施為，劍光如輪，木棍嘯風，衝開鳥群，轉向正東方位衝去。

但聞呼延嘯縱聲大笑，道：「四位想走麼！只怕沒有那麼容易。」

常明運氣出手，木棍繞頂生風，破開鳥群，加快腳步。

雖只有二里多些路程，但在群鳥環攻之下，四人行動甚慢，足足耗去了半個時辰，才行到石屋。

常明低聲說道：「江兄弟，你對付鳥群，我去拉門！」

江曉峰木棍一緊，護住了常明，拒擋鳥群。

原來鳥群如影隨形，一直緊追幾人不捨。

常明行進石室，只見外面加有鐵鎖，心想室中無人，扭開鐵鎖，破門而入。

江曉峰大聲喝道：「兩位快請入室，在下拒擋群鳥。」雙臂貫注真力，木棍幻起一片棍影。

但聞一陣波波之聲，傷亡鳥體，紛紛下墜。

公孫成回手一掌，劈死了一隻抵隙而入、緊追身後的巨鳥，道：「江世兄，快請入室，再籌思退鳥之法。」

這時，天已大亮，景物清楚可見，但見大大小小的鳥陣，遮天蓋地而來，石室四周，上空全是盤飛的鳥兒。

江曉峰陡收木棍，閃入室中。

常明早已在門後準備，眼看江曉峰入得室中，立時掩上木門。

江曉峰回目一顧，只見方秀梅臉上、肩頭，鮮血淋漓，不禁一怔，道：「姊姊受了傷麼？」

方秀梅接道：「不要緊，一時疏忽，被一隻老鷹抓傷。」

公孫成道：「久聞鳥王之名，今日算是見識過了，果然是名不虛傳。唉！鳥群之中，生性溫順，見人就飛的小鳥，竟然也敢悍不畏死的向人撲擊，想不到咱們竟被一群雜鳥，逼得躲到這石屋之中，集小為大，會弱成強，這其間果有道理。」

方秀梅道：「咱們殺死了多少隻鳥？」

常明道：「咱們和鳥群搏鬥，近一個時辰左右，大小不分，傷死同計，總在近萬左右吧？」

方秀梅道：「我想不明白呼延嘯用的什麼方法，能使這些群鳥如癡如狂一般，悍不畏死。」

公孫成道：「昔年鳥王呼延嘯在江湖走動時，只是役使一些凶禽，巨鷹、大鵰，助他對敵，想不到他隱居十餘年之後，役鳥之術，竟到了出神入化之境，大小不分，全為其用，天下千百種無可計數的鳥兒，都成了他手下的不二之臣，其術可怖，其行殘忍，留他在世，實是武林大害。」

常明道：「鳥飛迅速，一來成千上萬，如飛蝗潮水一般，只怕很難想出對付的辦法。」

公孫成道：「咱們如若從鳥群身上用工夫，只怕是緣木求魚，難有結論。」

方秀梅接道：「不錯，打蛇打頭，擒賊擒王，殺了鳥王呼延嘯，鳥群自散，但他武功高強，又有鳥群相護，殺他談何容易。」

公孫成長長吁一口氣，閉目沉思。

常明知他在思索策謀，示意方秀梅、江曉峰等不要驚擾到他。

石室中突然間靜了下來，石室外群鳥飛翔之聲，也同時停息了下來。

大約過有一刻工夫，公孫成才緩緩睜開雙目，道：「現在什麼時間了。」

常明抬頭向窗外瞧了一眼，道：「日上三竿。」

公孫成道：「如若藍天義等聞得訊息，此刻已經趕到此地了。」

方秀梅道：「單是一個鳥王呼延嘯，已足夠咱們對付了，藍天義等如再趕來，今日咱們是難以生離此地了。」

公孫成苦笑道：「千慮一失，在下做夢也想不到，那鳥王呼延嘯竟然也會投效藍天義的手下。」

方秀梅道：「如若咱們坐以待斃，倒不如拚命衝出，四個人分走四個方向，逃一個算一個！」

公孫成道：「在下已經仔細地考慮過了，咱們逃走的機會，那是百不得一，在群鳥連襲之下，總有把咱們累到筋疲力盡之時，落得個萬鳥分屍而死。」

方秀梅道：「守此石室……」

但聞呼然一聲，撞在木門之上，積塵紛紛落下。

那木門雖不好看，但卻十分緊牢，這一下撞擊的力量雖大，竟是未能把它撞開。

方秀梅右手一伸，拉開木栓，一側身子，疾如流星一般，搶出室外。

凝目望去，只見一頭巨鵰淨空飛降，已向著木門。

她忙運足掌力，向撞來的巨鵰擊去，雙方勢態，快若閃電，巨鵰被掌力擊歪，斜撞到石牆之上，頭破而死，方秀梅亦被撞得手腕發麻，身子倒退了兩步，才拿樁站穩。

但巨鵰眾多，且久經訓練，前仆後繼，接連俯衝，方秀梅勢難力敵，在擊斃三隻鵰後，忙閃進室中。

常明爲人機智，急急掩上木門。

方秀梅望著掩上的木門，出了半天神，道：「好厲害的鵰，那一撞之勢，至少也有五、六百斤的氣力。」

公孫成道：「這批凶禽，大約就是鳥王飼養之物，昔日鳥王呼延嘯仗這批凶禽，逐鹿武林，不知有多少高手，傷在這批凶禽的鋼爪利口之下，適才姑娘已入室門，那些凶禽，受形勢所限，來不及使用口、爪，如是被牠啄中、抓住，傷得就更厲害了。」

方秀梅昨宵之中，雖然傷在鳥口、利爪之下，但她總覺是自己疏忽所致，適才拿去掌擊巨鵰，才知道這些凶禽的厲害，不但口利爪銳，而且是力量奇大，一個人武功再高，也無法對付數十隻悍不畏死的凶禽猛撲。

江曉峰輕輕一歎，道：「在下此刻，倒希望藍天義率領人手趕到了。」

常明奇道：「爲什麼？」

江曉峰道：「那也好各憑手段，一拚生死，強似對付那些野禽。」

話語剛落，室外傳入了呼延嘯冷冷的聲音，道：「藍教主大駕已到，特命老夫最後奉勸諸位一句，如是諸位願意投入教中效力，那就過往不究，一個人只能死一次，還望諸位三思老夫之言。」

公孫成高聲說道：「呼延嘯，你一世英名，想不到竟然是甘爲鷹犬，我們今日也許很難生離此地，但卻死得清白豪壯。」

江曉峰道：「憑仗野禽傷人，豈是英雄行動！」

呼延嘯道：「你是什麼人？」

江曉峰道：「在下江曉峰。」

呼延嘯道：「你那奪命金劍中毒針，號稱暗器中至絕至毒之物，施用此物對敵，難道也是英雄行徑麼？」

江曉峰道：「在下不用奪命金劍，閣下不許招來野禽助陣，我們各憑武功一戰如何？」

呼延嘯縱聲大笑道：「瞧不出你小小年紀，口氣竟如此托大。」

江曉峰道：「你敢不敢答應？」

呼延嘯道：「老夫倒是不信你這點年紀，能有多大氣候，倒要領教了。」

江曉峰打開木門，道：「你先把那些盤飛空中的野禽喝退。」

呼延嘯仰天長嘯數聲，那盤旋於空中的巨鳥，突然轉頭飛入那片竹林之中。

江曉峰低聲向公孫成道：「晚輩試試他武功如何？如是能夠勝他，那是最好不過……」

方秀梅接道：「我們爭的是大是大非，不可意氣用事，打不過就趕緊退回來，我相信你的金蟬步足可以保命全身。」

江曉峰微微一笑，道：「小弟這身武功如何，連我自己也不明白，自出道以來，我還沒有全神集中的和人打上一場，今日小弟倒想在這位鳥王的身上試上一試！」

方秀梅道：「你和那藍福動手相搏，難道也沒有全力施為麼？」

江曉峰道：「藍福劈出的掌勢，十分奇幻，一對上手我就落處下風……」

但聞呼延嘯叫道：「小子，你出來吧！老夫已快二十年未和人打過架了，你小子一提，倒覺手癢得很！」

江曉峰身子一側，奔出木門，冷冷說道：「我們是拳掌相搏呢？或是以兵刃搏鬥？」

呼延嘯雙目神光暴射，盯住在江曉峰臉上瞧了一陣，雙目凶光突斂。

他的神情奇異，似是突然在江曉峰的臉上發現了什麼，口氣也變得十分溫和，道：「孩子，你姓什麼？叫什麼？」

江曉峰道：「在下說得很清楚了，我叫江曉峰，大江南北的江，晨雞報曉的曉，山峰的峰，你有長耳麼，怎的老是聽不明白！」

生性凶殘的呼延嘯，對江曉峰這幾句大不敬之言，似是全未放在心上，淡淡一笑，道：

「小子，咱們比武較量，不用拚命，兵刃太凶險，那就比拳腳算了。」

江曉鋒微微一怔，道：「似你這等役鳥食人的殘酷人物，還怕凶險不成？」

呼延嘯笑道：「你年紀輕輕的，怎麼出口就要傷人？」

江曉峰道：「那是你為老不尊，沒有叫人敬仰之處！」

呼延嘯心中怕他說出更為難聽之言，急急接道：「你這娃兒，十分狂傲，老夫如若讓你先機，你定然是不肯接受了，恕老夫有僭了。」右手一揮，拍向江曉峰的前胸。

江曉峰雙肩一晃，閃到了呼延嘯的身後，一招「黑虎伸爪」，拍向呼延嘯的背部。

呼延嘯彩衣飄飄，一躍八尺，避開一掌，回手反擊。

他一生役鳥，拳掌手法，大都模仿鳥兒飛勢而成，可算得是別具一格的手法，自然中就具有威猛之勢。

奇怪的是，他攻出的拳掌中，力道並不強大，徒具架勢，威而不猛。

江曉峰從未見到呼延嘯那古怪的掌式，感覺他每一招中，都具有無比的威力，必得善為提防，分去大部心神。

但當呼延嘯一掌攻到，卻又滿不是那麼回事。數招已過，江曉峰心中漸漸放寬，腳踏金蟬步，展開了凌厲的攻擊。

呼延嘯登時被迫落在下風。

江曉峰步步逼近，兩人已然形成貼身相鬥，掌指伸展之間，可及對方的要害大穴，實是一場凶猛絕倫的惡鬥。

但聞呼延嘯低聲說道：「孩子，你瞧到了老夫的掌勢沒有？」

江曉峰心中暗道：「此刻搏鬥凶險，生死於呼吸之間，就形勢而言，他已落處下風，不想法子，扳回劣勢，竟然談起他的掌勢來了。」

心中念轉，口中應道：「瞧到了，掌勢樣子好看，但卻全無力道。」

呼延嘯雙手齊出，封開了江曉峰兩招凌厲的掌勢，道：「孩子，老夫這掌法叫做百禽掌，乃是我隱居十餘年，全部心神的結晶，也是畢生心血所聚。其中有三式最爲凶惡，老夫相信，在天下掌法之中，應是決無僅有之學……」

他只管說話，分了心神，被江曉峰一拳擊在左肩之上，打得他連退了四、五步遠。

但江曉峰卻感到這一掌，如拍在木頭之上一般，手腕震得微微痠麻，心中暗道：「他分明是有一種護身的氣功保護，我這一掌，並未傷他，一個人能把內功練到這種境界，怎的發出的掌勢，似是全然無力呢？難道他有意在讓我麼？」

但見呼延嘯伸展了一下雙臂，重又攻了上來，接道：「老夫這百禽掌法，懸空撲擊，妙變無方，不知你是否相信。」

他雖然挨了一掌，似是毫無怨恨之心，有如高僧講道一般，大有不使對方相信，誓不甘休的樣子。

江曉峰身軀一晃，閃到呼延嘯的右側，疾出一掌，逼得呼延嘯向後連退三步，道：「你掌法奧妙，儘管施展，說給我聽，用心何在？」

呼延嘯重又欺身而上，低聲說道：「好！我施展出來給你見識見識，你金蟬步乃暗含奇門變化的絕學，當能避開我攻襲之勢，爲了讓你相信，老夫要全力施爲，希望不要硬接老夫的撲襲之勢，免得受到傷害。」

江曉峰冷哼一聲，道：「只怕未必能傷得了我。」

呼延嘯道：「那就算兩敗俱傷吧！老夫都六十年紀了，死而無憾，而你年紀輕輕的，可是千萬不能死去。」

江曉峰道：「在下生死，與你何干？你一生作惡多端，殺人無數，怎的會忽然生出了仁慈之言！」

呼延嘯道：「咱們不談大道理，老夫施展的百禽掌法，如能使你心生敬服，你將如何！」

江曉峰道：「彼此動手相搏，各憑武功求勝。我如傷在你百禽掌下，自是毫無怨言。」

呼延嘯道：「你如覺著老夫的掌法深奧，就請答允學習老夫的掌法如何？」

江曉峰冷笑一聲，道：「我先見識見識再說。」

說話之間，拳腳齊出，攻出五掌三腿。

這八招一氣呵成、快速凌厲，迫得呼延嘯後退六尺。

但見呼延嘯雙臂一展，陡然飛躍而起，彩衣旋轉，在空中打了一個轉身，突然向下撲來。

這一招有如巨鵰下搏，勢道威猛驚人。

江曉峰心頭一震，暗道：「這一招果是凌厲得很。」身子一閃，避到一側。

呼延嘯一擊撲空，立時一收腿，借勢換一口氣，身子一翻，憑空翻了一個跟頭，又向江曉峰撲了過去。

江曉峰又一閃身，讓避開去。

呼延嘯腳不落實地，借雙腿伸展收動之勢，換氣翻身，有如肋生雙翼的巨鳥一般，一連撲擊了一十二次。

公孫成、方秀梅室中觀戰，個個看得提心吊膽，只覺那呼延嘯身法靈奇，罕聞罕見，每一次撲擊之勢，都是各不相同，但卻是無不奇奧難測，叫人不可捉摸，幾人雖然一側觀戰，但心中卻隨著那撲擊之勢，籌思破解之策，但卻未能想出一個應變方法，只覺十二式撲擊之勢，招招都足以傷到自己。

江曉峰憑著金蟬步法，卻把十二次撲擊之勢，一一避開。

方秀梅輕輕歎息一聲，道：「金蟬步果然是曠世絕學，如若換了賤妾，這第一招就避閃不開，要傷在鳥王手中了。」

公孫成道：「在下的看法，有些不同，那鳥王呼延嘯，似是未全力施展。」

且說呼延嘯身落實地，低聲說道：「孩子，老夫這百禽掌法如何？」

江曉峰道：「很好，很好。」

呼延嘯答道：「那是答應了？」

江曉峰攻出一招「飛瀑流泉」，道：「答應什麼？」

呼延嘯道：「答允學老夫的武功？」

江曉峰心中暗自奇道：「適才見他的飛騰撲身法，武功分明已達爐火純青之境，但在和我對敵之時，掌勢中含蘊的力道並不強猛，分明是手下留情，而且苦苦要我學他掌法，幾近哀求，這倒是從未聽聞過的事情。」

他雖覺其中內情複雜，必有原因，但卻苦於想不出原因何在。

呼延嘯不聞江曉峰回答，輕輕歎息一聲，道：「老夫這百禽掌，乃世之絕學，如若是你不接受老夫絕技，這絕技必將隨老夫之死，永埋泉下，可惜啊！可惜啊！」

兩人雖然彼此交談，但雙方的攻守之勢，並未停下，仍是拳來腳往，打鬥得十分劇烈。

江曉峰道：「要我拜你爲師麼？」

呼延嘯道：「不用，不用，只要你答應學我這百禽掌法就行了，老夫志在使絕技承繼有人，師徒名份，無關緊要。」

江曉峰道：「在下覺著有些奇怪！」

呼延嘯道：「奇怪什麼？」

江曉峰道：「天下年輕人比比皆是，閣下怎會選中在下？」

原來，那江曉峰看到呼延嘯的百禽掌法，的確是武林中的絕技，不自覺間，早已心嚮往之。

呼延嘯道：「老夫這百禽掌法，並非人人可學，非有才智絕高、骨骼適宜的人，才能有成就。如是所授非人，把老夫這百禽掌法練得非驢非馬，老夫就寧可讓它隨著老夫，永埋九泉之下了。」

江曉峰道：「承你如此看重，但我得仔細地想想才成。」

呼延嘯道：「你們處境險惡，時間不多，希望早作決定，一個時辰之後，老夫來討回信。」

口中說話，右肩卻硬承江曉峰一掌，借勢一個翻身，滾出了一丈多遠。

江曉峰忖道：「這一掌他明明可以避過，卻要故意挨上一擊。」

只見呼延嘯抖抖彩衣上的灰塵，大聲說道：「小娃兒，你成名了。」

江曉峰道：「成什麼名？」

呼延嘯道：「當今之世，能夠打中老夫一掌一拳的人，屈指可數，但你卻連擊中了兩拳，此事傳揚於江湖之上，你豈不揚了萬兒？」

也不待江曉峰說話，轉過身子，大步而去。

江曉峰目睹那呼延嘯背影遠去，也緩緩退回石室。

常明迎了上來，笑道：「兄弟，你勝了。」

江曉峰道：「他有意讓我，勝之不武。」

目光一掠公孫成道：「老前輩，呼延嘯的舉動十分奇怪。」

公孫成道：「這個，在下也瞧出來了……」

語聲一頓接道：「你們邊打邊談，似是說了不少的話！」

江曉峰皺了皺眉頭，道：「晚輩亦覺著十分奇怪，他似是看上了晚輩，要我學習他的掌法，繼承絕學。」

公孫成沉思了一陣，道：「就在下所見，鳥王呼延嘯的掌法，確是武林中罕聞罕見的奇學，而且脈路奇幻，似是已脫離了掌法的規範，有如鵬飛鷹搏，招招出人意外，說它是武學中一大奇技，實非過譽，如他真傳你，倒是一樁可爲喜賀的大事，奇怪的是，他爲什麼要把這一套曠絕武林的奇技絕學，傳授給你？」

江曉峰道：「晚輩亦覺著有些奇怪，我和他素不相識，昨宵之前，也從未聽聞過鳥王呼延嘯之名，此時相處，又是敵對，爲什麼他竟然傳我武功，而且還故意相讓，讓我打中了他兩拳？」

公孫成微微頷首，道：「就是讓你打中這兩拳，使在下也瞧得大爲不解，那呼延嘯生性

狂傲，一生與鳥爲伍，既不善和人交往，又不肯收受門徒，就在下所知，昔年確有不少武林人物，慕他役鳥之能，甘願拜列門牆，都爲他堅拒不受，此刻，竟是要自願收你爲徒，而且跡近強迫，這其間決非無因。」

江曉峰道：「使晚輩不明白的是，我和他從不相識。」

公孫成雙目盯注在江曉峰的臉上，瞧了一陣，道：「江兄弟，令尊令堂還在麼？」

江曉峰輕輕歎息一聲，道：「不瞞老前輩說，晚輩從來沒見過父母之面，據晚輩養父所言，晚輩是一位爲父母棄置的人，但棄我的母親，卻留下了一封書信和一筆金銀，我的姓名亦是棄置我的母親所取，留於書信之中。」

公孫成微微頷首，道：「在你記憶之中，可曾見過母親？」

江曉峰搖搖頭，道：「沒有！」

公孫成道：「你怎會得到了金蟬子老前輩的武功呢！」

江曉峰道：「那只是一個巧合，我雖是寄人籬下的養子，僅養父待我情意甚深，而且請了一位飽學的秀才，教我讀書……」

公孫成似是對那江曉峰如何學得金蟬子武功一事，最爲關心，接道：「那金蟬子老前輩遺留的武功，就在你居住附近麼！」

江曉峰微微一怔，道：「老前輩怎生知曉？」

公孫成道：「在下只不過隨便猜猜罷了，那以後呢？」

江曉峰道；「那一年，晚輩大概有十歲左右吧？因貪追一隻不知名的彩羽小鳥，迷了路途，誤入了金蟬子老前輩的武功遺址，那是一處絕谷險地，晚輩入谷之後，唯一的出路，突因

山崩隔絕，晚輩無法出來，只有留在谷中了。」

公孫成道：「那是說，你如不能練成武功，就永遠無法離開絕谷了！」

江曉峰道：「當時處境，確是如此。」

公孫成道：「江世兄，可認為這些都是巧合麼？」

江曉峰呆了一呆，道：「此中內情，晚輩從未對人說過，也從未仔細地想過，老前輩這一問，倒使晚輩覺著，並非全是巧合了。」

公孫成道：「俗云『無巧不成書』，但巧合卻不會一連串的般般湊巧，絕谷山崩，封死出路，那是有意留你獨處絕谷，研練那金蟬子老前輩的武功。」

江曉峰道：「谷中早已備有存糧，而且鍋碗油鹽，無不具備，兄弟只要求薪煮食，就不慮饑餓相迫。」

公孫成晃腦吟道：「天將降大任於斯人也，必先苦其心志，餓其體膚，勞其筋骨，你以十歲之齡，採薪煮食，是謂饑餓所迫，獨處絕地，能使你強其心志，由艱苦而登卓絕之境，所以，你小小年紀，才有此成就……」

語聲一頓，接道：「我想那引你進入絕谷之人，必然還有很多安排，只是你身歷其境，不自覺得罷了。」

江曉峰道：「老前輩這麼一說，使晚輩茅塞頓開，細想起來，個中經過，確非全然巧合。」

公孫成道：「你留那絕地好久？」

江曉峰道：「七年有餘，晚輩習武三年之後，本已可越山而出，只因對習武已生迷戀，故而留居那裏，七年之後，雖研練之式尚未登堂入室，但個中秘要竅訣，自覺都已熟記於心，才離開絕谷……」

方秀梅接道：「可曾去探望你那養父麼！」

江曉峰道：「養我的父母，乃是我天地間所識所知的唯一親人，豈有不去探望之理，但歸去之時，景物依舊，人事全非，我那養父母在六年之前，已然全家遠去，不知所終了。」

公孫成道：「那是說他們在你失蹤不足一年，就舉家遠遷了？」

江曉峰黯然說道：「正是如此。」

突聞一個清脆悅耳的聲音，傳了過來，道：「江公子，你可想好了麼？」

這聲音突如其來，聽得四人全都一驚。

抬頭看去，只見一隻翠綠的鸚鵡，落在窗口之處，那清脆悅耳之聲，正是由牠口中發出。

江曉峰望了公孫成一眼，道：「這鸚鵡可是代那呼延嘯來討回音的？」

公孫成點點頭，道：「江世兄，聽在下奉勸一言，答應他吧！你雖學得金蟬子老前輩的武功，但並未列他門牆，再投師學藝，也不算背叛師門。」

方秀梅歎道：「咱們困處此室，生機茫茫，俟藍天義等趕到之後，咱們不投入他門下，必死無疑，你如答應那呼延嘯，他定將設法助你離此，黃山一行，也全憑兄弟了，此事關係武林大劫，似是不用再拘泥小節了。」

江曉峰沉吟了一陣，望著鸚鵡說道：「轉告主人，要他親自來此。」

那翠鸚鵡如解人意一般，把江曉峰的話，複誦了一遍，才轉身飛去。

公孫成低聲說道：「呼延嘯役鳥之能，似已到了出神入化之境，你學他武功時，最好也學他役鳥之術。」

江曉峰道：「只怕那役鳥之法，並非是人人都可學得。」

突聞鳥羽劃空之聲，愈來愈大，似是突然間有甚多巨鳥，集聚於石室之上。

常明一皺眉頭，道：「呼延嘯要變卦……」

語聲未落，耳際間已響起了呼延嘯的聲音，道：「江相公托鳥傳語，有要事和老夫相商麼？」

江曉峰抬頭看去，只見呼延嘯停在窗口之外，兩道目光，投入空中！

江曉峰略一沉吟，道：「我想通了學你百禽掌法的事……」

呼延嘯喜道：「你答應了？」

江曉峰點點頭，道：「不過，在下學習老前輩掌法之前，老前輩必得依我三件事。」

呼延嘯淡淡一笑，道：「好吧，你先說出來，老夫聽過，再作道理。」

江曉峰道：「第一件是，我可以學你百禽掌法，但不能拜你門下，稱你為師。」

鳥王呼延嘯沉思了片刻，道：「只要老夫的絕技得以傳於人間，這虛名稱謂，不要也罷。」

江曉峰對呼延嘯應允所求，似在預料之中一般，臉上毫無稀奇之色，微微一笑，道：「我從你學武，但不能受你之命。」

呼延嘯道：「難道老夫還要請你幫忙不成，這第二什麼……老夫也答應了，你說第三件吧？」

江曉峰道：「第三件最簡單，也最難，你要救我們四個人離開此地。」

呼延嘯沉吟了一陣，道：「老夫救你一人就是，至於他們三人，老夫不出手攔阻他們，任他們自行離去，是活是死，瞧他們的運氣就是。」

江曉峰搖搖頭，道：「不成，我說要你救我們，就是要使他們全部安全離去，避開藍天義和他屬下的追殺。」

呼延嘯道：「這個，這個……只怕是時間上來不及了。」

江曉峰道：「可是藍天義趕到了麼？」

呼延嘯道：「藍天義雖未親身到此，但他派來的高手，已到了石室對面林中。」

公孫成接道：「來的是什麼人？」

呼延嘯和江曉峰交談之時，神情甚是和藹，但回答公孫成時，語氣卻突然轉變得十分冷漠，道：「都是武林中正大人物，無缺大師和玄真道長。」

公孫成道：「請教呼延兄，除了無缺大師和玄真道長之外，不知還有何人？」

呼延嘯道：「藍天義的老僕藍福，另有十餘高手同來。」

公孫成心中暗道：「只是無缺大師、玄真道長，已夠我們對付了，再加上藍福和十餘高人，破圍而出是全然無望了。」

只聽江曉峰緩緩說道：「老前輩如是不肯答應，助我們四人一起脫險，晚輩也無法承受衣缽，學你的掌法。」

呼延嘯大感為難地沉吟了一陣，道：「老夫救你一人，還可矇騙他們一時，如若救助你們四位，勢非要和他們正式翻臉不可了。」

江曉峰道：「你要我學你掌法，勢非要找一處隱密清靜之地，就算不和他們翻臉，那也是不能和他們常在一起。」

呼延嘯雙目盯住在江曉峰的臉上瞧了一陣，歎道：「好吧！老夫答應你，不過，你們要遵照老夫的吩咐，才可平安脫險。」

江曉峰道：「那是自然，老前輩但請吩咐，晚輩洗耳恭聽！」

呼延嘯低聲說道：「你們先要裝出被老夫生擒模樣，同去見藍福。」

江曉峰一皺眉頭，接道：「爲什麼？」

呼延嘯道：「老夫有苦衷，到時間，你們自然明白。」

公孫成察顏觀色，知他說的不是虛言，點頭道：「呼延兄如何安排，還望給予說明，免得到時亂了步驟。」

呼延嘯道：「老夫用一條彩帶結成活扣，你們一人掙動，彩帶全開，待老夫東西到手，自然會示意你們，掙脫彩帶，衝向竹林西側，老夫在那林外安排四隻巨鳥，你們跨上鳥背，破空而去，就算藍天義大駕親到，也是無法奈何你們了。」

公孫成略一沉吟，道：「呼延兄要取得之物，定然是十分重要了？」

呼延嘯道：「你們如是相信老夫的話，咱們就依計而行，如是你們不肯答允，那麼，老夫也無能爲力了……」

目光投注在江曉峰的臉上，滿是惜愛之色，叫道：「孩子，你如不允老夫此請，你就是想學百禽掌法，老夫也是無能傳授了。」

江曉峰還未來得及答話，公孫成已率先說道：「好！我們相信老前輩，但那藍福現在林

中，如若我們自行束手，只怕要被瞧出破綻了。」

呼延嘯道：「不錯！所以，我們要動手打上一架，才能瞞過他們耳目……」

突然提高了聲音，道：「你們再不出來，休怪老夫要打過去了。」

揮手一掌，拍在木門之上。

他掌力雄渾，兩扇木門，竟被他一掌震開。

公孫成當先搶出，一掌劈去。

呼延嘯右手一揮，硬接一掌。

這一掌，雙方都是真力硬拚，相較之下，立判高低，呼延嘯原地未動，而那公孫成卻被震得退了三步。

呼延嘯身子一側，欺身而上，道：「公孫兄掌力不弱，咱們要認真的打一陣，才不致被他們瞧出破綻。」

口中說話，左掌已反腕劈了過去。

公孫成不敢再硬接掌勢，縱身退開，右手一翻，五指箕張，反向那呼延嘯的脈門扣去。

方秀梅接著躍出石室，手中長劍，一式「寒梅吐蕊」，幻起三點劍花，刺向呼延嘯的前胸。

呼延嘯彩衣閃動，橫裏躍開，右手食、中二指疾點而出，反向方秀梅右腕上點去。

這時，常明和江曉峰先後躍出，分襲呼延嘯的兩側。

呼延嘯一式「野馬分鬃」，化開兩人攻勢，縱聲大笑，雙掌展開，分拒四人六掌一劍，合攻之勢。

常明和方秀梅，都是久聞鳥王呼延嘯之名，也誠心試試他百禽掌法有何奇奧之處，是以，竟都全力施攻。公孫成和江曉峰在呼延嘯強渾的掌力迫壓之下，也不得不全力迎敵。

五人原是早有預謀，但動上手後，卻是凶險絕倫。

鳥王呼延嘯仍是有意賣弄，竟然棄置自己絕技百禽掌法不用，雙掌用出十分博雜的武功，和四人抗拒，忽而一招少林派的羅漢拳，忽而一招山東譚家腿，百藝紛陳，各具威力，四人合力搶攻，竟然未能取得半點優勢，只有江曉峰搶救險招時，用出金蟬步法，才使得呼延嘯有些手忙腳亂。

五人搏鬥了五十回合，仍然保持個不勝不敗之局。

搏鬥之間，江曉峰突然覺得天色一暗。

抬頭看去，只見群鳥雲集，遮天蔽日，幾人又陷身於鳥群之中，心頭一震，暗道：「如果呼延嘯施用詐術，我們就上了他的當了。」

心中念轉，伸手探入懷中，準備取出奪命金劍。

只聽呼延嘯低聲說道：「老夫推想，那藍福必在暗中監視咱們行動情形，群鳥圍集，可阻他們的視線。」

說話之間，雙掌一鬆，攻勢頓緩。

公孫成轉目四顧，果見鳥群雲集，難見四外景物，停手說道：「呼延兄請取出彩帶吧。」

呼延嘯從身上取出一條彩帶，送了過去，人卻遠站到四、五尺外，低聲說道：「你們四人自己打成了活結，四人綁在一起，不過，要一掙動，合結自開才行。」

公孫成接過彩帶，迅速在四人身上結成一道活結，道：「那藍福追隨藍天義出入江湖，

時間甚久，江湖閱歷，極爲豐富，藍天義由金頂丹書和天魔令上學得的武功，那藍福也學得不少，呼延兄要特別留心其人。」

呼延嘯道：「如若憑真功實力的硬拚，老夫未必怕他，諸位請放心，在未談妥條件之前，老夫決不讓你們受到傷害。」

語聲微微一頓，接道：「不過你們也要暗作準備。」

公孫成點點頭，道：「好！呼延兄可以遣散鳥群，帶我們會見藍福了。」

呼延嘯低聲說道：「記著奔向竹林西側，那裏有四隻巨鳥，那些鳥，都是老夫辛勤飼養之物，天下至凶的猛禽。和老夫多年的相處，已近通靈之境，四位接近巨鳥時，要低呼一聲騰雲，牠們自會讓你們跨上身軀展翅而起。否則，四禽猛惡，決不會馴極的任人跨騎。」

江曉峰道：「我們要騎巨鳥飛向何處？」

呼延嘯道：「這個老夫已代你們安排，不用費心，任牠自飛自落，老夫自會趕去相會。」

突然仰天長嘯兩聲，盤旋在幾人頭上的鳥群，立時散去。

呼延嘯牽起繩尾一端，道：「四位要裝出受傷的模樣。」

牽著彩帶，大步向前行去。

公孫成果然依言裝出受傷模樣，步履踉蹌而行。

繞過一片竹林，只見藍福帶著無缺大師、玄真道長，並肩而立。

藍福兩道冷峻的目光，掃掠了公孫成一眼，道：「呼延兄辛苦了。」

人卻突然舉步，直向公孫成欺去，右手一抬，拍向公孫成的左肩。

呼延嘯雙肩一晃，迅速絕倫地攔在藍福身前，右手疾起，硬接藍福的掌勢。

藍福去勢快、後退之勢更快，一仰身退開五尺，淡淡一笑道：「呼延兄這是何意？」

呼延嘯冷冷道：「咱們相約有言，我生擒四人之後，換取解藥，在下幸未辱命。」

藍福道：「呼延兄生擒四人之後，也要交給老夫是麼？」

呼延嘯道：「不錯。」

藍福接道：「先後不過片刻時光之差，又有何不同之處？」

呼延嘯道：「大大的不同了，兄弟沒有取得解藥之前，自然不能把他們交給閣下了。」

藍福目光轉動，很仔細地瞧了公孫成、方秀梅等人一眼，點頭道：「在下先交解藥。」

探手從懷中取出個玉瓶，道：「這五瓶中共有三顆解藥，呼延兄每七日服用一粒，三顆服完，餘毒即可除淨了。」一抬手，玉瓶飛了過來。

呼延嘯接過玉瓶，藍福卻同時欺身而上，想伸手去抓呼延嘯手中的彩帶，呼延嘯飛起一腳，逼退藍福，道：「慢著。」

藍福一皺眉頭，道：「呼延兄已取得解藥，怎的不肯把人交出？」

呼延嘯道：「非是兄弟多疑，實是一遭被蛇咬，十年怕井繩，兄弟在未確定這解毒藥物是真是假之前，還不能把人交給藍兄。」

藍福雙眉一揚，似想發作，但卻又突然忍了下去，微微一笑，道：「想不到呼延兄竟然還有識毒之能。」

呼延嘯道：「隔行如隔山，兄弟自知無此能耐。」

藍福道：「呼延兄既無辨識藥物之能，又不肯相信兄弟之言，那真是一樁十分爲難之事了。」

呼延嘯道：「兄弟有笨辦法。」

藍福道：「請教高明。」

呼延嘯道：「如若這不是解藥，兄弟自信，憑藉數十年修為內功，還可壓制一時，不過……」

藍福道：「不過怎樣？」

呼延嘯道：「兄弟要在毒性未發之前，仗技和藍兄一決生死了。」

打開瓶塞，倒出一粒翠綠色的丹丸，吞入腹中。

方秀梅微抬星目，望了藍福一眼，暗道：「這藍福久年追隨藍天義，早已學了一身絕技，但在藍天義尚未發動江湖大變之前，他能隱技自密，對人謙恭多禮，一口一個老奴，凡是藍府走動的江湖同道，無不覺著他是位忠厚可親的老人，這人的陰沉，比起藍天義來，似是尤為可怕了。」

那呼延嘯服下藥物之後，並未閉目養息，反而圓睜雙目，兩道炯炯的目光，逼注在藍福的身上。

大約過了片刻工夫，呼延嘯突然哈哈一笑道：「幸好藍兄未給兄弟毒藥服用。」

藍福冷冷說道：「我教主一言如山，既說過給你解藥，豈有欺騙之理。」

右手一伸，接道：「拿來吧！」

呼延嘯把玉瓶緩緩藏入懷中，道：「藍兄是要兄弟手中這條彩帶麼？」

藍福道：「不錯，在下已交出解藥，呼延兄也該交人了。」

呼延嘯道：「這個自然，不過藍兄要多小心，如是被他們掙脫彩帶逃走，兄弟可是無法再

翠袖玉環

生擒他們的了。」

藍福心中忽然動疑，道：「呼延兄說什麼？」

呼延嘯道：「在下希望藍兄小心。」疾快地把手中彩帶送過去。

藍福接過彩帶，道：「他們不是受了傷麼？」

呼延嘯道：「受了傷難道就不會好麼？」

語聲甫落，公孫成突然一躍而起，右手中寒芒閃動，直向藍福刺去。

原來他突然動了刺殺藍福之心，悄然取出匕首，藏於袖中。

這一下陡然發難，躲避極是不易，但那藍福實有著過人之能，倉促間，突然一吸氣，腿不屈膝，腳未跨步，硬把身子拉後三尺。

公孫成一擊落空，大喝一聲，手中匕首當作暗器，全力投出。

一道寒芒，直向藍福前胸射去。

這時，彩帶已開，方秀梅、江曉峰，齊齊轉身向西奔去。

藍福來不及揮掌拍打匕首，一挫腰，張口咬住了飛來的匕首，右手一揮，示意玄真道長和無缺大師去追，一面飛身而起，天馬行空一般，疾向常明撲去。

江曉峰大聲喝道：「常明小心！」飛身而起，橫裏拍出一掌。

藍福五指箕張，原是抓向常明雙眼，看那江曉峰橫裏擊來一掌，勢道十分凌厲，倒也不敢輕視，右腕微抬，五指收攏，迎向那江曉峰的掌勢。

但聞砰然一聲，兩人懸空對了一掌。

藍福掌力雄渾，江曉峰被震得懸空倒退三尺，身落實地。

但藍福也被這一掌，震得失去了自主之能，也跌落實地。

這不過一瞬間工夫，藍福腳落實地，口中仍然含著匕首。

江曉峰低聲說道：「常明快走。」右手探入懷中，取出了奪命金劍。

無缺大師、玄真道長，在藍福飛身撲向常明的同時，也一齊縱身而起，準備攔截公孫成等，但卻被鳥王呼延嘯，雙掌齊發，攔住了兩人，惡鬥起來。

呼延嘯掌勢凌厲，使得那無缺大師和玄真道長無暇抽出兵刃拒敵。

藍福右手一抬，取過含在口中匕首，大喝一聲，電射而出，直向江曉峰前胸而去。

江曉峰金劍一揮，擊落匕首。

藍福身法奇快，隨著投擲的匕首，欺到身側，右手一招「五弦聯彈」，封住了江曉峰的右臂，使他無法施放奪命金劍中的毒針。

這一招凶毒無比，江曉峰不但無法施放毒針，而且半身門戶大開，完全無法防敵攻襲。

藍福冷笑一聲，左手一揮，劈向前胸。

只見江曉峰雙肩一晃，奇奧絕倫地避開一擊。

藍福微微一怔，道：「老夫倒忘了你會金蟬步法。」

說話之間，身子向前一傾，借勢踢出一腿。

原來，那江曉峰施展金蟬步法，繞到了藍福身後，劈出一掌。

藍福身子前傾，欲進掌勢，只瞧得江曉峰心中暗笑道：「你這等讓避之法，那是自尋死路了。」右手一探，掌勢外吐。

哪知藍福從後面踢出的一腿，卻是奇詭難測，江曉峰掌未中人，左胯上卻先自挨了一腳，身不由己地橫跌地上。

但聞呼延嘯大聲喝道：「不可戀戰，快退出林。」

藍福冷笑一聲，身子一旋，閃電一般轉了過來，右掌一揮，拍出一記劈空掌力，一股強大的暗勁，直向江曉峰身上撞去。

江曉峰強忍傷疼，就地一滾，閃開五尺。

藍福劈空掌力擊中實地，只震得塵土斷草橫飛。

江曉峰挺身而起，強忍傷疼，轉身向林外奔去。

兩人這幾招凶險搏鬥，雖然是幾歷生死之劫，但均是快速異常。

藍福一招落空，心中又急又怒，正待飛身追去，突聞江曉峰厲喝道：「小心了。」右手一按機簧，一縷銀芒，電射而出。

藍福雖然身負絕技，但對那「奪命金劍」，卻有著甚多顧慮，急提真氣，橫飛一丈多遠。

江曉峰強忍傷疼，奔出林外。

十六　身世之謎

抬頭看去，果見不遠處，停落著四隻巨鵰。

這時，公孫成、方秀梅、常明都已在林外等候。四人合在一處，奔向巨鵰。

但見四隻巨鵰昂首睜目，一副不馴之態。

公孫成低聲說道：「騰雲。」

說也奇怪，四隻巨鵰聞得騰雲二字，立時微垂鳥首，看似迎客。

四人同時飛躍而起，跨上鳥背。四隻巨鵰展翅，搧得砂飛石走，破空而起。

藍福心中顧慮那奪命金劍中的毒針厲害，不敢緊追出擊，待他追出林外，四人已跨上鵰背，破空而去。

公孫成氣納丹田，高聲喊道：「古往今來，武林中代有梟雄，但有幾人完成過武林霸業，希望你轉告那藍天義，回頭是岸，時猶未晚，免得報應臨頭，悔恨已晚。」

藍福氣得鬚髮怒張，但卻無可奈何，目睹巨鵰馱著四人，消失天際。

公孫成、方秀梅，雖是經歷過各種的奇怪事，但卻從沒有騎鳥飛行的經驗，只覺冷風撲面，雲氣拂身，有著凌空飛行之感。

探首下望，只見行人來往如蟻，不禁心頭微生寒意，暗道：「如是一個坐不穩，跌了下

去，不論何等武功，也要跌個粉身碎骨。」不覺間，緊抱鳥頸，閉上雙目，不敢多看。

常明突然縱聲大笑道：「原來和鳥王交上朋友，還有這麼多好處，江兄弟，日後你向他討隻巨鵰，咱們用作代步，豈不是可以日行千里了。」

方秀梅道：「巨鵰馱人而飛，仍是毫無吃力之感，至少也是百年以上之物。此等巨鵰大都棲息於深山大林之中，你們不會役鵰之術，就是那鳥王肯於相送，你們也是無法役使。」

談話之間，突聞當先飛行的一隻巨鵰，長鳴一聲，雙翼一斂，直向下面落去。

公孫成是騎在第一頭巨鵰之上，驟不及防，幾乎跌下鵰背，不禁大吃一驚，急急叫道：「你們小心啊！」

語聲甫落，三隻巨鵰，也疾斂雙翼，直墜而下。

直待可見山石林木時，才張翼搧風，減緩速度，降落在一座山頂之上。

公孫成跳下鵰背，長長吁一口氣，道：「好險啊！好險！」

方秀梅隨著下了鵰背，目光轉動，只見停身之處，山勢並不高大，但林木蒼翠，景物十分幽美，四鵰停落之處，正是山峰之頂，約是畝許大小，四周蒼松環抱，中間綠草如茵，雜生著許多山花。

江曉峰左胯疼痛依然，緩步行到一塊山石旁坐了下來。

常明躍下巨鵰，行到了江曉峰身側，道：「江兄弟，你傷得如何？」

江曉峰道：「藍福那一腳踢得奇奧無比，使人全然不防，幸好還未傷到盤骨。」

分孫成微微一笑，道：「藍福那一腳，攻人於不備之中，事前又毫無徵兆，倒使在下記起了數十年前一位名滿江湖的大魔頭。」

方秀梅道：「你是說無影腳？」

公孫成道：「傳說中，那廉奇的無影腳法，奇詭無倫，雖只有一十二招，但卻招招變幻莫測。後來群魔畢集，製成天魔令，想集群魔之術，和武林中正大人物一較長短，迫得當時武林中幾位高人，不得不招集正派高手，合著金頂丹書，以作克制之法，那廉奇就是當年留製天魔令的群魔之一，適才藍福踢出的一腳，必是那無影腳中的招術，不過，就在下所知，那無影腳每一招中，必是三腿相連，藍福卻只能踢出一腿。」

江曉峰道：「晚輩有一事思解不透，要請教老前輩，想那金頂丹書，名正言順，一聞即知，但那天魔令三個字，卻是取得不倫不類，叫人不知所云。」

公孫成微微一笑，道：「所謂的天魔令，別含有一種作用，那是說，不論何人，只要取得天魔令，即自然成為天下群邪之首，所謂天下之魔，皆可令之。所以，魔道中人，對於天魔令的重視，尤超過正派人物，對那金頂丹書的爭奪貪愛。」

江曉峰仰臉望天，緩緩說道：「正邪兩道中的絕技，難道能並行不悖麼？」

方秀梅若有所悟地道：「不錯，藍天義練過了天魔令上的武功，難道還能練那金頂丹書上的武功不成？」

公孫成沉吟一陣，道：「這個麼？倒是一樁大費思量的事，不過，就一般習武情勢，只要他們修習的內功不相衝突，招術上的變幻，縱是不同，也可同時練習。」

談話之間，只見一隻巨鳥直墜而下，將近峰頂時才一張雙翼，穩住下降之勢。

鳥王呼延嘯縱身由鳥背落下實地，抖抖彩衣上的灰塵，大步行近了江曉峰，無限關切地問道：「孩子，你挨了藍福一腳，傷得如何？」

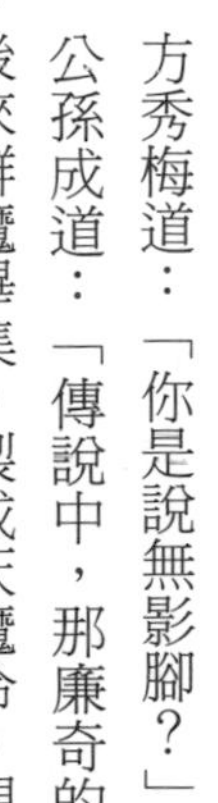

臥龍生精品集

江曉峰想到此番四人脫險，全是鳥王呼延嘯之功，心中油然生出敬意，起身一禮道：「晚輩傷得不重。」

呼延嘯長長吁一口氣，道：「那我就放心了。」

語聲一頓，接道：「藍福果然厲害。」

公孫成道：「呼延兄和他動過手了。」

呼延嘯道：「無缺大師、玄真道長，聯手戰我，老夫還可支持，後來，那藍福也加入攻襲，迫得老夫用出百禽掌法，才脫身而出。」

公孫成突然想起呼延嘯討解藥的事情，忍不住說道：「呼延兄，是否已取得了真的解藥了。」

呼延嘯道：「老夫試服了一粒，倒是對症之藥。不過那藍福陰險得很，給我的解藥是否真能除淨全身之毒，很難預料。」

公孫成道：「就在下推想而言，那藍福決不會給你，可以盡除餘毒的解藥，未雨綢繆，呼延兄也要早作打算才是。」

呼延嘯點點頭道：「這個麼？老夫自然也須防他一招……」

目光轉到江曉峰的臉上，道：「孩子，我們得趕快找個安靜地方，老夫要傳你百禽掌法！如若我無法制住發作的奇毒，希望能夠在毒發之前，把這套掌法傳授給你。」

江曉峰一皺眉頭，道：「怎麼？你把他們帶到此地，就不管了麼？」

呼延嘯道：「哪裏不管了？此地已遠在數百里外，早已不是藍天義力量所及之地，他們已然脫離了險境，盡可自由行動。」

公孫成道：「呼延兄說得不錯，他救我們脫險，已是天高地厚之情，自然不能再管許多了，那百禽掌法乃是武功中很突出的奇絕武學，希望江世兄能夠用心學習，以你的才智，不難承繼呼延老前輩的衣缽。」

江曉峰道：「這個，這個……」

方秀梅微微一笑，道：「你只管放心去吧！藍天義氣候已成，恐非短時間所能阻止，來日方長，咱們後會有期。」

呼延嘯一擺手，道：「諸位慢走，老夫不送了。」

公孫成等並未說出告別之言，但呼延嘯這一來，無異是通令幾人告別。

方秀梅笑道：「晚輩告別了，老前輩這番相救之情，我們永銘心中。」說罷，欠身一禮。

公孫成、常明也紛紛施禮告別，轉身向山下行去。

江曉峰目睹幾人背影，消失不見，才回過頭來，歎一口氣，道：「老前輩為人太冷淡了。」

呼延嘯道：「老夫生性冷淡，天下有誰不知，那公孫成、方秀梅，早該明白才是。」

江曉峰道：「這就使晚輩覺著奇怪了，老前輩生性冷淡，和人相處，有如冰霜，何以對晚輩卻有著特殊的好感……」

呼延嘯道：「因為……因為……」

因為了半天，仍是因為不出個所以然來！

江曉峰道：「晚輩希望老前輩能夠除去心中之慮，坦然相告，晚輩相信，這其間，定然有著一份不單純的內情。」

呼延嘯沉吟了一陣，道：「好吧！咱們先把事情說個明白也好……」

語聲微微一頓，道：「你對幼年之事，能夠記憶好多？」

江曉峰道：「四、五歲以後的事，晚輩大約能記得十之八、九。」

呼延嘯道：「你記得母親的樣子麼？」

江曉峰搖搖頭，道：「記不得了……」

語聲微微一頓，接道：「老前輩可是和家母相識麼？」

呼延嘯道：「老夫一生中只認識一個女人。」

江曉峰接道：「那個女人，就是在下的母親了？」

呼延嘯道：「大概是不會錯了？」

江曉峰道：「老前輩，這等事情不能大概，必要確確實實才成。」

呼延嘯道：「老夫也並非信口開河，而且言有所本。」

江曉峰道：「晚輩洗耳恭聽。」

呼延嘯道：「第一是你的長像，帶有著你母親的特殊氣質，那氣質，當今世中，再無第二個人能有了。」

江曉峰道：「如若是只此一件證明，那也無法肯定就是在下。」

呼延嘯怔了一怔，道：「除了你具有你母親那股特殊的氣質之外，你又學得了金蟬步法。」

江曉峰道：「怎麼？我學的金蟬步法，也和家母有關麼？」

呼延嘯輕輕歎息一聲，道：「孩子，你小小年紀，獨入絕谷，找到金蟬子老前輩的遺物，

難道會完全是巧合麼？」

江曉峰訝然說道：「難道這是家母暗中設計的不成？」

呼延嘯道：「你媽媽一片苦心，她花了無數的心血，預置下一條路，使你又自自然然的走進了金蟬子的居處，得了他的武功。」

江曉峰細想經過之情，及那室中的預設專糧，都是事先有人準備一般，不似全然的巧合。但他還是倔強地說道：「老前輩，就算你說得不錯，但也不能證實我的身分啊！」

呼延嘯道：「還有你的名字，令堂也曾告訴我，這曉峰兩字，並非是全無意義。」

江曉峰道：「請教老前輩，這曉峰二字含意如何？」

呼延嘯臉上泛現出痛苦之色，似乎是陡然間，有人在他胸口上刺了一刀，肌肉抽動，泫然說道：「那曉字，是你母親的名字，至於那個峰字，是她紀念的一個人！」

江曉峰看他痛苦之情，不似裝作，心中暗自奇道：「如若他說的不是實話，怎的會對我身世如此了然。」

心中念轉，兩道目光，卻投注在呼延嘯的臉上，壓制著滿腔激動，冷冷地說道：「這麼說來，老前輩和我母親很熟識了？」

呼延嘯點點頭，道：「是的，當今武林之中，不知有多少人，希望能學得老夫這身武功，但老夫都不肯傳授，就算你質素很高，老夫也不用求著你學我武功啊！」

江曉峰沉吟了一陣，道：「老前輩說得十分有理，晚輩不能不信，但這些事實經過，都不是很有力的證明，如若老前輩能夠具體的舉出證明，晚輩才能相信，你和家母是故識。」

呼延嘯道：「老夫當然不難舉出一件較爲具體的證明，除非老夫記憶有誤，再不然，那就

是老夫找錯人了，但就事而論，找錯人的機會，微乎其微了。」

江曉峰突然感覺到一陣緊張，暗暗調息一下，使自己保持著鎮定，緩緩說道：「老前輩請說吧！晚輩洗耳恭聽。」

呼延嘯仰臉望著天際，緩緩說道：「據令堂告訴在下，在你的左臂肘下，有一個紫痣。」

江曉峰只覺心頭一震，頂門上滾下一片汗珠，道：「老前輩可知曉那紫痣有好大麼？」

呼延嘯道：「令堂告訴我時，說那痣有黃豆大小，但那時你年紀幼小，此刻，你已成人長大，也許那紫痣也隨著長大了！」

江曉峰霍然站起道：「你究竟是什麼人，我母親為什麼把我身上的暗記告訴你？」

呼延嘯搖搖手，道：「孩子，你快坐下，不要太激動，令堂告訴我你身上的紫痣，自然是有她的用心。」

江曉峰道：「什麼用心？」

呼延嘯道：「她知道老夫是一個可信任的人，所以，告訴老夫的用心，希望老夫能有保護你的機會。」

江曉峰道：「我母親肯把我身上的暗記告訴你，她和你應該是很有情意了？」

呼延嘯道：「孩子，令堂和老夫雖然相識了數十年，但我們一直是清清白白的朋友，你可不能胡思亂想。」

江曉峰道：「在下求老前輩一事，不知是否答允？」

呼延嘯道：「什麼事？」

江曉峰道：「告訴我，我母親現在何處？」

呼延嘯道：「這個麼？老夫不知道。」

江曉峰道：「老前輩說的是真實之言麼？」

呼延嘯道：「老夫爲什麼要騙你？我們已經五、六年沒有見面了。」

江曉峰沉思了一陣，道：「老前輩既和我母親相識，想來對我生身之父，亦甚熟悉了。」

呼延嘯道：「你爹爹麼？哼！老夫不認識他。」

江曉峰怔了一怔，道：「不認識？」

呼延嘯道：「孩子，咱們不談這些事，此刻，你心中已經明白，老夫爲什麼要你學武功，應該是心中再無懷疑了！」

江曉峰目睹提到生身之父後，那呼延嘯臉上現出激怒之色，已覺出其中大有文章，如若強行追問，定然問不出個所以然來，只有在日後再設法探問了。

心念一轉，緩緩說道：「目下藍天義造劫江湖，生靈塗炭，老前輩難道就袖手不問麼？」

呼延嘯道：「你母親拜托我好好的照顧你，我一定要設法把你造就成武林奇葩，世人都對我有著很深的誤解，只你母親是唯一知我、信我的人，我不能負她所托。」

江曉峰道：「學你百禽掌法，需要好多時間？」

呼延嘯道：「你已有金蟬步的基礎，自然是比別人要快一些，但如要學得純熟，至少也要半年以上的時間。」

江曉峰道：「這樣久麼？」

呼延嘯冷冷說道：「一種絕技，耗費半年時光，還能算久麼？老夫以畢生的精力，創出這套『百禽掌法』，你半年能夠學會，已經是很便宜的事了。」

江曉峰道：「老前輩不要誤會，晚輩是想半年之後，整個武林，恐怕都將為那藍天義所控制了，那時，他霸業已成，再想把他霸主之位推翻，只怕不是易事了。」

呼延嘯道：「你好像很關心那藍天義的事？」

江曉峰道：「覆巢之下無完卵，如是讓藍天義成就霸業，咱們不做他的屬下，為他役用，就要被他殺死了。」

呼延嘯微微一笑道：「不要緊，就算那藍天義霸得天下，不留寸土，老夫傳你役鳥之術，你也可乘鳥飛翔，遨遊天空。」

江曉峰道：「老前輩，一個人費盡千辛萬苦，學得武功，如是不能使其為人間主持正義，這辛苦有何代價？難道一個人學了武功，只是為了逃避惡人的傷害麼？」

呼延嘯沉思了一陣，道：「孩子，你說得倒也有理，不過，那藍天義的氣候已成，就算老夫捨命助你，但咱們兩個人，也不過杯水車薪，於事何補？」

江曉峰道：「如是人人都作此想，武林之中，只怕再無和藍天義抗拒之人了。」

呼延嘯略一沉吟，道：「說起來，藍天義這人的耳目之靈，心機之深，確實可怕，老夫已很多年未在江湖上走動，隱居於廬山分雲峰上，我喜愛廬山的濃雲飛泉，就在那裏停了下來，只有一個童子，為我炊食作伴，想不到，我的住處，竟然被那藍天義打聽了出來，而且竟然被他買通了那為我烹食的童子，在食物之中下了毒……

「而且我中毒當日，藍福就趕到，在分雲峰下，和我力拚百餘招，我中毒發作，無能再戰，藍福就指令我在一定的時限之內、趕往一定地點會面，臨去之際，丟下了一粒解藥，說明這解藥只能維持十日，老夫無可奈何，只好依限趕到，但老夫想不到，竟會遇到了你，以後的

經過，你都是親眼所見，用不著老夫再多說了。」

江曉峰道：「藍天義志在統霸武林，他與老前輩全無恩怨，但卻一樣的在你身上下毒……」

呼延嘯哈哈一笑，道：「孩子，你不用挑撥我的怒火，老夫這一生中，一向是隨心所欲。除了令堂之外，老夫一向不受任何規戒、禮法束縛，老夫不理江湖上要發生如何大劫，那些都和我毫無關連。因爲老夫行事，一向沒有章法，所以，武林同道中，也一向把我看成邪魔歪道，老夫也懶得求他們諒解，武林中既不敬我，我又爲什麼要爲他們賣命……」

江曉峰接道：「老前輩，話不是這麼說，人間有是非……」

呼延嘯長長歎息一聲，接道：「孩子，不要給我講道理，老夫一生中從不願受人之教，我一生中也希望去愛護一個人，但我始終未能找到那個人……」

語聲突然停了下來，雙目凝注在江曉峰的臉上，瞧了一陣，道：「想不到，在我垂暮之年，那人被我找到，孩子，我要用我全部心力幫助你。」

江曉峰突然發覺他雙目中，閃動著瑩瑩的淚光，神情癡呆，若有所思，那木然的神情，給人一種淒涼的感受。

江曉峰重重咳了一聲，道「老前輩……」

呼延嘯如夢初醒般地啊了一聲，道：「孩子，咱們該走了，先找一個安靜的地方，你靜心練習武功，現在你急也無用，這是天意，人力豈能挽回。」

江曉峰心知他說得不錯，再說公孫成等，都已逃出劫難，傳訊武林的事，自有他們安排，一下站起身子，道：「咱們到哪裏去呢？」

呼延嘯道：「老夫帶你的去處，那是一處人間仙境，而且是人跡罕至，藍天義又決不會找到的地方。」當先躍上鵰背，騰空而去。

江曉峰也騎上一隻巨鵰，破空直追。

這一番騎鵰飛行，和適才又不相同，百鳥相隨，前呼後擁。

鳥群飛行約兩個時辰，停在一處曠野小溪之旁，飲水休息一陣之後，重又向前飛去。

突然間，閃光耀目，鳥群飛入了濃雲層中，密集的雲氣，使人如入暗夜，伸手難見五指。

驀然，耳際間響起了一聲鳥鳴，一鳴百和，群鳥齊唱，江曉峰仔細聽去，只覺那和鳴群鳥，似有節奏，除了悅耳動聽之外，似乎還藉鳴聲連絡，以免錯失相撞。

呼延嘯縱聲大笑道：「孩子，這就是老夫唯一的慰藉了。」

江曉峰道：「這絕美的人間奇事，如非身臨經受，實是做夢也想不到。」

享受之間，巨鵰已飛出濃雲，視界陡然一清。

不知道過了多少時間，巨鵰緩緩向下落去，但覺寒氣漸減，一陣和風迎面撲來，挾帶著陣陣香氣。

江曉峰凝目望去，見是一道深谷，谷中綠草如茵，山花競豔，四面山壁夾峙，景色十分清幽。

呼延嘯低聲說道：「老夫找到了這樣一處所在，原本想做爲日後隱居之地。」

江曉峰仔細望去，只見這道峽谷，長約百丈，寬約二十餘丈，四面都是高聳的石壁，石壁上長滿了翠松，目光四顧，不見山石。

峰頂上傳來了陣陣松濤，更顯得這山谷柔美清靜。

江曉峰道：「這山谷中的景色很美，而且不寒不熱，倒是很適宜留居之地。」

呼延嘯道：「深山大洋之中，實不乏這等美麗山谷，但此谷不同的是它的隱密，四面山壁間，長滿了青翠的松樹，由谷底直達峰壁，就算到了這山峰頂上，因四面峰壁和谷底，都是一色的翠碧，別人也無法瞧得清楚谷底景物，也想不到這谷中會住人，藍天義本領再大一些，也無法找到此地……」

微微一笑接道：「最特別的是，按理說這四面高峰，該有山泉流入谷中才是，但這塊地方，卻是不見一道山泉，和廬山到處雲氣、飛泉，景物籠照於迷濛之中，全然不同。」

江曉峰道：「那是說咱們要每日上山取水了。」

呼延嘯道：「如是這樣麻煩，老夫也不會選擇這樣一處地方了，走，我帶你瞧瞧去。」轉身向前走去。

江曉峰隨著呼延嘯的身後行去。

呼延嘯行到靠西首一處懸崖下，笑道：「水源就在數丈之內，你瞧瞧它在哪裏？」

江曉峰凝目望去，只見數丈外有片青草，特別深長，微微一笑道：「可能在深草中。」

呼延嘯點點頭道：「不錯，咱們瞧瞧去吧，也許還可瞧到條怪魚。」放輕腳步向前行去。

那片青草高及腰際，呼延嘯小心翼翼地伸手分動緩行。

江曉峰看他小心之狀，也只好放輕腳步而行。

深入草叢五尺，眼前立時泛現一泓碧綠的潭水，潭不大，只不過兩丈見方，但見水色青綠，行近潭邊，頓覺有一股逼人的寒氣。

呼延嘯凝目向水潭中瞧了一陣，搖搖頭道：「沒有出來！」

江曉峰道：「那怪魚是什麼樣子？」

呼延嘯道：「全身血紅，長約八尺，一對金眼，頭上生有紅冠，游動之間，紅鱗閃動，潭水都映紅色。」

江曉峰道：「那是什麼魚?晚輩從未聽人說過。」

呼延嘯道：「老夫也未聽人說過啊!不過我知道，當今之世中，有一個人知道。」

江曉峰道：「什麼人？」

呼延嘯道：「神算子王修，只是他行蹤飄忽不定，沒有法子找他。」

江曉峰凝目向潭中望去，只見潭水青綠，深不見底，再瞧四處，又不見泉水流入潭中，心中大奇，問道：「老前輩，這水由何處而來，既不滿溢潭外，又不見有來水流入潭中……」

呼延嘯哈哈一笑，接道：「這水潭的奇怪，也就在此了，老夫兩年前到此之時，潭水距岸一寸，兩年後還是這個樣子。」

江曉峰道：「谷中既有水源，老前輩又能役使猛禽捕走獸爲食，只是還有宿住之處……」

呼延嘯笑道：「西北角處懸崖之下，有一座山洞，可以容身，你可以安身在這裏學武了，過幾日老夫指命群鳥，引幾隻魚鷹到此，替我們抓魚來食用。」

江曉峰道：「老前輩的安排果是周到！」

呼延嘯道：「孩子，你現在只需安心練武功，須知，你武功成就愈高，解救武林危難的希望就愈大。」

江曉峰道：「老前輩說得是。」

功。

於是，兩人在谷中安居下來，呼延嘯除了傳授江曉峰的武功之外，大部分時間，都靜坐運功。

時光匆匆，轉眼之間，兩人已在谷中住了四月時光。深山幽谷，不見人影，江曉峰除了練習掌法之外，就是靜坐用功，呼延嘯從旁指導，進境奇速，一日千里。

這日，呼延嘯目睹那江曉峰練完了一套百禽掌法，看他身法的配合，竟然已盡得神髓，心中大是喜悅，笑道：「孩子，你比我估計的時間，竟然快了一個多月，看你練習這套掌法，似是已盡得竅訣，能否百尺竿頭，再進一步，那要看你天賦了，老夫想由今日開始，傳你役鳥之術。」

江曉峰道：「那役鳥之術，只怕是短時難有所成，不知此刻江湖上情形如何，晚輩想出去瞧瞧。」

呼延嘯略一沉吟，道：「你如想把役鳥之術，練到我這等境界，窮十年之功，也是無有可能了。但老夫收有不少猛禽，這些猛禽追隨我時間甚久，大都靈性，經我常年訓練，可以合作攻敵。這些猛禽，約在百隻左右，十分容易役使，老夫想在三個月內，可以使你役使百隻靈禽，你學會役鳥之術後，再行下山不遲。」

江曉峰道：「老前輩的盛情，晚輩感激不盡，但晚輩心懸武林變數，恨不得立即動身……」

呼延嘯歎息一聲，接道：「唉！既是如此，咱們就明日一早動身，老夫陪你。」

江曉峰喜道：「真的麼？」

呼延嘯奇道：「老夫幾時騙過你了？」

江曉峰道：「此乃小侄之願，不敢貿然提出。」

他和呼延嘯相處以來，一直是自稱晚輩，此刻陡然改口自稱小侄，顯然，兩人相處的情意，似已向前進了一步。

呼延嘯仰臉望望天色，笑道：「孩子，咱們到這山谷之後，就開始練習武功，每日除飲食、靜坐外，不是練掌，就是論劍，老夫實在無暇在這山谷中，走上一遍。」

江曉峰笑道：「小侄也未走過，這山谷長不過百丈，寬不過二十餘丈，谷中景物，一目了然。」

呼延嘯搖搖頭，道：「孩子，這道山谷，雖然不大，但卻是有甚多不同平常之處。」

江曉峰道：「有何奇怪之處，小侄怎麼一點也瞧不出？」

呼延嘯道：「第一件，此刻，早已是隆冬季節，到處大雪紛飛，高峰上積雪皚皚，這谷中卻未見一片落雪，雖然這山谷形勢特殊，四面高峰環抱，形成這一處特殊的盆地，寒風難入，但也不致片雪不落。」

江曉峰道：「呼延叔叔說得不錯，仔細一想，這山谷確是有些奇怪。」

呼延嘯聽他叫出叔叔來，心中大樂，哈哈一笑，道：「孩子，還有一件事，不知你留心沒有？」

江曉峰道：「什麼事？」

呼延嘯道：「這山谷之中，不見一條小蛇，或一條爬蟲。除了爲叔招來的幾隻猛禽外，連一般的飛禽，似是都不入此谷，甚至就是那些追隨我年代甚久，已將通靈，凶悍異常的猛禽，在進這山谷之時，也似是有些趑趄不前，不敢妄入！」

江曉峰道：「爲什麼呢？」

呼延嘯道：「老夫很久之前，就發覺這些異徵，但爲了怕妨礙到你的用功，因此，一直未把這些事情告訴你，明日咱們就要離去，我想利用這半日時光，在這山谷中仔細地查查，也許能夠查出一些蛛絲馬跡來。」

江曉峰道：「此刻正值午時，滿谷日光，咱們就去看看一下如何？」

呼延嘯道：「好吧！這山谷不大，不要半個時辰，就可走完，我們也不用分頭走了。」

江曉峰微微一笑，道：「就依叔叔之見。」

兩人繞過崖壁，走了一周，日光下，只見山花明媚，青草如茵，看不出有何異狀之處。

呼延嘯仰望藍天，長長吁一口氣，道：「現在，只有那座水潭了，如是這谷中有什麼異常之處，就在那潭中了。」

江曉峰道：「數月以來，咱們洗澡、飲食，都是用的潭中之水，而且小侄每日取水，至少要去潭邊兩次，從未發覺異常情事。」

呼延嘯道：「就目下情勢而言，連我也有些迷惑了，待老夫試它一試。」

江曉峰道：「如何一個試法？」

呼延嘯道：「鳥獸之類，雖然不及人的聰明，牠們卻有著一種人所不能的感應……」

也不待江曉峰答話，仰天一聲長嘯。

嘯聲甫落，空際浮現出兩點黑影，流星飛矢一般，相向谷中射來，逐漸地可見形像，正是

兩隻巨鵰。

兩頭巨鵰距山谷四、五十丈左右時，突然收住向下撲落之勢，在空中盤旋不下。

呼延嘯道：「孩子，這是從未有過的事，牠們對我，奉命難違，雖是明知必死，亦是勇往直前，從不反顧，但每次落入這山谷之時，卻似若有所懼，不敢直落，總要再三逼迫，才肯落下。」

口中說話，右手連揮，並發出一種低沉的嘯聲。

江曉峰舉目注視兩隻巨鵰，在呼延嘯催逼之下，雙翼一斂，落入谷底。

呼延嘯道：「鵰目銳利，可見細微，我要牠們代我搜索一下。」

口中喃喃低哨，若似人言，又似鳥語，江曉峰也無法聽出他說得什麼。

突然間，呼延嘯舉手一揮，兩隻落在身側的巨鵰，展翼向前飛去。巨鵰飛行甚低，距地面不過兩丈多高，繞崖而行，但飛近水潭時，突然振翼急起，飛高了數十丈，而且盡量避開水源而過。

呼延嘯點點頭，道：「果然，那毛病在水潭中了。」

這時，江曉峰亦覺著情形有些不對。

呼延嘯舉手招來兩隻巨鵰，嘰哩咕嚕了一陣，兩隻巨鵰突然破空飛去。

轉頭望著江曉峰，道：「我想明白了，定然是那條怪魚在作怪。」

兩人一面舉步向水潭行去。

將近水潭之時，呼延嘯突然搶在前邊，道：「孩子，如是有了什麼變化，由我對敵，你即先乘鵰離此。」

江曉峰道：「就算那水潭之中，真有條怪魚，但牠也不敢和人打架啊！」

呼延嘯神情肅然地說道：「孩子，天地間，有很多靈異之物，的確是不可思議，老夫這役鳥術算不錯了！但我在峨眉山，卻遇上了一隻碩大無比的巨鵰，竟然不肯聽我役用，老夫使鳥群和牠相搏，被牠口啄爪撕，傷了近千隻的鳥兒，老夫飼養的靈禽，也被傷了十餘頭，迫得老夫也出手加入搏鬥，仍然無法把牠制服。」

江曉峰聽得悠然神往，道：「那巨鵰有好大？」

呼延嘯道：「雙翼張開，足足有一丈三、四，那是老夫一生所遇，最大的一隻大鵰了。雖然巨鵰長壽，但也不可能長成那等巨型，此身必然是丹士、高人，用靈藥飼養而成，皮毛堅厚，老夫都刺中了牠兩劍，但牠卻若無其事，而且威力不減。」

江曉峰道：「叔叔役鳥之術，難道也無法使牠聽命麼？」

呼延嘯微微一笑，道：「按說我這役鳥術，天下之鳥無不受命，但那巨鵰卻能夠拒不受命，因此，老夫懷疑那巨鵰已然脫離鳥籍。」

江曉峰道：「什麼叫脫離鳥籍？」

呼延嘯道：「老夫之意，是說那巨鵰智慧，可能已超出了鳥的最高智慧，也就是已經通靈，所以，不再爲役鳥術所困了。」

江曉峰道：「原來如此。」

目光轉到那水潭之上，緩緩說道：「那怪魚躲在水中，無人飼養，想來不會作怪了？」

呼延嘯輕輕歎息一聲，道：「老夫既然叫牠怪魚，那是無法肯定牠究竟是不是魚了，也許牠不是魚呢？」

江曉峰道：「不管牠是什麼？我們瞧瞧去吧！」

呼延嘯道：「牠如是躲在水中不肯出來，我們如何能夠瞧到？所以我已命兩隻巨鵰，去招魚鷹，讓魚鷹入水，也許能激起那怪魚的反應。」

兩人等約頓飯工夫，瞥見兩隻巨鵰，逐驅著一群魚鷹而來。魚鷹在雙鵰鐵翅撲趕之下，直向水潭中飛去。

呼延嘯伸手拿了兩塊巨石，握在手中，緩步向水潭行去。

江曉峰目睹那呼延嘯慎重之情，也隨手折了一株小樹。

兩人行近水潭時，十餘隻魚鷹，已被驅入水中。

呼延嘯口發鳥語，十餘隻魚鷹，大部潛入了潭水之中。

突見那清澈的潭水之中，泛起了紅彩。

呼延嘯低聲說道：「來了！」

江曉峰也覺出水中有異，凝神望去，但見清澈的潭水中，整個的變成了金紅之色，一條金鱗大魚，直向水面之上游來，大口張動，噴出了一道白色的水箭。

平靜的小潭中，突然湧起一陣浪濤。

但聞魚鷹驚鳴，兩隻破空而起。

水花飛濺，潭水外溢，呼延嘯和江曉峰身上的衣服，都爲潭水濺濕。

那小潭浪濤來得快速，去得也快，一眨眼間，紅光消失，浪濤平息！

江曉峰仔細看去，只見碧綠潭中，羽毛片片，隨著水波蕩漾。

顯然，十餘隻魚鷹，除了兩隻飛走之外，餘下的都已爲怪魚所食。

呼延嘯手中握有兩塊巨石，準備當做暗器之用，但因潭水中的景物，變化得太過神速，使人目不暇接，自然忘記把手中的石頭擲去。

江曉峰丟去手中的小樹，道：「叔叔瞧清楚了沒有？」

呼延嘯道：「老夫只瞧到一片紅影，帶著金鱗，卻未瞧出牠的形狀。」

江曉峰暗叫了一聲慚愧，道：「小侄也未瞧出牠的形狀。」

呼延嘯道：「我們都不會水上功夫，看來只怕無法對付那水中怪物，只有留待日後再來設法看個明白了。」

江曉峰望望呼延嘯身上溼透的彩衣，笑道：「叔叔，小侄有幾句話，說出來希望叔叔不要見怪。」

呼延嘯乾咳了一聲，道：「孩子，你可是說老夫這身衣服麼？」

江曉峰道：「不錯啊！呼延叔叔雖然武功高強，但咱們人手太少，不宜和他們正面衝突，此行還是以暗中從事爲主，叔叔這身彩衣，天下無人不識……」

呼延嘯微微一笑，道：「而且也不宜在人多之處走動，孩子，老夫一生，都以這彩衣爲記，但爲了你，老夫可以破例把它換去。」

刷的一聲，撕破了身上的彩衣。

江曉峰心中大爲感動，默然說道：「叔叔對小侄，情義深重！」

呼延嘯哈哈一笑，接道：「孩子，咱們走吧！」舉手招下兩頭巨鵰。

江曉峰跨上鵰背，道：「叔叔，我們該先到哪裏？」

呼延嘯沉吟了一陣，道：「我們先到鎮江藍府瞧瞧如何？」

江曉峰道：「不錯，如若大變已成，鎮江藍府必然另有一番氣象。」

兩人乘鵰飛離山谷，直飛鎮江。

天色將明時分，已到鎮江。

借夜色掩護，兩人投宿客棧之中。

江曉峰招來店家，代購了兩套衣衫。

呼延嘯整理了一下長髯蓬髮，頭戴氈帽，身著青衫，扮做一個老蒼頭的模樣。

江曉峰卻是藍衫儒巾，扮做文生。

這是呼延嘯的主意，堅要扮做江曉峰的老僕，以掩人耳目，他說，不論藍天義何等才智，也不會想到鳥王呼延嘯，竟肯脫去半生標識的彩衣，屈駕扮做一個老僕。

江曉峰拗他不過，只好依他。

兩人改扮整齊，已然天色大亮。

呼延嘯叫過店家，要了一點吃喝之物，匆匆食畢，趕往藍府中去。

晨光明豔，朝露如珠，藍府外景物依舊，高聳的旗杆，高掛的匾額，在日光照射下閃閃生輝。

江曉峰轉目打量藍府一眼，只見藍府大門緊閉，四下一片寂然。

呼延嘯輕聲說道：「藍府如此平靜，和往昔無異，難道那藍天義還沒有發動麼？」

江曉峰道：「晚輩亦是覺著奇怪，我們入山之前，藍天義已有行動，山中四月，江湖上該

有著極大變化才是。這藍府就算不是天道教發號施令之地，也該有著十分森嚴的戒備才是！我們是否要叩門而入，進去解個明白？」

呼延嘯道：「好，不入虎穴，焉得虎子？只要那藍天義不在府中，縱然留有護院的高手，咱們也無所懼。」

兩人商量妥當，一舉步行到藍府大門之前。

江曉峰舉起手中摺扇，敲動了門上的銅環。

門環響過，大門呀然而開。

江曉峰舉目望去，只見開門的，竟然是一個五旬左右的老嫗，心中大感意外，不禁微微一呆！

那老嫗目光轉動，打量了呼延嘯和江曉峰一眼，道：「請問相公要找什麼人？」

江曉峰定定神，道：「在下有事求見藍大俠！」

那老嫗搖搖頭，道：「藍大俠不在府中。」伸手就要掩上木門。

江曉峰右腳一伸，擋住木門掩蔽之勢，道：「府中何人在家？」

那老嫗沉吟了一陣，道：「府中都是女眷，相公要見藍大俠，改日再來吧！」

江曉峰腳下微一加力，緩緩說道：「有一句俗話說，善者不來……」

老嫗臉色一變，道：「來者不善！」

江曉峰道：「不錯，有煩老前輩代我通報一聲了。」

那老嫗道：「藍大俠不在府中，通報何人？」

江曉峰心中一怔，暗道：「這老婦神態堅決，不用和她多費唇舌了。」

身子一側，直向門內衝去……

那老嫗一閃身，退後一步。

江曉峰一看她閃身之勢，已知她也是學武之人，只是無法瞧出武功深淺程度。

呼延嘯隨在江曉峰身後，行入門內。

那老婦又打量了兩人一眼，行前兩步，掩上大門，道：「看樣子，兩位不見到此地主人，是不肯離去了？」

江曉峰道：「在下等滿懷希望而來，怎肯空入寶山而回？」

那老嫗目中神光一閃，似想發作，但卻又強自忍了下來，道：「好吧！兩位隨老身後廳中待茶，老身替你們通報夫人。」

江曉峰心中暗自盤算道：「那藍夫人只怕也非好與之人物。」

但人卻隨在那老嫗身後，行入了大廳。

那老嫗帶兩人行入了一座大廳之中，緩緩說道：「兩位請稍坐片刻！」轉身出廳而去。

江曉峰打量了大廳一眼，只見四壁雪白，廳中桌椅之上，卻全是一片黃色，黃色的桌布，黃色的坐墊，佈設華貴高雅。

呼延嘯四顧無人，低聲說道：「孩子，事情確有一些反常，咱們要多留心一些才成。」

說話之間，那老嫗已快步行入廳中，道：「藍夫人請二位入內堂講話。」

隨即轉身行去。

江曉峰、呼延嘯魚貫隨行。

十七 雙訪江府

又穿過兩重庭院，到了內堂。

江曉峰舉步入內，抬頭看去，只見一個面目姣好的中年婦人，一身青衣，端坐在內堂正中，一張白墊子木椅之上。

目光轉動，只見室中佈置很簡單，地上鋪著一張白色毛氈，和幾張鋪著白墊子的木椅。

那中年夫人打量了江曉峰和呼延嘯一眼，道：「兩位請坐。」

江曉峰緩緩在一張木椅之上坐下，道：「驚擾夫人了。」

中年夫人淡淡一笑，道：「聽黃嬤傳報，兩位非要面見老身不可？」

江曉峰道：「咱們有事求見藍大俠，藍大俠不在府上，只好求見夫人了！」

中年夫人道：「我就是藍夫人，不知閣下可否見告姓名？」

江曉峰道：「在下江曉峰。」

藍夫人微一頷首，道：「姓名很熟，似是聽拙夫談過……」

語聲一頓，道：「江相公此番到我藍府，不知有何見教！」

江曉峰略一沉吟，道：「夫人的沉著氣度，好生叫在下佩服。」

藍夫人道：「江相公有什麼事，還是直截了當的說出來吧！拙夫不在，老身不便留客過

久。」

江曉峰道：「夫人快人快語，在下直說了……」輕輕咳了一聲，道：「藍大俠手創天道教，氣吞河嶽，有心要兼併天下武林，夫人想是早已知曉的了！」

藍夫人道：「拙夫的事，老身素不多問，兩位若只是探問此事，老身無可奉告。」

江曉峰冷冷說道：「夫人推得很乾淨啊！」

藍夫人道：「你小小年紀，如此無禮，黃嬤送客！」

那老嫗應聲而入。

江曉峰冷笑一聲，道：「藍夫人，我們既然進入了藍府，豈能輕易被夫人喝退麼？」

藍夫人右手一揮，示意黃嬤退下，道：「江相公言中之意，恕老身甚多不解，可否明白見示？」

江曉峰道：「藍大俠在武林中所作所為，夫人難道一點也不知道麼？」

藍夫人道：「老身素來不問拙夫的事。」

江曉峰道：「令嫒呢？難道夫人也不問麼？」

藍夫人臉色一變，道：「江相公不覺著問得太多了麼？」

江曉峰道：「如是咱們沒有問話的膽氣，也不敢求見夫人了。」

藍夫人略一沉吟，道：「如是老身不願回答呢？」

江曉峰道：「藍天義一身武功，超凡絕俗，想必夫人亦從尊夫處，學得甚多絕技了！」

這幾句，語中帶刺，言下之意，已有著挑戰意味。

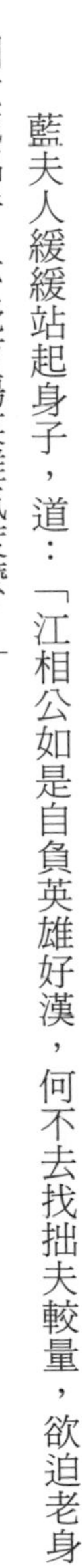

藍夫人緩緩站起身子，道：「江相公如是自負英雄好漢，何不去找拙夫較量，欲迫老身一個女流出手，不覺有傷英雄氣度麼？」

這幾句話，大出了江曉峰的意料之外，不禁聽得一呆。

藍夫人已然離位，接著：「兩位請吧！老身不送了。」

江曉峰大感羞急，縱身一躍，攔住了藍夫人的去路，道：「夫人雖然說得有理，但我等既然來了，豈能輕易離此！」

藍夫人突然回手一抓，抓住了江曉峰的右腕。

這一招，不但快速無比，而且奇幻絕倫，江曉峰竟然是無法避開。

江曉峰正待運氣掙扎，那藍夫人突然五指加力，扣緊了江曉峰的脈穴。

呼延嘯大吃一驚，急急喝道：「放手！」呼的一掌，劈了過去。

藍夫人五指一帶，竟把江曉峰的身體，當做盾牌，迎向呼延嘯的掌勢。

呼延嘯急急收掌，退後了三步。

冷冷說道：「夫人如不放人，老夫就放火燒了你們這座豪華宅院。」

藍夫人冷冷說道：「也燒死江相公。」

江曉峰脈穴被扣，半身麻木，心中卻又懊惱異常，暗暗自責道：「江曉峰啊！江曉峰！你明明知道這藍府中凶險重重，竟然是一點也不留心，被人一把扣住了脈穴。」

其實，藍夫人那回手一招，固使江曉峰有著出其不意之感，主要還是藍夫人招術奇幻，叫人莫可預測。

呼延嘯道：「如若咱們必死，那就只好同歸於盡了。」

藍夫人道：「我不信你真敢燒此宅！」牽著江曉峰行去。

她頭未回顧，但卻如腦後長了眼睛一般，不論那呼延嘯怎樣轉變自己的角度，那藍夫人，總是若有意若無意地，轉動那江曉峰的身子，每次都很自然地擋住了那呼延嘯出手的機會。

江曉峰被那藍夫人拖著，行入了一座花園之中。

藍夫人陡然停下腳步，放開了江曉峰的右腕，指指花園旁側一個圓門，道：「你們走吧！從那小圓門中出去。」

江曉峰疾退兩步，暗中運氣活動了一下血脈，道：「夫人的武功高強，手法更是奇特，確是叫人佩服……」

藍夫人冷笑一聲，道：「我這藍府之中，十分清靜，老身也不願手沾血腥，你們快請吧！」

江曉峰道：「在下被夫人一招擒住，理該認敗而去，但在下還有一點不服。」

藍夫人道：「你還要如何？」

江曉峰道：「剛才夫人一招拿住了在下的手腕，手法固是奇奧莫測，不過，在下感覺到，因沒有防備，亦是重要原因。」

藍夫人目光轉動，打量了江曉峰一眼，道：「你幾歲了？」

這句話問得大離本題，江曉峰微微一怔，道：「在下十九歲。」

藍夫人道：「不及弱冠之年，死了太可惜，孩子，快走吧！不要逼我出手。」突然轉過身子，緩步而去。

這藍夫人的沉著冷靜，不僅使江曉峰心中敬佩，就是那呼延嘯也是暗自佩服。

望著藍夫人漸遠的背影，江曉峰突然大聲叫道：「夫人小心了，在下不願暗襲。」

藍夫人緩步而行，不快不慢，似是根本沒有聽到江曉峰呼叫之言。

江曉峰突然縱身而起，人如飛鳥般，直撲過去，右手五指箕張，抓向那藍夫人的後背。

藍夫人頭未回顧，身未轉動，右手回拍一掌，正好把江曉峰的攻來之勢封住。

江曉峰如不收住撲擊之勢，右肘關節正好要撞在藍夫人的五指之上，只好一沉丹田真氣，落下了身子，不禁一呆。

藍夫人突然加快腳步，轉過一重花樹不見。

江曉峰呆呆地望著那藍夫人消失的背影出神。

呼延嘯快步行了過來，道：「孩子，咱們走吧，這藍夫人的武功太高，高得叫人莫可預測，而且這藍府中的形勢，也有甚多奇怪之處，個中甚多可疑，咱們不用停留在這裏了。」

江曉峰回頭應道：「叔叔說得是，咱們應該走了。」

兩人依照那藍夫人的指示，穿過花園而行，從花園小門中出去。

江曉峰低聲說道：「叔叔說這花園之中，甚多奇怪之處，小侄也有同感，但小侄卻無法說出內情，還望叔叔見告。」

呼延嘯道：「此地不是談話之處，咱們回到客棧中再說。」

江曉峰點點頭，兩人加快腳步，奔回客棧。

回到客棧後，呼延嘯掩上房門，才長長吁了口氣，道：「孩子，你瞧那藍府之中的形勢，像不像個爭霸武林人物的住宅？」

江曉峰道：「不錯，小侄也感覺到，那藍府中似是全無戒備。」

呼延嘯道：「而且老夫觀察那藍夫人，愁眉深鎖，似是有著很沉重的心事一般。」

江曉峰道：「藍夫人不似一個壞人，小侄亦有同感。」

呼延嘯道：「就老夫所知，藍天義夫婦相處，一直是水乳交融，相敬如賓，也許藍夫人不同意藍天義這番爭霸江湖的舉動，但又格於夫婦之情，不便出言阻止，所以留在藍府，未參與藍天義的……」

只聽室外忽傳來一陣低吟，道：「專解人間疑難，析論武林禍福。」

呼延嘯霍然打開木門，轉目望去，只見一個身著土布大褂，肩上扛著一個白布招牌的人，正自大步向前行去，招牌上寫著：「神算子鐵口論相」。

呼延嘯急急叫道：「看相的。」

那土布衣著老者，轉過身子微微一笑道：「玩鳥的，山不轉路轉，你又重入江湖了。」

呼延嘯輕輕歎息一聲，道：「果然是你，請進來坐。」

只聽兩人對話，江曉峰已知來人正是心慕已久的「神算子」王修，不覺留神打量了來人一陣。

只見他修眉鳳目，年約五旬以上，胸前飄著一片花白長髯。

呼延嘯一面肅客入室，一面說道：「王兄好眼力，老夫已脫下彩衣，經過易容，仍被王兄一眼就瞧了出來。」

「神算子」王修行入室中，放下招牌，隨手掩上房門，道：「你們見過藍夫人了？」

呼延嘯微微一怔，道：「你這算命的，難道一直盯著我們麼？」

王修道：「難道呼延兄認爲，咱們這次相遇，當真是巧合麼？」
呼延嘯道：「啊！你既不能騎鳥飛行，如何能夠追蹤兄弟呢！」
「神算子」王修笑道：「兄弟不能騎鳥飛行，但我可以在鎭江等你們。」
呼延嘯微微一笑，道：「王兄不愧是『神算子』，一向料事如神。」
王修神色鄭重地說道：「兄弟到鎭江已然數日了，心中雖想到藍府中查看一下，但卻因顧慮過多，一直沒有決定，想不到，兩位一到鎭江，就到了藍府中去，這份豪氣，兄弟十分敬服。」
呼延嘯想到藍府中的際遇，不覺臉上一熱，訕訕說道：「我們此行，並未討得便宜。」
王修神情肅然地道：「兩位可是見到藍夫人了？」
呼延嘯點點頭，道：「不錯，正是遇上了藍夫人。」
王修道：「兩位和她動過手麼？」
江曉峰接道：「晚輩和她試了兩招，那藍夫人武功奇高，晚輩簡直沒有還手的機會。」
王修道：「你是金蟬步的傳人？」
江曉峰道：「晚輩江曉峰。」
王修道：「這也許就是個中的原因了！」
呼延嘯道：「王兄言中之意，兄弟一點也聽不明白。」
王修道：「有一件事情，呼延兄是否覺著很奇怪呢？想那藍天義萬事具備，爲何卻突然蟄伏不動？」
呼延嘯道：「所以，江湖上才這麼一片平靜。」

王修道：「藍天義發動這次武林大變的事，已然逐漸在江湖上傳佈開去，時間拖得愈久，對那藍天義愈是不利，就目下江湖情勢而論，實是找不出一個阻止那藍天義發動大變的原因。」

呼延嘯道：「難道這會和藍夫人有關麼？」

王修道：「找不出外在原因，只好轉在他們內部找了，唯一能夠阻止那藍天義發動這次大變的，就是他的夫人了。」

呼延嘯歎道：「不論何等複雜的事，只要經你王修一分析，立刻間就可以水落石出。」

王修長嘆一聲，道：「唉！就算那藍天義，確是因了藍夫人的關係，暫時蟄伏不動，但他們總是夫妻，而且那藍夫人一向是出了名的賢淑之人，最後仍然要屈服在藍天義的堅持之下……」

江曉峰道：「這麼說來，那藍夫人的力量很大了，大到能使藍天義不敢輕舉妄動。」

王修道：「過去，我對此點，亦覺著有些可疑，因爲武林中一直傳著那藍天義的名字，卻未聞藍夫人的大名，因此那藍夫人是一位何樣的人物，根本就無法預測，但經兩位證實，在下的推斷又向前接近了一步，那藍夫人並非是只憑藉夫妻之情，影響那藍天義，而是別有所恃……」

呼延嘯道：「王兄之意，可是說那藍夫人，武功高過藍天義麼？」

王修道：「這個，在下不敢妄論，不過，藍天義既已發動，決非單純一點夫妻之情，所能影響，藍天義能夠蟄伏不動，足見那藍夫人有一種力量，能夠使那藍天義心悅誠服，不敢妄動。」

江曉峰道：「人算不如天算，那藍天義不能及時發動，總算給了武林道上一個緩衝的時間。」

王修道：「雖然藍天義已經發動，但武林中仍有大部份人不肯相信，就算藍天義再晚半年行動，江湖上還是沒有一股力量，能和他們對抗，所以，在下要找出原因，最好能使那原因擴大，使那藍天義能及時回頭就更好了，不然至少也可多延長一些時間。」

呼延嘯道：「王兄一向有『神算』之稱，想必早已胸有成竹了？」

王修搖搖頭，道：「沒有，對此事，在下也一直想不出真正的內情，何況他們夫妻情義深重，間不疏親，縱有離間之法，也不敢對兩人妄用。一個不巧，反將是弄巧成拙，促使他們夫妻和好。」

呼延嘯歎息一聲，道：「你沒有良策，和我商量，那豈不是問路於盲了麼？」

王修微微一笑，道：「但見了兩位，兄弟倒想起了一個法子，可是要借重這位江世兄，助我一臂之力。」

呼延嘯道：「他小小年紀，如何能夠涉險？你如要用人，老朽願爲王兄效勞。」

王修笑道：「江世兄的爲人，兄弟已從公孫成口中聽過。」

江曉峰接道：「老前輩見過公孫前輩了？」

王修點點頭，道：「還見過方秀梅和常明，對江世兄的爲人生性，稍有了解。」

呼延嘯沉吟了一陣，道：「借用他可以，不過，王兄要先得把話說清楚，兄弟衡量一下，才能答覆。」

王修略一沉吟，道：「江世兄和那藍天義的女兒很熟，是麼？」

江曉峰道：「只是認識，但那藍家鳳對我並無好感！」

王修笑道：「那只是江小弟的想法，在下聽公孫成談過已往之事，總覺著那藍姑娘對世兄並非無情。」

呼延嘯道：「王兄，藍家鳳的事，和那藍夫人有何關連？」

王修道：「呼延兄別忘了，那藍家鳳是藍夫人的女兒，母女連心，豈能無關？」

呼延嘯沉吟了一下，道：「你乾脆說明白吧，要他如何？」

王修道：「我要借那江世兄的招牌，求見藍夫人。」

江曉峰急道：「王老前輩，在下和那藍家鳳全無半點關係，王老前輩如把在下扯上，豈不是……」

王修微微一笑，接道：「窈窕淑女，君子好逑，這件事，對你百利無一害，你不妨打聽打聽，跟我王修同行的人，又有誰吃過虧了？」

江曉峰道：「但在下和那藍家鳳確然是全無瓜葛，要我如何開口呢？」

王修道：「不用你開口，一切都由我應對，你只管點頭就是。」

江曉峰無可奈何地說道：「好吧！咱們要如何行動？」

王修道：「再回藍府中一趟。」

江曉峰啊了一聲，道：「咱們幾時動身？」

王修道：「立刻。」放下招牌，站起身子，大步向外行去。

江曉峰無可奈何，只好跟在王修身後而行。

兩人行出客棧，重又奔向藍府中去……

王修回顧了江曉峰一眼，低聲說道：「呼延嘯一向對人冷淡，怎的對你卻是愛護備至，甘願扮做老僕，追隨相護？」

江曉峰道：「這也許是緣份吧。」

王修道：「也許還別有內情……」

淡淡一笑，扯過話題，道：「江世兄，我想請教一事，希望你能據實回答。」

江曉峰道：「什麼事？」

王修道：「我是從公孫成口中，聽出江世兄和藍家鳳的事，現在，我想知曉江世兄心中的事，也就是，你心中對那藍家鳳究竟如何？」

江曉峰道：「藍家鳳已和血手門中的高文超訂了婚約。」

王修道：「那是人家的事，我只問你心中如何一個想法？」

江曉峰大感為難地道：「哪一方面？」

王修道：「你對那藍家鳳的印象如何？」

江曉峰道：「印象很好。」

王修笑道：「這就夠了，老夫要知道你心中所思，和藍夫人談起來時，才能夠應對得體。」

兩人一路談笑，不覺間已到藍府前面。

王修道：「江世兄，叫門去吧！」

江曉峰略一猶豫，行向前去，叩動門環。

片刻之間，一個老嫗啓開木門。

那老嫗仍是早上開門的人，打量了江曉峰一眼，道：「你又來作什麼？」

王修搶前一步，道：「在下『神算子』王修，求見藍夫人。」

開門老嫗道：「夫人不見男客。」

王修道：「有勞通告，就說在下爲了藍家鳳藍姑娘而來。」

那老嫗道：「爲了我家小姐？好吧！老身代你通報一聲……」砰然一聲，關上木門而去。

兩人在門外等約一刻工夫，木門呀然而開，那老嫗打量了王修一眼，道：「聽說那『神算子』算命算得很靈？」

王修道：「相屬天生，命由人定，個中之理，甚爲玄妙。」

那老嫗嗯了一聲，道：「夫人在內廳候駕，兩位請隨老身行動。」

王修一拱手，道：「有勞帶路。」

那老嫗掩上了大門，轉身而行，王修、江曉峰，魚貫隨在身後。

穿過了花樹庭院，直到後堂。

那帶路老嫗，停留在大門口處，欠身說道：「夫人在廳內候駕。」

王修舉步入廳，抬頭看去，只見一個身著青衣的中年美婦，端坐在一張錦墩之上。

王修一抱拳，道：「見過藍夫人。」

藍夫人微微一欠身，道：「請坐。」

王修退到一側錦墩上坐下。

藍夫人目光轉注到江曉峰的臉上，冷冷地接道：「年輕人，一個人只能死一次，你要好好的珍惜才是。」

江曉峰道：「謝藍夫人今晨不殺之恩。」

藍夫人道：「嗯！你也坐下吧！」

江曉峰道：「在下謝坐。」緊傍那王修身側，坐了下去。

藍夫人道：「久聞『神算子』才慧過人，鐵口論命，今日有幸一會。」

王修道：「雕蟲小技，不登大雅之登，夫人見笑了。」

藍夫人道：「也許一般人，只認爲你王修是一位相人高手，我雖然未見你之面，但卻想到閣下，決不止是一位論相看命的人物。」

王修道：「夫人太高估在下了。」

藍夫人道：「閣下雖然盡力藏鋒斂刃，但我自信沒有看錯，閣下是內外兼修的高手。」

王修道：「夫人過奬了……」語聲一頓，接過：「在下要先行謝謝夫人。」

藍夫人道：「謝我什麼？」

王修道：「如非夫人阻止，目下江湖，早已經血雨腥風，哪裏還會有這等粗安的局面！」

藍夫人雙目裏神光一閃，道：「閣下來此，只爲了這件事麼？」

王修道：「自然還有要事奉呈。」

藍夫人道：「奉呈倒不敢當，什麼事，還望明說出來。」

王修道：「藍大俠不惜拋棄數十年辛苦建立的俠名，竟而生出統霸武林之念，想來，這其中必有原因。」

藍夫人道：「你如此相問，是何用心？」

王修神情嚴肅地說道：「如若夫人沒有攔阻藍大俠發動於前，在下也就不敢來打擾了……」

藍夫人接道：「這就是你的用心麼？」

王修道：「夫人阻止了藍大俠，使他沒有造成殺劫，不但使武林中少了一場大劫，也足證夫人是一位大智大慧的人物，如若藍大俠能夠就此改變心意，仍不失武林同道的敬仰，使一場空前絕後的武林大劫，消失於無形之中。」

藍夫人輕輕歎息一聲，道：「你能夠論人命相，定然是深博玄理，你覺著可能麼？」

王修道：「夫人能阻止藍大俠於一時，爲何不能阻止他於永久？」

藍夫人道：「閣下別忘了我是他的妻子。」

王修道：「這道理我明白，間不疏親，不過，在下和夫人想辨明的是大是大非。他是你丈夫，你自是應該爲他千秋萬世的英名著想，縱然他恨你一時，但我相信他必有悔悟的一天，那時他對你必然感激莫名。」

藍夫人沉思一陣，道：「唉！晚了，太晚了。」

王修道：「大劫未成，懸崖勒馬，何晚之有？」

藍夫人搖搖頭，道：「有很多原因，你不明白……」

語聲一頓，接道：「再說，你們是想推我出來，讓我和我丈夫在江湖上對抗，是麼？」

王修道：「也許事有可能，但在下並無此心。」

藍夫人道：「你擺下圈套，讓我在不知不覺中跳入圈套之中，這法子行不通。」

王修道：「夫人未免多疑了。」

淡淡一笑，接道：「有一椿事，在下想應該事先奉告夫人。」

藍夫人道：「早該如此了，你應該先把所知告訴我，我應該如何自處，我自會抉擇，如是想憑口舌鋒利，從中挑撥，那你是枉費心機。」

王修道：「也許那藍大俠還未了然，武林中形勢，並非如他所想得那般容易，在下相信藍大俠手創天道教，已有了完全的佈署，但仍有很多事，卻不能由他掌握。」

藍夫人道：「我不明白你話中之意。」

王修道：「再明白些說，藍大俠今日之變，並非是全出偶然，而是早有準備了。」

藍夫人點點頭，道：「所以，他有著目下江湖上無與匹敵的力量。」

王修道：「也許那藍大俠覺著自己的準備工作，十分隱秘，事實上，就在下所知，武林中早已有很多人知曉內情，甚至，據在下所知，仍有人做了準備工作，萬一藍大俠動了謀霸江湖之念，也可兵來將擋。」

藍夫人道：「什麼人有此機心？」

王修道：「這個麼？在下不能奉告。」

藍夫人道：「多承指教，我都記下了。」

王修急急說道：「在下還未得夫人允諾。」

言下之意，似已有逐客之心。

藍夫人道：「你要我允諾什麼？」

王修道：「勸說藍大俠及時回頭。」

藍夫人道：「我已盡了心力，但效用卻是我們夫妻反目。」

王修道：「藍大俠遲遲不敢發動，是因爲對夫人還心存忌憚。」

藍夫人道：「不錯，他怕把我逼急了，斬斷夫妻情意，真的和他作對。」

王修道：「在下不敢勸夫人大義滅親，但望夫人為天下蒼生之故，能阻止這次浩劫。」

藍夫人道：「他已恨我入骨，哪裏還會聽我勸說！除非……」

王修道：「除非什麼？」

藍夫人道：「除非我真的出面和他為敵，但也不過能阻他一時……」黯然一歎，道：「但這是不可能的事啊！」

王修道：「藍大俠為名位所誘，淪入魔道，夫人既然對他有情，就該拯救他脫離苦海。」

藍夫人雙目中暴射出清澈的神光，道：「你有什麼高見，能使我阻他造劫江湖，又不傷我們夫妻情感？」

王修笑道：「事無兩全，只有先讓他恨你，而後，再使他心生感激。」

藍夫人道：「還是一套老法子，要我出面和他作對？」

語氣突轉冷漠，道：「大名鼎鼎的神算子，也不過如此而已，我們談話已然夠多，男女不便久處，兩位可以請了。」

王修道：「不談藍大俠，談談令嬡如何？」

藍夫人道：「小女麼？有什麼好談的？」

王修道：「令嬡有一個『江東第一嬌』綽號，夫人想是早已知曉了？」

藍夫人道：「這和武林大局有何關連？」

王修道：「但在藍大俠的眼中，令嬡和武林大局有關了。」

藍夫人奇道：「那是他親生的女兒，我不信他會對自己女兒有什麼不利的舉動。」

王修道：「她是藍大俠手中一股力量。爲了完成統霸江湖的心願，他會不惜讓藍姑娘運用美色。」

藍夫人冷笑一聲，道：「先生休要胡言亂語，污蔑了小女。」

王修道：「在下自然是言有所本。」

藍夫人道：「證據何在？」

王修回顧了江曉峰道：「就在我身側。」

藍夫人雙目轉注在江曉峰的臉上，瞧了良久，道：「他怎麼樣？」

江曉峰心中忐忑不安，忖道：「原來王修帶我來此，是要我做他策謀的證人……」

忖思之間，耳際間已響起那藍夫人的聲音，道：「姓江的，你有什麼憑證，要據實說出，如有一字虛言，當心我取你之命！」

江曉峰遲遲疑疑地說道：「要我說什麼呢？」

王修道：「夫人這等問法，只怕很難問出個所以然來。」

藍夫人道：「那要如何一個問法？」

王修道：「是否可以讓在下問給夫人聽呢？」

藍夫人道：「好吧！不過，你們如是事先串通好的，我也會聽得出來。」

王修道：「王某在武林薄具聲名，此等事，還不屑爲。」

目光轉到江曉峰的臉上，神色肅然地說道：「江世兄，咱們相見不過一、兩個時辰，在此之前，從未晤面，是麼？」

江曉峰點點頭，道：「不錯，不知這和藍家鳳何關？」

王修道：「現在，你必須說出內心的真實話，字字要發自肺腑，不能有一句虛言，須知，這關係著世間一位絕世美人的命運。」

江曉峰根本不知要問什麼，只好點點頭，道：「晚輩怎敢說謊。」

王修道：「那很好，你對那藍家鳳的印象如何？」

江曉峰目光轉動，只見那藍夫人兩道銳利的目光，正向自己投注過來，心中大感不安，但又不能不答王修的問話，只好說道：「藍姑娘花枝一樣，世間絕色……」

王修接道：「不睹藍家鳳之美者，無目者也，這個不用你誇獎了，我是問你個人對那藍家鳳的印象如何？」

江曉峰偷瞧了藍夫人一眼，見她臉上毫無悅色，而且又似是聽得極爲入神，接道：「不論何人，見過藍家鳳都難忘懷。」

王修哈哈一笑，道：「啊！好個一見難忘。」

藍夫人冷笑一聲，道：「小女天生美豔，人人稱讚，那似非小女之罪，也和她爹爹無關。」

王修微微一笑，也不辯駁，目光轉到江曉峰的臉上，接道：「那藍姑娘一共和你見了幾次面？」

江曉峰道：「藍姑娘和晚輩見了三次……」

藍夫人突然接口說道：「是小女一人和你見面呢？還是有人陪她同去？」

江曉峰道：「有兩次是藍姑娘單獨和在下相見。」

藍夫人嗯了一聲，道：「她爲什麼要和你單獨相見？」

江曉峰還未來得及答話，王修搶先說道：「因為這位江世兄身上，有一把武林中人人視為奇寶的奪命金劍。」

藍夫人目光盯注在江曉峰身上瞧了一陣，道：「那奪命金劍之名，老身也聽人說過，但卻始終未曾見過，據說那奪命金劍，乃天下第一件惡毒兵刃，不知是真是假？」

王修道：「此事千真萬確。」

藍夫人冷笑一聲，道：「只怕是那些人武功不夠高強，才會傷在毒針之下。」

王修笑道：「也許武功到了藍夫人這等出神入化之境，那暗器無法傷到，但江湖上的一般高手，聽到那奪命金劍之名，無不退避三舍，藍大俠如若能夠取得奪命金劍，至少，可收一些鎮壓武林的功效，如是夫人把奪命金劍和金頂丹書、天魔令相比較，自然是小巫見大巫了。」

藍夫人轉過話題，道：「這又和小女何關呢？」

王修接道：「藍大俠可以遣派藍姑娘對付江少俠，亦可遣她去對付別人，如遇上老謀深算的人，或是不解風情的莽漢，令嬡失身的成份極大，藍大俠志在統霸武林，親情、道義，或許非他所要計較，但夫人對令嬡，自己的唯一女兒，難道也是一點也不憐惜！」

藍夫人沉吟了一陣，道：「多謝盛情，我自會想出應付之法。」

語聲一頓，道：「王英雄如是別無他事，老身不敢多留了。」

王修站起身子，道：「既是如此，在下就此告別。」

回顧了江曉峰一眼，接道：「咱們走吧！」大步向外行去。

江曉峰站起身子，加快腳步，追在王修身後，低聲問道：「咱們就這樣走了麼？」

直待將要行近大門時，王修突然回過頭來，低聲說道：「江世兄，如若我料斷不錯，那藍

夫人還會追咱們回去。」

江曉峰道：「不可能吧！」

王修微微一笑，還未來得及答話，瞥見一個青衣老嫗，如飛而至。

王修道：「有勞相送了。」

那青衣老嫗搖搖頭，道：「我家夫人還有一事想向閣下請教，特命老身追趕兩位回去。」

江曉峰心中大感駭異地忖道：「這王修果有著人所難及之能。」

王修抬頭看看天色，道：「在下應該說的話，都已經說完。」

那青衣老嫗道：「老身已奉命為兩位準備了午飯，我家夫人很想和兩位多談一談。」

王修略一沉吟，道：「如此說來，盛情難卻，我們恭敬不如從命了。」

兩人又轉身隨在那老嫗身後，行入了大廳之中。

那藍夫人仍然在大廳端坐，目注屋頂，呆呆出神。

王修緩步行入大廳，一抱拳，道：「複蒙寵召，不知夫人有何賜教？」

這一次，那藍夫人大為客氣，站起身子，道：「兩位請坐吧！我已命下人們備好了酒飯，兩位請在此便餐。」

王修道：「太過打擾了。」

藍夫人長長吁一口氣，道：「就賤妾觀察所得，兩位都是君子人物，而且賤妾仔細地想過了閣下之言，覺著有很多事，你們說得十分有理。」

王修道：「夫人想已是胸有成竹了？」

藍夫人道：「那倒不敢當，但賤妾倒是想借重大駕才慧，能使拙夫迷途知返，不但挽救拙夫一世清名，而且也可使江湖上免去一番殺劫。」

王修道：「此乃在下來此之意，夫人如有此願，在下將盡力協助。」

藍夫人道：「唉！我已經盡了心力，為了勸阻他不要造劫江湖，弄得我們夫婦反目，數月以來，他已經帶了高手，來此和我搏鬥數次，每次都戰到筋疲力盡之時，才肯離開……」

江曉峰吃了一驚，暗道：「原來，這藍夫人已和藍天義搏鬥數陣，這女人為了武林正義，不惜和丈夫反目動手，倒是一位可欽可敬的人物。」

但聞王修接道：「不知夫人是否可以說出和藍大俠動手的經過情形？」

藍夫人道：「他打不過我，每次都敗在我的手中，我本有殺死他的機會，但我夫婦相處數十年，除了這一次反目之外，往日連一句爭辯也未曾有過，要我如何能下得了手？不過……不過……」默然一歎，住口不言。

王修道：「不過什麼？夫人既然告訴了我們，還望能暢所欲言，在下能夠明瞭詳細情形，在下亦可提供拙見，以供夫人參考。」

藍夫人道：「但他一旦有能力殺死我時，決然不會放過我，他目下遲遲不敢發動，唯一的顧慮就是我，但他每一次和我動手，武功似乎是都有長進，如若再過一段時間，也許我就非他敵手了。」

王修神情嚴肅地說道：「就夫人的估計，還需要多少時間，藍大俠可以勝過夫人？」

藍夫人沉吟了一陣，道：「就這幾次動手的情形而言，如若再有三個月的時光，他的武功，就有超越我的可能。」

王修沉吟了一陣，道：「在下有一得之愚，提供夫人卓裁，在下覺著，夫人不能殺他，難

道也不能生擒他麼？」

藍夫人思索了片刻，道：「前幾次，我也許有生擒他的能耐，但現在……是否還有這份本領，那就很難說了……」

語聲微微一頓，接直：「再說，就算我能夠生擒了藍天義，那又如何處置呢？」

王修道：「如若生擒了藍大俠，自然先以夫妻情份說服他，如是藍大俠執意不允，在下當邀請當代武林中幾位身分崇高之人，再行說服，勸得他回頭爲止。」

藍夫人搖搖頭，道：「此事只怕不易。他心中對我懷恨極深，我再把他生擒交與你們之手，這個死結，只怕是很難解開，尤其是被我生擒，他決然不肯答允回頭……」

王修道：「夫人覺著應該如何？」

藍夫人道：「那時只有兩個法子對付他了，一個是廢去他的武功，另一個方法是把他殺死。」

王修道：「在這兩策之間，還有一法，那就是把他長期軟禁。」

藍夫人道：「他這些年中，一直策劃謀霸武林的事，沒專心練武，如若再給他一個被囚牢獄的機會，將使他武功更上一層樓，有一天，他會脫囚而出，那時，武林之中，只怕再也無人能制服他了。」

王修道：「照夫人的說法，似乎是只有……」

他爲人穩健，說了一半，就住口不言。

藍夫人接道：「只有殺了他，或是廢了他全身的武功，才算有用。」

王修道：「但夫人和他夫妻之義，自是不忍下手，也不願別人下手加害藍大俠，是麼？」

藍夫人道：「拋去夫妻情義不說，他此刻也未犯什麼江湖大忌，更未妄傷一個好人，殺他的罪名，實也無法找出。」

正在此時，江曉峰突然接道：「在下已親眼看到了一位武林人物，被他們打成重傷而死……」

藍夫人怔了一怔，接道：「什麼人？」

江曉峰道：「閔玉祥。」

藍夫人道：「你是親眼看到麼？」

江曉峰道：「親目所見，也許他不是藍大俠親手所傷，但總不能說和藍大俠毫無關連。」

藍夫人臉上泛現出痛苦之色，沉吟了良久，道：「藍天義可能無義，但我卻不能無情，我一天活在世上，他就有著重重顧慮，不太敢放手施爲，但他手下已然羅致了無數的高手，那些人中，有不少惡毒小人，明槍易躲，暗箭難防，總有一天，他們會把我害死……」

王修道：「你們之間，是一場很奇怪的搏鬥，你雖然武功過人很多，但在這一場搏鬥之中、卻已經敗了一半，不論雙方的消長如何，最後，夫人非一敗塗地不可，因爲夫人沒有傷害對方之心，而對方卻能不擇手段的對付夫人，更糟的是，那藍大俠心中已知曉夫人不會傷他，兩位心理狀況，極不平衡，這一場搏鬥之中，誰勝誰負，不言而喻了。」

藍夫人道：「這才是我請兩位回來的真正原因。」目光轉往在江曉峰的身上，道：「王大俠，你精通相人之術，你看他的骨格、品性如何？」

王修道：「骨格清奇，乃上好的練武之材，品性忠厚，不是奸猾人物。」

江曉峰聽兩人交談重點，突然轉到了自己的身上，心中不明所以，呆呆地望著兩人出神。

藍夫人道：「如若我要找一個人，傳我衣缽，他是否是最合適的人呢？」

王修道：「就在下所見，江世兄應該是最恰當的人選了。」

藍夫人微微頷首，道：「只可惜他江湖上的閱歷太少，難是藍天義和藍福的敵手。」

王修道：「如若夫人肯授他武功，在下願盡全力，助他爲維護武林正義，鞠躬盡瘁，死而後已。」

藍夫人道：「你若肯全力助他，我自然可以放心，不過我還有幾個條件，要你們答允。」

王修道：「夫人請說，在下等洗耳恭聽。」

藍夫人望著「神算子」王修，正容道：「藍天義雖然不義，但你們要盡力勸他，他一生行俠仗義，並無惡跡，至少你們要饒他三次不死。」

王修點點頭，道：「夫人吩咐，我等自然遵從。」

藍夫人道：「第二件事，和小女有關了，你們要答允我不能傷害她，就算她手染血腥，罪大惡極，你們也要寬恕她。」

王修道：「在下答允夫人。」

藍夫人道：「第三件事，你們要爲小女安排一個歸宿，但不能背她心意。」

王修道：「我明白夫人用心，在下當全力促成。」

藍夫人道：「唉！這三件事，也算是我三個心願，我相信王兄是一位言而有信的人，答應了，不會不算。」

王修正色說道：「我王修答允夫人的事，如若不盡全力，要我死於亂劍之下，永世不得超生。」

藍夫人微微一笑，道：「王兄言重了。」

王修大聲喝道：「江世兄，還不快拜師父！」

兩人方才談說之言，江曉峰都已經聽得明白，略一沉吟，站起身子，對藍夫人拜了下去。

藍夫人閃身避開，說道：「不用行拜師大禮，我不會收你爲徒，你不用認我爲師，我傳你武功，只爲了要你維護武林正義，咱們之間，不存任何名義。」

江曉峰已然拜伏於地，那藍夫人如此一說，江曉峰大感爲難，只覺著站起身子也不是，再拜下去亦不是，跪在當地，不知如何是好。

王修若有所悟，說道：「我明白了，夫人顧慮周密，在下難及萬一……」目光轉到江曉峰的臉上，道：「江世兄，請起來吧！」

江曉峰站起身子，在原位坐下。

王修道：「夫人答允傳授江曉峰的武功，那是武林大幸，但不知要幾時開始？」

藍夫人道：「現在開始，我沒有太多時間了。」

王修怔了一怔，道：「夫人……」

藍夫人苦笑道：「既是瞞你不過，說出來也不要緊，我已受了內傷，多則半年，少則三月，必死無疑。」

王修道：「傷在藍大俠的手中？」

藍夫人道：「除他之外，世間還有誰能傷害我，唉！只怪我一念仁慈，給了他傷我的機會，不過，他並不知道我已經受了重傷，只要我一天不死，他還不敢胡作亂爲，生恐激怒了我，邀集武林同道，和他爲敵。」

語聲一頓，道：「我爭取每一寸時光，不留你便飯了。」

王修站起身子，道：「在下告辭，不知幾時再能來此晉見夫人？」

藍夫人道：「四個月以後，你也要有一段時間，安排江湖中事。」

王修目光轉到江曉峰的身上，道：「江世兄，藍夫人胸懷仁慈，爲天下蒼生，自陷於無比的煎熬苦境，此後武林中正邪消長，全繫於你一人身上，雖然時限苦短，但你根基已奠，才慧過人，我相信你能把握住每寸光陰，留此之日，最好暫忘世間一切。我去了，四月後再來見你。」轉身向外行去。

江曉峰忽然說道：「老前輩，請轉告我呼延嘯叔叔，免他掛念。」

王修道：「你安心留此，我會說服他不來驚擾於你就是。」快步向外行去。

江曉峰站起身子，目睹「神算子」王修背影逐漸遠去，才坐了下來。

藍夫人道：「咱們到園中去，我先看看你的拳法、劍招、內功成就，然後，再決定如何傳授你武功。」

江曉峰應了一聲，起身行入後園，把拳掌劍法各演一遍，連百禽掌和金蟬步都演了出來。

藍夫人說：「你的所學，丹書和天魔令上都無記載，就算遇上藍天義和藍福，你也可和他們搏鬥，但卻無法持久，他們胸羅極博，只要和你打上一陣……」突然舉手互擊兩掌。

只見一個青衣老嫗快步行來，道：「夫人有何吩咐？」

藍夫人道：「你帶他去練武密室，把飯菜也開在練武密室中。」

那青衣老嫗應了一聲，帶著江曉峰快步而去。

十八　恩斷情絕

時光匆匆，四月時間轉眼即屆。

這日，正是神算子王修和藍夫人相約之日，王修如約而來。

這是晴朗的天氣，日光照射在藍府的大門上，銅環閃閃，風鈴叮咚。王修舉手叩動門環，良久之後，仍不見有人開門。

一種不祥的預感，泛上了心頭，當下暗中一提氣，越牆而入。

但見院中落葉滿地，隨風滾動，花樹叢中，雜草蔓生，顯然，這院中的花木，已有很久的時間，無人修剪，充滿著一種破敗的淒涼。

王修雖然是久歷江湖的人物，沉著過人，但目睹此情，也不禁生出了一種緊張之感，略一打量四周形勢，直向後進的廳堂奔去。

穿過了重重廳院，直奔向四月前和藍夫人晤談的內廳門外。

王修伸手一推，木門呀然而開，原來，那木門竟然是虛掩著的。

廳堂並無積塵、蛛網，顯然，近日中還有人打掃過。

王修重重咳了一聲，道：「有人麼？」

但聞廳內傳出一聲冷漠的男子聲音，道：「什麼人？」

王修聽得一呆，暗道：「怎麼會有男人在此？」

暗中提氣戒備，反問道：「閣下是什麼人？」

口中問話，人卻停在門口，不再向前行進。

只聽那室內人冷冷地應道：「你爲何不敢進來？」

這時，王修已聽出那聲音是從一張太師椅後面發出，那人把太師椅轉了過去，椅背對著廳門，遮去了視線，是以，只聞其聲，不見其人。

王修心中已知身陷險地，一面蓄勢戒備，一面用話探測，道：「閣下知曉這是何人的府第麼？」

那人冷笑一聲，道：「鎭江藍府，天下有名，何人不知，何人不曉！」

王修道：「閣下既知這是鎭江藍府，竟敢擅自進來？」

那人哈哈大笑一陣，道：「閣下呢？難道是藍府中人麼？」

王修道：「在下雖非藍府中人，但卻是應邀而來……」

那人接道：「你應何人之邀？」

王修道：「藍夫人。」

那人道：「可惜的是，閣下來晚了一步？」

王修道：「藍夫人人死了麼？」

那人道：「不錯。」

王修心中雖然已有些明白，但想問明內情，故作不解地道：「藍夫人幾時仙去了？」

那人道：「閣下來晚了一天，只是一天之隔，使閣下空勞往返。」

王修道：「那藍夫人屍體現在何處？」
那人冷笑一聲，道：「閣下不覺著問得太多了麼？」
王修道：「你是何許人，口出此言？」
那人道：「好一個喧賓奪主，我還未責問於你，你倒問起我來！」
王修道：「聽閣下口氣，似乎是藍天義。」
只見太師椅後，緩緩站起一人，道：「不錯，正是藍某人。」
王修淡淡一笑，道：「你殺死了自己的夫人？」
藍天義道：「她不從夫命，死有餘辜。」
王修道：「藍夫人胸懷大義，死後亦得留名千古，永受武林同道敬仰。」
藍天義冷笑一聲道：「你是神算子王修麼？」
王修點點頭道：「正是在下。」
藍天義道：「久聞你精通奇門術數，鐵口論相，想不到，竟然無法預料到自己的禍福吉凶。」
突然舉手，互擊兩響。
掌聲過後，但見人影閃動，兩側荒草蔓生的花樹叢中，走出四個人來，四人分別攔住了兩個方向，斷去了王修的歸路。
王修目光轉動，打量了四人一眼，只見守東北方位的兩個人，一僧一道，正是武林中人人敬重的，少林高僧無缺大師，和武當名宿玄真道長。
無缺大師負四銅鈸，在日光下閃閃生輝。

玄真道長背插長劍，黃色的劍穗在風中飄動。

王修冷笑一聲，道：「原來是無缺大師和玄真道長，在下失敬了。」

無缺、玄真，相互望了一眼，也不答話。

王修目光轉動，瞧了東方守候的兩人一眼，只見一個身著黃袍，長髯垂胸，一個身著白衣，臉如羊脂，不見血色，正是乾坤二怪，馬長飛和羊白子。

王修冷笑一聲，道：「乾坤二怪，一向在黑道中聲名顯赫，想不到也做了藍天義的奴才。」

乾坤雙怪齊齊冷哼一聲，卻未答話。

藍天義冷笑一聲，道：「王修，你抬頭看。」

王修依言抬頭望去，只見屋面之上，站著身著藍衫，白髯飄飄的藍福。

儘管他心頭震駭，表面仍然保持鎮靜，笑道：「閣下想得很周到。」

藍天義道：「王修，我沒有太多的時間和你交談，希望你早做決定，你究竟是願死願降？」

王修心中暗道：「不知那江曉峰是生是死，應該設法問出內情。」

心中念轉，口中說道：「可惜，那藍夫人不聽在下之言，如若早肯聽在下之言，也不會有今日之禍了。」

藍天義道：「可惜她已經死了，你縱然能說得天花亂墜，也無法使她復生……」

聲音突轉嚴厲，接道：「今日之局，大約你心中明白，就算我不出手，你也沒有逃命的機會，你縱然學究天人，胸羅玄機，也無法死去後重行復生。」

王修仰天打個哈哈，道：「咱們走著瞧吧！我王某人如若是全無安排的孤身涉險，那神算之名，豈不是讓人白叫了麼？」

藍天義道：「縱然你帶有幫手而來，我也想不出何人有能耐救你出險。」

王修道：「藍大俠，不用急，你敢不敢給我一段時光？」

藍天義道：「那要看什麼事了？」

王修道：「你藍天義可以絕情無義，殺死妾僕，但在下卻對藍夫人，敬慕萬分，我晚來了一步，未能救她出險，心中不無慚憾。」

目光盯注在藍天義身上，接道：「我想奠祭一下藍夫人遺體，不知你是否能答允？」

藍天義道：「拙妻屍體，不勞外人奠祭，閣下不用再故意找話，拖延時刻了。」

王修心中暗道：「聽他口氣，那江曉峰似是並未遇害。」

心中頓然一寬，一邊心中尋思脫身之計，一面說道：「藍大俠準備讓他們哪位先打頭陣？」

藍天義突然舉步向門口行來，一面冷冷應道：「我。」

王修心頭一震，暗道：「原來乾坤二怪、無缺大師、玄真道長和藍福等，只是爲了防我逃走，他要親自出手，分明是存著速戰速決之心，今日之局很難善終了。」

但他心中明白，此刻，只要微露怯意，定將爲敵所乘，當下冷笑一聲，道：「藍夫人生前相托在下一事，看來，似是用不著告訴閣下了。」

藍天義已然逼到王修身前六尺左右處，聞言突然停下腳步，道：「她托你什麼事？」

王修看他果然被自己的言語套住，口中仍然冷冷地說道：「那藍夫人不但是一位顧識大體

的巾幗，而且也是一位對子女慈愛的母親、對丈夫多情的妻子。」

藍天義略一沉吟，道：「江湖上傳你神算子王修，不但精通相人之學，而且口若懸河，今日一見，果然不錯。」

王修一拍胸，冷冷說道：「如若藍夫人已經告訴你了，咱們就不用再談，閣下請出手吧！」

任那藍天義智計萬端，也不能不信王修之言，立時泛起急於知曉內情的衝動。他揮動一下右手，目光掃掠了無缺大師等一眼，道：「你們都退開。」

無缺大師、玄真道長、乾坤雙怪，對那藍天義似是都有著凜然的敬畏，應了一聲，退入花木叢中。

藍天義聲音突然間轉變得十分平和，緩緩說道：「拙荆告訴你什麼事?現在可以說了。」

王修被人稱爲神算子，除了他胸羅博廣之外，臨急應變之能，也是無人及得，當下冷笑一聲，道：「藍夫人曾經告訴在下，如若她能見你之面，自己會告訴你，你已見到了尊夫人，想她定然已經告訴你了。」

藍天義沉思了一陣，道：「她沒有告訴我的機會。」

王修道：「原來閣下是暗施毒手，傷了尊夫人?」

藍天義突然輕輕歎息一聲，道：「她雖然受了很重的傷，但她尚有還擊的力量，不過，那一招很惡毒，所以她臨時縮手，給了我一個還手的機會。」

王修道：「她有夫妻之情，不想殺你，想不到你卻全無夫妻之義，在她縮手之時，乘機奪取她的性命。」

藍天義道：「當時情景，實在無暇多想，本能的出手一擊，只想拚命保命，隨手擊出一掌，想不到，那一掌竟把她心脈震斷。」

王修點點頭，道：「如若尊夫人不縮手呢？」

藍天義道：「在下事後細想，那一招如若她不肯及時收手，雖然未必能取我之命，至少可以使我身受重傷。」

藍天義若有所悟的，臉色一變，冷冷說道：「王修，你套在下的話，已經很多了。」

王修歎了一聲道：「你殺了尊夫人之後，閣下的武功，應該是當代第一人了！」

王修道：「你殺了自己的妻子，似乎是一點也不後悔。」

藍天義冷笑一聲，道：「王修，你知道的愈多，生離此地的機會愈少。」

王修已套出那藍天義殺死藍夫人的經過，另一件重要的事，就是求證一下江曉峰的生死，然後再行設法脫身。

心中念轉，口中說道：「在下亦曾勸過藍夫人，要她找一個可以承繼衣缽的人，把她絕世武功，傳留人間，日後也好替她報仇！」

他措詞之中，充滿著引誘之力，使人不知不覺間，出言回答。

藍天義道：「聽你口氣，似乎是早知我要殺死拙荊了？」

王修道：「此不過早晚間事，你藍大俠早已準備完成，遲遲不敢發動，無非是對那藍夫人仍存有著顧慮，怕真的激怒了她和你對抗於江湖之上。」

藍天義眉宇間殺機泛起，但因心中又想問明藍夫人托他何事，強自忍下，道：「王兄一向詭計多端，看來本座上了當啦。」

言下之意，無疑是警告王修，如若再不言歸正題，即將出手搏殺。

但神算子王修已從藍天義的神情言語之間，確定了江曉峰未被那藍天義等發現，只是無法想出他此刻身在何處。

他博學多智，才思敏捷，略一沉吟，冷然說道：「令夫人臨死之際，仍不肯說出要在下轉告閣下的事，足見她對閣下也已經恩盡義絕了。」

這一來，立時又加強了藍天義求明內情之心，但他亦是心機深沉之人，神色間一片冷漠，道：「如是在下把你殺死，天下即無人知曉拙荊遺留之言，在下是否得知，那也是無關緊要了。」

王修故作輕藐地淡然一笑，道：「藍大俠可自信一定能取在下之命麼？」

藍天義道：「我在三十招內，如不能取你之命，藍某人從此退出江湖，你王修不信，咱們就立刻試試。」

王修道：「好！在下極願奉陪閣下，不過，我先要一拜尊夫人的遺體，她爲武林盡大義，又爲閣下做賢妻，爲兒女做良母，似這等完美婦德，放眼天下，能有幾人？在下如不能一拜遺容，實是畢生大憾之事。」

藍天義冷笑說道：「拜過拙荊遺體之後呢？」

王修道：「再告訴你尊夫人相托之事，我不能因閣下的惡毒，負了尊夫人的囑託！」

藍天義道：「還有呢？」

王修道：「接你三十招，賭賭在下的運氣。」

藍天義道：「只怕閣下的運氣不會太好，你一向自號神算，但卻難卜自己的生死！」

王修道：「希望我們動手時，能保持個一對一的局面。」
藍天義道：「哼哼，這個王兄放心，總會要你死得瞑目。」
王修一拱手，道：「那就有勞你帶路了！」
藍天義道：「王兄如若存有逃走之心，那是速求一死。」大步出室，向後院行去。
王修緊隨藍天義的身後而去。
又穿過一重庭院，到了一座紅樓之下，藍天義停下腳步，道：「拙荊的屍體，就在廳內，王兄僉拜去吧！」
王修神情肅然，拍拍身上的積塵，舉步向前行去。
行至門口，已見藍夫人的屍體，只見她身著白衣，屍橫廳前，衣服上沾滿了血跡，櫻口間，更是爲凝結血塊堵塞。
王修緩步行入門內，目光迅快地打量廳內，只見室中桌椅横翻，地上積塵中足印斑斑，顯然在這室中有過一番搏鬥。
但就室中積塵而言，似乎是除了不久之前的一番搏鬥之外，廳裏已甚久無人打掃過了。
再細看那藍夫人的屍體，並無移動過的痕跡，大約是藍天義一掌震斷藍夫人的心脈之後，心中亦生出愧咎之感，未敢再動藍夫人的屍體，就匆匆退了出去。
一個由推想而生的希望，泛上心頭，雙目神凝，不停地在藍夫人身上搜尋。
爲了怕引起藍天義的疑心，人卻緩緩對屍體拜了下去。
他的舉動很慢，旨在盡量拖延時間，但他腦際間卻不停地轉動，希望能在藍天義未動疑之

前，從藍夫人身上找到推想出的隱密。

突然間，他發現了藍夫人散亂的黑髮中，露出了一角金釵，藍夫人那側臥屍體上的右手，似是指向金釵。

王修迅快地打量了一下藍夫人倒臥屍體的形態，那隻右手決不會扭放於屍體之上，指向金釵，顯然那是藍夫人在死亡前剎那間，用盡了生命中的潛能，曲轉右臂，放於屍體之上。

雖然，那手指距金釵還有一段距離，但那是因爲受傷太重，立時死去，已無能使右手更爲接近。

也正因如此，才未引起藍天義的懷疑。

這是一種絕高智慧的運用推判，神算子王修相信，那金釵之上必有隱密，雖然，他無法判定那金釵上留些什麼。

但擺在眼下的難題，是如何能讓藍天義不發覺，而自己能取到金釵。

藍天義的武功，已登峰造極，耳目靈敏到五丈內可辨落葉之境，不論自己用什麼快速的手法去取金釵，都無法逃過他的耳目，唯一的辦法，只有先分散他的心神。

心中念轉，高聲誦道：「夫人雖已死去，但那只是軀體離開了人間，你的英名，當會常存武林，受後人千秋萬世的敬仰。」

拜過三拜，霍然起身，轉頭喝道：「藍天義，咱們要在何處動手？」藍天義似是心有所懼，一直未進內廳門，但他卻遙站在門外七、八尺處，監視著神算子王修。

他雖然自覺武功強過了王修，但心中對他的才智，卻是有一些顧忌，只不知下一手要出什麼花樣，是故，對王修監視甚嚴。

凝目望去，只見王修神情間一片激忿，已不是適才那等鎮靜之色，心中暗道：「神算子王修竟也會難以自主，看來，我這位夫人，確有著救世之心，才使王修對她之死，如此看重。」

對王修之言，又加了幾分信任，當下冷笑一聲，道：「王兄來時的承諾，不過片刻工夫，似又忘懷了？」

王修道：「什麼承諾？」

藍天義道：「告訴在下拙荊相托之事。」

王修道：「好！那你也要一個人出手，不許他們助戰。」

藍天義道：「這個在下早已答應過了。」

王修道：「你要先交代底下一聲，不許他們插手，我才能放心。」

藍天義無可奈何，舉手連揮。

王修見那藍天義分心招呼屬下之際，疾快地取了藍夫人頭上金釵，藏在懷中。

但見人影閃動，藍福等已疾快趕到。

藍天義道：「我和王修動手相搏時，不論勝負，都不許你們插手。」

藍福道：「教主，咱們……」

藍天義接道：「我告訴你們這件事，是要你們遵守，不用說道理給我聽了。」

藍福欠身作禮，向後退去。

藍天義目光轉到王修身上，道：「閣下可以說了……，不過，希望王兄不必再用拖延之策，在下已無耐心再等下去了。」

王修道：「尊夫人要在下奉告兩事。」

藍天義接道：「那兩件事？」

王修道：「她說，不顧一生辛苦建立起的俠名，倒行逆施，連累妻子，已非好丈夫，但希望你能愛護自己的女兒，別讓她再受到傷害。」

藍天義道：「第二件呢？」

王修道：「第二件事，要在下勸你解散天道教，時猶未晚。」

藍天義臉色一變，冷冷說道：「王修，你敢戲辱於我……」

王修哈哈一笑，接道：「大約是藍大俠懷疑，尊夫人要在下告訴你寶藏何處，所以，才苦苦追問，其實，這兩件事，關係你的修養、聲譽，你如肯聽，這一生都夠你受用不盡了。」

藍天義臉上泛現起一片殺機，冷冷說道：「王修，你雖然詭計多端，舌燦金蓮，但本座相信你也只能死亡一次……」

王修暗暗吸一口氣，接道：「藍夫人還告訴在下一件事，不過那和藍大俠無關。」

藍天義道：「你滿口胡言，區區再也不會受你愚弄了。」

王修不理會藍天義的譏諷，緩緩說道：「藍夫人指教在下一招武功，本也用不著告訴你……」

藍天義怔了一怔，道：「你說什麼？」

王修道：「她說，只要在下，日後能夠遇上你藍大俠，你決然不會饒我，因此，傳了在下一招保命防身的武功。」

藍天義道：「傳你的是什麼武功？」

王修道：「傳我什麼武功，恕難奉告，藍大俠和在下動手之後，自然可以知道。」

原來，他心知藍天義已動真火，如若一出手，必將是雷霆萬鈞的攻勢，故意說出此言，引起他心中三分畏懼，七分好奇，自己則增加了逃走的機會。

藍天義略一沉吟，目光凝注在藍夫人的屍體之上，冷冷說道：「你如真把武功，傳於外人，我今日取你之命，也就毫無遺憾了。」

只見藍天義緩緩轉過目光，說道：「我們到室外動手如何？」

王修心中一動，默察廳上腳印痕跡，似是那藍夫人受傷之後，才奔入此室。

但覺腦際間靈光連閃，暗道：「那藍夫人在死亡的剎那之間，還能盡用潛能，指出金釵，證明她在死亡之前，神智十分清明，自然不會忘去了今日和我相約之事，她明知我決非藍天義的敵手，也許爲我佈置下拒敵之法，她重傷之後，強行運氣奔入此室，還有餘力施展奇技，對付藍天義，卻不肯誘敵他往。這室中難道還會有什麼佈置不成？」

心中念轉，目光卻不停在室中打量。

藍天義不聞那王修回答自己之言，卻不停地在流目四顧，心中大是奇怪，道：「王修，你鬼鬼祟祟的瞧什麼？」

王修道：「要動手麼？我們就在室中動手。」

藍天義一皺眉頭，道：「你可是覺著在室中動手，活命的機會大一些麼？」

突然欺前一步，逼在王修面前，道：「我讓你先機，閣下請出手吧！」

王修微微一笑，道：「還是藍大俠先出手吧！兄弟不敢僭越。」

藍天義一皺眉頭，道：「你很沉著。」

右手一揚，虛飄飄的一掌，來勢雖然平凡，但其中定然藏有著極爲厲害的殺手，王修不敢

伸手封擋，一閃避開而去。

藍天義冷哼一聲，向前行出兩步，掌式不變，仍然去向那王修的前胸。

王修向以機智取勝，很少和人動手相搏，實則武功極高，但江湖上知他武功底細之人卻是不多，給人一個莫測高深的感覺。

面對著藍天義這等博通天下奇技的高手，更是小心翼翼，希望憑仗機智，能夠應付過三十招，是以不肯輕易還擊，以免藍天義找出破綻。

當下一收氣，向左側橫跨五尺，道：「藍大俠，我們要搏鬥三十招，是麼？」

藍天義欺身追上，口中卻應道：「不錯。」仍是原式不變地指向王修的前胸。

王修道：「藍大俠推出這一掌，跟進施襲，不知算是幾招？」

藍天義道：「閣下之意呢？」

王修道：「藍大俠掌勢雖然未變，但腳步卻頻頻移動，那自然不能只算一招了。」

藍天義道：「閣下想快麼？」掌勢突然一變，左揮右擊。

王修只覺突然間，幻起一片掌影，直叫人眼花撩亂。

但他心中早已打定了主意，非到生死交關，決不出手還擊，當下連連向後逃避。

這廳堂本就不大，王修一陣讓避，人已退到了廳堂一角。

藍天義收住攻勢，輕蔑一笑，道：「王兄，再向後退，要碰到牆上了。」

王修淡淡一笑，道：「兄弟如是無處可退，那只有還擊一途。」

藍天義道：「我已攻出七招，你只要能再撐過二十三招，就可以平安離開此地。」語聲甫落，右手一揮劈出。

這一掌，不但快逾閃電，而且挾著強猛的勁風，有如巨斧開山一般，直落下來。

王修已然退無可退，只好右手一抬，疾向那藍天義腕穴上扣了過去。

左手同時疾快地攻出了一式「浪擊礁岩」，擊向藍天義的小腹。

這時，兩人相距不過二尺左右，手掌伸縮之間，都可直接擊觸對方的要害大穴，在王修全力反擊之下，不論何人，都將會先避開王修的掌勢。

但那藍天義確有非常的武功，竟然不讓避那王修的掌勢，而且也不出手封擋，左手一轉，掌勢易作擒拿，反扣王修的腕穴，小腹卻硬受了王修的掌力一擊。

王修掌勢擊中藍天義小腹時，有如擊在一團棉花之上，不禁心中一驚。

就在他一怔間，右手腕穴已被藍天義的五指扣住。

藍天義五指微微一加力，王修頓覺半身麻木，難再掙動。

王修心知如再強行掙扎，只有自討苦吃一途，不再掙扎，長長吁一口氣，道：「藍大俠的武功，到了爐火純青之境。」

藍天義冷笑一聲，道：「這是佛門中無相神功，練到了一定的火候，不僅內家重手法不能傷得，就算棍棒一類重兵力，只要不是擊中要害，也是無法傷得。」

王修淡然一笑，道：「藍大俠這武功，想是從金頂丹書之上學得了？」

藍天義冷冷說道：「你死在眼前，竟還想增長見聞，這份鎮靜的工夫，倒是可佩得很。」

王修心中暗道：「如若那藍夫人在這地方有什麼佈置，她應該知曉我不是藍天義的敵手，我已盡量設法拖延了很長的時間，如若有什麼佈置，也早該發動了。」

王修表面上雖然鎮靜異常，但內心之中，卻是焦急萬分，不停地流目四顧，希望能瞧出一點蛛絲馬跡。

藍天義看他一直不停地東張西望，心中卻大感奇怪，問道：「你瞧什麼？」

王修道：「瞧瞧在下這埋骨之地的風水如何！」

藍天義怒道：「你滿口胡說八道。」左手一揚，拍的一記耳光。

這一掌落勢甚重，只打得王修左臉浮腫，滿口鮮血，順著嘴角流下。

這當兒，突聞一個冷冷的聲音，傳了過來，道：「住手！」

這聲音來得不大，但卻給人一種震顫的感覺。

藍天義回目望去，室中除了藍夫人的屍體之外，再無人跡，不禁一呆，道：「什麼人！」

但聞冷冷的聲音，傳入耳際，道：「我。」

只見人影一閃，室中一處橫樑上，突然跌落下一條人影。

那是一個形狀十分怪異的人，身上穿著一件寬大的黑色長衫，臉色漆黑，胸前飄垂著白色的長髯。

藍天義對那黑衣怪人的驟然現身，似是感到了無比的震駭，結結巴巴地說道：「你還沒有死？」

黑衣人冷笑一聲，道：「你藍大俠還認識老夫麼？」

藍天義對那黑衣白髯的老人，似乎有著無比的畏懼，突然放鬆了王修的右腕，縱身而起，直向室外衝去。

他動作快速，疾如電光石火一般，衝出室外。

王修舉袖拂拭一下臉上的鮮血，緩緩說道：「閣下是誰，爲什麼要救我？」

心中暗暗忖道：「這人大約是藍夫人安排的人，但這人是誰呢？」

只見那人快步行到王修身邊，低聲說道：「老前輩，咱們要快些走。」

王修道：「你是誰？」

那黑衣人應道：「晚輩江曉峰。」

王修低聲說道：「咱們從哪裏走？」

江曉峰道：「這裏後樓之上有一個窗子，通向花園。」

王修一揚手，道：「快些帶路。」

二人迅速上樓，江曉峰一掌劈開木窗，一躍而出，王修緊隨身後，飛下二樓，兩人藉花木掩護，離開了藍府。

這時，已是申時，路上行人正多。

兩人顧不得引起路人的驚奇，各自施展陸地飛騰之術，流星趕月一般，向前奔去。

一口氣奔出了七、八里路，到了一處四無人跡的隱密所在，停下腳步，江曉峰迅快地除去身上的寬大黑衣和假鬚，包成一個包裹，埋在地下。

江曉峰道：「王前輩，咱們先找一處藏身之地，晚輩再行除去臉上的易容藥物。」

王修雖然才慧過人，但一時間，也無法想出個詳細內情，當下說道：「此地很隱密，也未見有人追來，咱們就在此地談談，再找去處。」

江曉峰道：「老前輩心中可是有很多疑問？」

王修歎道：「這都是藍夫人安排的麼？」

臥龍生精品集

江曉峰點點頭，道：「一切都是藍夫人的計畫，連我這身衣服，和臉上的易容藥物，都是她親手製成。」

王修道：「可憐一代巾幗女傑，只因所適非人，竟被丈夫親手殺死。」

江曉峰口齒啓動，欲言又止。

王修似是並無要江曉峰回答之意，又接口說道：「你這些時間之內，都一直住在藍府中麼！」

江曉峰道：「是的，晚輩就住在藍家鳳的閨閣之中。」

王修道：「住在藍家鳳的房中？」

江曉峰道：「是的，晚輩亦覺著住在藍姑娘的閨房之中，有些太過荒唐，但那是藍夫人的意思，非要在下住在這裏，她說此地才安全一些。」

王修輕輕歎息一聲，道：「藍夫人被殺之時，你也在房中？」

江曉峰道：「晚輩在房中！」

王修道：「那你爲什麼不出手救她呢？」

江曉峰道：「唉！那時，晚輩正在行功緊要關頭，心無旁騖，雖然覺出有異，但卻無法查看。」

王修沉吟了良久，道：「如若我拖延的時刻不夠，只怕也要傷在藍天義的手中了。」

江曉峰道：「這也是很適當的巧合，但也是藍夫人用盡心機的安排……」

望了王修一眼，接道：「但若非王老前輩的臨敵智慧，難以成功，這三件缺一不可。」

王修微微一笑，道：「四個月的時間，不算太長，但你卻似經歷了數年一般，智計大

進。」

江曉峰道：「藍夫人在這四個月中，不但替我安排了緊密的學武時間，而且也惕勵了我的智慧，使我武學和智謀並進。」

長長吁一口氣，接道：「這四個月的時間中，使晚輩進入了另一個境界，至少，使我感覺到，武功一道，淵博深奧，並非是人人都可能練成絕技，良師、稟賦、機緣，缺一不可。」

王修道：「你似乎在這四個月之中，收穫不少！」

江曉峰道：「不錯，這四月時間，應該抵得我十餘年的所得，有過之而無不及。」

王修心中暗道：「總共只有四個月時間，就算那藍夫人是當代第一良師，你是稟賦極佳的學武之才，但四個月時間委實太短，練得三、五招奇絕之技，也還罷了，如說能夠盡窺武學堂奧，未免是過甚其詞了。」

心中念轉，口中卻說道：「此刻時間還早，我們最好在此等到入夜之後，再行上路，藉此時間，江世兄把經過之情，仔細地告訴在下。」

江曉峰道：「那藍夫人已經告訴在下，要我把經過之情，詳細告訴老前輩。她說，老前輩的才慧，可以幫助我解決很多武功上的難題。」

王修長長吁一口氣，有如突然放下一副千斤重擔一般，黯然中有一種舒暢的味道。

江曉峰奇道：「老前輩……」

王修接道：「我此刻才想明白了一件事。」

江曉峰道：「什麼事？」

王修道：「那藍天義並非是天賦很高的人，但他在武功上，卻有著很超異的成就，雖然，

他擁有了丹書、魔令，但那究是死物，如若是天份不夠，很多地方無法解得，可是，他卻娶了一個賢淑美慧、才智絕倫的妻子，所以，每當他遇上傑出的高手時，常遭敗績，每一次失敗之後，都得他夫人指點應對之法，才能在下一次搏鬥中制服強敵……」

微微一笑，接道：「因此，這至少可以證明一件事！」

江曉峰道：「證明什麼？」

王修道：「證明他只學得那丹書、魔令上，片片段段的武功，藍夫人卻是盡得神髓，每次在他落敗之後、指教他破敵之法。」

江曉峰道：「老前輩這一解說，晚輩也恍然大悟了。」

王修道：「快說你留在藍府的經過吧，說得愈詳盡愈好，水可載舟，亦可覆舟，藍天義志圖江湖，咱們也要在藍府中，找出對付藍天義的法子。」

江曉峰略一沉吟，道：「老前輩把我留在藍府之後，藍夫人帶我到藍家鳳的閨房中，立刻就開始傳我武功，她從不和我說一句沒有用的話，在傳授武功中，又設法促使我增長謀略。」

語聲一頓，接道：「藍夫人督促得很勤，把我每一寸光陰，都算得緊促無比，使我無片刻閒暇，她每日來三次，傳我口訣，糾正錯誤。」

王修皺皺眉頭，道：「四月之中，沒有一日例外麼？」

江曉峰道：「有一次，一連三日未至。」

王修道：「你沒有問過她麼？」

江曉峰苦笑一下，道：「晚輩應該問麼？」

王修想不到他會有此一問，怔了一怔，道：「這個麼，在下倒未想到。」

江曉峰道：「藍夫人第四天出現之後，就立刻要晚輩把她傳授的武功，演練了一遍，她看過之後，頗有讚賞之意，又開始傳我武功。」

王修道：「藍夫人胸羅武功，浩瀚如海，短短四個月，你又能學得好多呢？」

江曉峰道：「這個麼，藍夫人倒是對晚輩說過。」

王修道：「她說些什麼？」

江曉峰道：「她告訴晚輩，傳授我的武功，都是武功中的武功，也許我會發覺學的武功，眼下並無太大的用處，但每過一段時間，我貫通了某一點之後，就會有著飛躍進步的感覺，除了傳授我武功之外，又授了我很多口訣，不過，她最後告訴我一句話，除非能毀去或得到金頂丹書及天魔令，武林中永遠無人能夠困住藍天義。」

王修點點頭，道：「那是武學大成，一代江湖高手的集體智慧，包括正、邪兩面才慧人物，藍夫人智慧再高，也無法和他們抗拒……」

語聲微微一頓，接道：「你再想想看，那藍夫人還說過些什麼話，須知她的一句話，都可能會影響到今後江湖大局，所以，你必須要仔細地想想，不能遺漏。」

江曉峰道：「她傳我三招奇學，包括兩招劍術和一記掌法，要我牢牢記在心中，隱秘練習，不能讓人知曉，除非性命交關時，才可用以克敵。因爲每招只能使用一次，如若這三招之秘，過早洩漏，江湖大局，就無法扭轉了。」

王修道：「她那樣鄭重的告訴你，自然是不會有錯了，你要牢牢的記在心中。」

江曉峰沉思了一陣，道：「她還說過一句非常重要的話，晚輩幾乎忘了。」

王修臉上泛現出興奮之色，道：「什麼話？」

江曉峰道：「還有一種制服藍天義的辦法，她不忍說出，但她說老前輩可能會想得起來。」

王修眉頭一皺，沉吟了良久，道：「就這樣簡單的一句話？」

江曉峰道：「晚輩一字未漏。」

王修道：「藍夫人倒是看得起我，容我慢慢地推想吧！」

輕輕歎息一聲，接道：「再想想看，她還說了些什麼？」

江曉峰思索了一陣，道：「她說藍姑娘是一位心地善良的人，要我們好好照顧她的女兒。」

王修道：「只有這些麼？」

江曉峰道：「也許那藍夫人還說得有，但容晚輩慢慢地想想，想到之後，立時奉告。」

王修苦笑一下，道：「我一直想著那藍夫人會說出對付藍天義的辦法，故而苦苦追問，但我卻忽略了，她是既具婦德，又明大義的人，怎會明白說出殺死丈夫的辦法呢？她這般暗示我們，已經是難能可貴了。」

右手探入懷中，摸出一枚金釵，道：「你見過這枚金釵麼？」

江曉峰接在手中，瞧了一陣，道：「恕晚輩眼拙，瞧不出這一枚金釵，和一般金釵有何不同？」

王修道：「不同之處，是這枚金釵，乃是那藍夫人所有之物。」

江曉峰又仔細瞧了那金釵一陣，只覺除了金釵上的花紋稍微複雜一些外，再無不同之處，搖搖頭，道：「晚輩仍是瞧不出來。」

王修道：「江世兄可曾留心到，那藍夫人是否常戴這枚金釵。」

江曉峰沉思了良久，道：「就在下記憶所及，藍夫人似是常戴著一枚玉釵，這枚金釵，似是從未見到過。」

王修道：「你瞧到的都是玉釵，那可證明藍夫人很少戴用金釵，就藍夫人的生性而言，似乎也不喜金釵，這其間，自然是大有道理了。」

接過金釵，藏入懷中，接道：「還有一樁事，我們談完之後，就可以坐息一陣，準備動身了。」

江曉峰道：「什麼事？」

王修道：「你那身奇異的裝束，藍天義一見之下，竟然會嚇得落荒而逃，可證明那形貌，並非是藍夫人虛構出來，世間確有這麼一個人，而且那人在藍天義的腦際之中，還留有很深刻的印象，使他在一見之下，竟難自禁，無暇分辨真假。」

江曉峰道：「老前輩見多識廣，那人的形貌，又極特殊，應該是不難想出來。」

王修輕輕歎息一聲，道：「如若他是武林中極有聲望的人，在下相信一眼就可以認出來，但我從未聽過、見過那樣一位人物。」

江曉峰道：「但那形貌能一下子嚇退了藍天義，自然是不會假了。」

王修道：「那是一位真正的隱俠，身懷絕世武功，而又不爲人所知……」

目光盯注在江曉峰的臉上瞧了一陣，道：「也許他和你一樣……」

江曉峰奇道：「和我一樣？」

王修道：「是的，他也經過了一番改扮。」

江曉峰道：「但他是誰呢？這樣一位高人，江湖上竟然無人知曉。至少武林中，也該有他的傳說啊！」

王修突然仰起臉來，望著藍天白雲，長長吁一口氣，道：「因爲世間根本沒有這樣一個人，所以，武林中無人知曉。」

江曉峰道：「如是沒有這樣一個人，那藍天義怎會見了他驚懼無措呢？」

王修神情肅然地說道：「因爲那人出現得太突然，你我沒有聽人說過，那藍天義也沒有聽人說過，但那藍天義，卻有數次敗在那怪人的手中，所以，你易容出現，才使那藍天義震驚到失措之境，因爲，太出他的意外了。」

江曉峰道：「老前輩語含玄機，晚輩是愈聽愈糊塗了。」

王修道：「事情很簡單，這怪人就是藍夫人所裝扮，而且曾數度現身，阻止那藍天義爲惡江湖，所以她親手爲你易容，如若世間真有其人，不但那藍天義知曉，藍夫人也應該知曉才是，但是她卻從未提過。」

江曉峰道：「老前輩說得有理，但中間仍有很多細節，叫人想不明白。」

王修道：「事實上事情已經很明顯，如若這世間真有一個人，隱名任俠，不願人知，肯出手和藍天義爲難，自然是早已知曉了那藍天義的惡跡。但卻在數度交手之中，竟然不肯取他之命，除藍夫人之外，誰肯如此對他……」

輕輕歎息一聲，接道：「這件事，我們可以想到，那藍天義也可以想到，所以，他在那人數度出現之後，可能從拳路上猜出了他的身分，那是藍夫人所扮裝，但他殺了藍夫人之後，你卻陡然出現，方使他驚慌失措。」

江曉峰道：「老前輩這一提示，使晚輩茅塞頓開。」

王修道：「藍夫人不但是一位賢淑的女子，也是一位智計絕倫的巾幗女傑，可惜她死得太慘、太早了一些。」

江曉峰道：「這麼說來，當今武林之中，確已無人能夠制服那藍天義了？」

王修道：「有，就是你。所以，你要多多惕勵。唉！除你之外，武林中還有幾位高人，也許有機會和藍天義動手一搏，不過，他們至多能夠保持個不勝不敗之局，如若想勝過藍天義，恐非易事了。」

江曉峰突然想起了公孫成說起的黃山聚會之事，當下說道：「晚輩聽那公孫老前輩提過，在黃山盤龍谷中，隱居了一位絕世高人，只可惜，公孫前輩沒有告訴在下那人的姓名。」

王修微微一笑，道：「咱們今夜動身，就是要趕往黃山盤龍谷去，明日六月十五日之夜，正好是藍天義六十誕辰，藍天義去年發動，原想在一年之內，使武林中大局改觀，但他未料到藍夫人從中破壞，拖了他一年的時光，這珍貴的一年，暴露了藍天義的陰謀，也給我們做了很多的準備，各大門派都已覺醒，隱居黃山的一對高人，也為公孫成和在下說動，答允出手，救助武林同道，明天午夜，月圓時分，盤龍谷內，將有一場決定武林命運的聚會，我雖無法說出都是些什麼人物與會，但據說，有不少是退出江湖的武林高人……」

語聲一頓，道：「那是一場很難得的聚會，如非藍天義發動這次武林大變，這些人老死也難碰頭一次。」

江曉峰道：「可是，咱們已來不及了，黃山距此，迢迢千里。就算不顧及被藍天義屬下發覺追蹤，咱們也無法在一日夜之內，趕到黃山。」

王修道：「你忘了你那一位鳥王叔叔了。」

江曉峰道：「呼延嘯叔父何在？」

王修道：「我已和他約好，今晚二更時分，在金山寺後相見。」

江曉峰微微一笑，道：「老前輩佈置真是周密，除了鳥王呼延嘯，能以巨鵰載人飛行之外，遍天下再無人有此能耐了。」

王修目光一掠江曉峰，接道：「江世兄，你從藍夫人學武一事，除了呼延嘯之外，再也無人知曉，希望你暫時不要洩漏出此中之秘。」

江曉峰點點頭道：「晚輩敬遵所命。」

二人輪流坐息了一陣，待天色將近二更，動身趕往金山寺後。

十九　松溪老人

到了約會之處，呼延嘯早已守在那裏等候了。

一見到江曉峰，立時一把抓了過來，急急說道：「孩子，你好麼？」

江曉峰道：「我很好，有勞叔叔關心了。」

呼延嘯回顧了王修一眼，笑道：「王兄的神機妙算，兄弟十分佩服。」

王修道：「兄弟一直在擔心，呼延兄要和兄弟拚命呢！」

呼延嘯微微一笑，道：「兄弟已備下三隻巨鵰，咱們各乘一隻。」

口發低嘯，舉手一招，旁側一棵大樹上，三隻巨鵰破空而下。

三人舉步跨上鵰背，呼延嘯低嘯一聲，巨鵰振翼而起。

就在三人乘鵰振翼而起時，兩條人影，疾如流星而來。

人未到，三點寒芒疾如飛矢，直向三人射到。

呼延嘯大喝一聲，右掌一揚，發出一記劈空掌力，擊向當先一人。

那巨鵰雙翼力道甚大，飛行極快，暗器射到，已然飛起了兩、三丈高。

三點寒芒，一齊落空。

那當先奔行之人，不但身法快速，而且慓悍無比，突然縱身而起，避過了呼延嘯的劈空掌力，左腳一點右腳腳面，人又向上升高八尺，五指齊伸，竟向江曉峰乘坐的巨鵰抓來。

人影、巨鵰，一錯而過，指尖掠著巨鵰的羽翼未曾抓著。

無法瞧出來是何許人物。

巨鵰飛行迅速，次日午時不到，已然到了黃山盤龍谷中，巨鵰落在谷中一道小溪之旁。

呼延嘯長長吁一口氣，道：「咱們在金山寺後動身時，遇上的施襲之人，王兄可瞧出是何許人物麼？」

王修道：「兄弟未瞧出來，但那人能拖梯雲縱的上乘輕功，自非平常人物了。」

抬頭望望天色，接道：「咱們該去了吧？」

呼延嘯遣走三鵰，苦笑一下，道：「王兄，等一會兒，還望王兄替兄弟幫一個忙！」

王修道：「什麼事？」

呼延嘯道：「兄弟和少林派有一點恩怨，如若遇上少林寺中人，怕他們興師問罪，還望王兄從中排除一下。」

王修道：「這個兄弟自當盡力。」

呼延嘯道：「但兄弟並非是害怕少林人多勢眾，只是爲了江湖大局，和顧全我這江賢侄，爲了我這江賢侄，兄弟願意忍受一切責難，只要他們能夠爲我留些餘地，使兄弟能下台，那就行了。」

王修道：「難得啊！難得！就憑呼延兄這一句話，兄弟已五體投地了。」

呼延嘯道：「咱們走吧！」起身向前行去。

江曉峰緊追在呼延嘯身後，問道：「呼延叔叔，你和少林寺爲何結怨？」

這也是王修心中之疑，只是他不便詢問而已，暗中凝神傾聽。

但聞呼延嘯道：「這已是三十年前的事了，我傷了少林寺兩位高僧，而且把一人打成了殘廢，那人此刻已是少林寺戒持院的住持，身分極高，如若今宵他也趕來與會，記起前仇，決然不會放過我了。」

江曉峰道：「叔叔爲什麼和少林寺衝突呢？」

呼延嘯道：「唉！只不過一點意氣之爭，雙方互不忍耐，造成一樁恨事。」

江曉峰看他不願細說內情，也不再強行追問下去，改變話題，說道：「這地方就是盤龍谷麼？」

呼延嘯點點頭，道：「不錯。」

江曉峰道：「此地的主人，似是極得武林同道的敬重，不知是何許人物？」

王修道：「江世兄，聽說過『松蘭雙劍』麼？」

江曉峰道：「松蘭雙劍？晚輩出道不久，不知兩人之名。」

王修道：「不錯，四十年前，名震江湖的兩大劍客，今晚三更時分，就可以見到兩人了。」

呼延嘯道：「孩子，見了『松蘭雙劍』時，別提你遺藝恩師，金蟬子的事蹟。」

江曉峰道：「爲什麼？」

呼延嘯道：「因爲松蘭雙劍，和你那遺藝恩師，有過一點過節。」

江曉峰應道：「小侄遵命。」

王修微微一笑，道：「呼延兄很細心，這幾日那『松蘭雙劍』，可曾現身過麼？」

呼延嘯道：「旬日之前，一度出現，但不過盞茶工夫，就退回石室中去，相約明日午夜以後，再啓室門，迎接與會之人。」

王修道：「不知『松蘭雙劍』現身之後，可曾說些什麼！」

呼延嘯道：「他們似乎是在暗中示警……」

王修奇道：「示警什麼？」

呼延嘯道：「好像是說我們這等大舉集會，無法瞞得住藍天義的耳目，在六月十五日午夜之前，無法再行外出，萬一有變，無能援手，要在場之人設法自保。」

王修點點頭，道：「大約兩位老人家已有了什麼警覺，只是沒有說出來罷了。」

語聲一頓，接道：「場中有多少人？」

呼延嘯道：「大約有三十餘人。」

王修道：「有少林寺的人麼？」

呼延嘯道：「有三個少林派中人，兩個僧侶，一個俗家弟子，三人的年紀都不太大，也都不識得老夫，不過，聽說少林寺中有幾位主事的首腦，將於明午之前趕到。」

王修道：「還有些什麼新到的人物？」

呼延嘯道：「這要問公孫成了，我一向很少和武林同道往來，識人不多，再者，我又改了裝束，濟濟群豪，有什麼人會注意到我這個糟老頭子，我也懶得和別人搭訕。」

王修微微一笑，轉過話題，道：「我們離開鎮江之時，藍天義還在那裏，除非他們也有巨鵰可乘，十日之內，還無法趕到此地，強敵突襲之事，倒似不用顧慮，只是，在下感覺到這些

黃山聚會之人的身分，似是太過複雜，倒是不得不小心一些了。」

呼延嘯道：「兄弟也早有此慮，這件事，你要好好和公孫成談談，他都邀些什麼人？」

王修道：「怎麼？你連公孫成也沒有會談過麼？」

呼延嘯笑道：「那公孫成，倒似是有些小聰明，對兄弟似是很注意，但兄弟卻一直在避免和他們多談。」

突然神色一整，肅然地說道：「王兄，兄弟有一件事，想鄭重請托王兄。」

王修道：「呼延兄說得如此鄭重，那必定是一件十分重大的事了，但不知小弟能否辦到？」

呼延嘯道：「說起來，倒是簡單得很，兄弟這番重入江湖，既無爭名奪利之心，亦無逐鹿爭霸之願，鳥王二字在武林中的聲譽，兄弟已經是很滿意了……」

目光一掠江曉峰，道：「兄弟這番倒叛藍天義，不求聞達於江湖，甘願以餘年出生入死，都為了我這位賢世侄，鳥王呼延嘯的名號，兄弟亦不願再讓人知曉，從此之後，我將以江賢侄的老僕出現江湖，易名江嘯……」

江曉峰吃了一驚，急急說道：「這怎麼行，叔叔豈不要折煞小侄了麼！」

呼延嘯微微一笑，道：「這個你不用多慮，一則，為叔的在江湖上結仇太多，如若以真實姓名，鳥王的身分出現，將會給你招來無盡的麻煩，再者，藍天義殺我之心，亦重他人十倍，如若此訊傳出，藍天義必將傾盡所能的追殺我……」

哈哈一笑，接道：「王兄不要誤會，藍天義雖不懼我的武功，但他卻對我役鳥之術，有些頭疼。」

江曉峰道：「但天下之人，都知道只有叔叔一人善於役鳥，只要看你移動鳥群，豈有不被人猜知身分之理？」

呼延嘯笑道：「如非必要，爲叔從此不役鳥，而且，我也要把役鳥之法，慢慢傳授於你。」

江曉峰道：「這叫小侄心中如何能安？」

王修正色道：「江世兄，呼延兄這等作法，用心至爲良深，你只要能夠體會到他的深恩愛心，那就夠了。」

呼延嘯笑道：「我只要能夠看到你成名武林，受人敬仰，那就是我最大的快樂，而且，如此一來，立時就可避去我和少林寺中衝突的可能。」

江曉峰無可奈何地說道：「兩位都如此，倒叫晚、晚……」

呼延嘯一擺手，接道：「咱們就這樣決定了，孩子，此後，凡在有人之處，你儘管支使我，在別人之前，老夫已成你的老僕江嘯了。」

目光轉到了王修的臉上，接道：「王兄，我瞧公孫成那小子，有些才智，只怕無法瞞過他，萬一被他瞧出來時，還望王兄從中轉圜，囑咐他別口沒遮攔的說出去。」

王修道：「這件事交給兄弟，呼延兄……」

呼延嘯搖搖頭，道：「叫我江嘯。」

王修微微一笑，道：「江嘯但請放心。」

輕輕咳了一聲，道：「咱們先去瞧瞧公孫成，看他請的些什麼人？」大步向前行去。

三人穿過了一層松林，到了一處突然凹入峭壁的斷澗之前。
那斷澗深不過十丈，寬不過四丈多些，澗中卻生滿了青草、短松。
江曉峰還未看清楚斷澗中的景物，忽的人影一閃，澗口深草叢中，躍出一個身著百結褸衣的少年，笑道：「江兄弟，久違了。」
江曉峰凝目望去，只見那人正是小丐俠常明，急急伸出手去，握住了常明的右手，道：「常兄，你們也逃出來了？」
常明笑道：「多虧藍家鳳幫忙，指示了我們一條逃走的路線，才得安然脫險。」
江曉峰怔了一怔，道：「藍家鳳幫忙？」
常明道：「不錯，是她幫忙，詳細情形，日後江兄弟，不妨問問那藍家鳳。」
抱拳對王修說道：「見過王老前輩。」
王修微微一笑，道：「聽公孫成常誇讚你，是一位可造之才。」
常明道：「還要老前輩多多提攜。」
目光轉到呼延嘯的臉上，道：「這位老前輩面生得很。」
王修道：「這位麼？是江兄的老管家江嘯，久年尋找主人，終於被他找到了。」
常明仔細打量了江嘯兩眼，心中雖然有些懷疑，但卻瞧不出破綻，也就不再多問。
王修一揮手，道：「公孫兄在麼？」
常明道：「在澗內坐息，在下替三位帶路。」轉身向內行去。
王修舉步緊追在常明身後，江曉峰、呼延嘯魚貫相隨，直入澗內。
行至近處，只見一塊突岩，由斷崖間伸了出來，外面草叢、矮松，層層掩護，如若不是走

到斷崖之前，很難瞧得出來。

江曉峰轉目望去，只見公孫成盤坐在斷崖之下，旁側放著鍋、碗、柴、麵等食物炊具，似乎是幾人已在此住了不少時間。

常明輕輕咳了一聲，道：「公孫叔叔，神算子王老前輩駕到。」

公孫成緩緩睜開雙目，望了王修、江曉峰一眼，霍然起身，抱拳說道：「王兄、江世兄。」

目光轉到呼延嘯的臉上，頓然住口。

王修一合掌，道：「咱們坐下談。」緩步行入突岩之下。

公孫成道：「這些日子之中，我們就一直住在這懸崖之下，自炊自食，打坐調息，倒也算是一段很安閒的日子。」

呼延嘯為了表示自己是老僕的身分，江曉峰坐下後，肅立在江曉峰的身後。

王修道：「這不是安閒，而是大風暴前的平靜，在下看公孫兄近月時間中，又見憔悴了。」

公孫成微微一笑，道：「總算已得『松蘭雙劍』的消息，明日午夜時分，會晤天下群豪，但望在這次會晤之中，能使兩位老人家振奮而起，重行出山，領導我武林，以抗拒那藍天義，兄弟這番心機，就不算白費了……」

語聲一頓，接道：「這幾日來，兄弟在苦苦思索一件事，始終想不明白。」

王修道：「什麼事？」

公孫成道：「藍天義佈署已成，不知何故，竟然拖延了十個月沒有發動，王兄智慧過人，

或可想出個中之秘。」

王修道：「這個麼？自然別有內情，但此刻，藍天義已然心無憚忌，隨時可以發動。」

公孫成道：「個中內情，一點也不能洩漏？」

王修沉吟一陣，道：「因爲藍天義怕一個人，那人未死之前，藍天義不敢妄動。」

公孫成奇道：「世間竟然有這樣一個人物，在下怎麼全然不知呢？」

王修道：「一則是，那人在江湖之上，全無半點名氣，二則是，公孫兄絕對想不到她會和藍天義爲仇。」

公孫成道：「那是什麼人？」

王修道：「藍夫人！」

當下把藍夫人對丈夫藍天義，有心統霸武林的不以爲然，以及藍夫人不幸喪生的經過，簡單地述說了梗概。

王修輕輕歎息一聲，說道：「藍天義夫婦兩人，同參上乘奧妙武學，藍天義有多少能耐，藍夫人最是清楚不過，但兩人卻有著大不相同的思想，一個主善，一個主惡。」

突然神色轉爲嚴肅地接道：「藍天義如今已沒有顧慮了，也許此刻江南道上，已正有著劇烈的變動。」

公孫成道：「王兄知曉的如此詳盡，有如在現場目睹一般。」

王修道：「在下看到藍夫人的屍體，也看到藍天義……」

語聲一頓，接道：「藍夫人的話題，到此爲止，在下相信，這件事在江湖上，還算是一件隱秘，此時此情，這件事還不宜在江湖之上宣佈，公孫兄以爲如何？」

公孫成道：「王兄說得是，在場之人，請勿把此事宣揚出去。」

目光轉到江曉峰，接道：「江世兄，呼延老前輩沒有來麼？」

王修接道：「鳥王已把武功傳授給江世兄，來不來，都不關緊要了，但在下相信，我們一旦需要他時，他會隨時出現。」

公孫成略一思索，道：「好一個隨時出現。」

江曉峰聽王修不但隱瞞了呼延嘯的身分，而且又把自己從那藍夫人學武一事，也一併隱起，暗自忖道：「他才智過人，江湖上一致公認，隱瞞之事，必有道理，我也暫時不能洩漏了。」

心中念轉，口中問道：「公孫老前輩，在下想請教一事？我那方姊姊哪裏去了？」

公孫成一伸大拇指，道：「方姑娘可當巾幗英雄之稱，詞鋒犀利，口若懸河，而且不惜勞苦，奔走說服各門派與會人物，她剛到武當派停宿之處而去，大概就要回來了。」

常明突然冷哼一聲，說道：「迄今爲止，各門派與會之人，心中還不信那藍天義會在江湖上造成劫難，對此聯手抗拒藍天義的事，都很冷淡，唉！大約是不見棺材不掉淚了。」

公孫成道：「虧得方秀梅方姑娘那份奔走的熱情，不厭其煩，再三解說，有時一人舌戰群豪，常至唇乾舌焦，這份耐心，連兄弟也覺著望塵莫及。」

王修道：「去年參與藍天義六十大壽賀客，只有她和江世兄是生離藍府之人，其他人物全都被一網打盡，江世兄又甚少在江湖上走動，識人不多，只有偏勞方姑娘奔走解說了。」

呼延嘯假扮老僕，一直靜靜地站在江曉峰的身後，垂手而立，一語不接，倒是裝得十分神似。

王修道：「目下這盤龍谷中，到了有多少人？」

公孫成道：「就兄弟所知，到會之人，不過三十多位，但少林、武當，兩個武林中最大的門派，都已有人到此，希望至今日三更之前，能夠多有幾位高人趕到。」

王修道：「少林、武當，趕來的是何許人物？」

公孫成道：「唉！說來實叫人洩氣得很，兩派來人不少，但非派中的主要人物，小要飯的說得不錯，大約非要幾場慘痛的戮殺之後，才能夠使他們清醒過來。」

王修沉吟了一陣，道：「照在下的想法，他們縱然沒有討伐藍天義的用心，但一睹松蘭雙劍，也該是武林中的一樁大事，也許主要的人物，都會在今夜之中趕到。」

公孫成道：「但願王兄高論中的。」

突然住口不言，側耳聽去。

果然，突岩之外，傳過來枯草折斷的輕微聲息。

常明挺身而起，道：「大約是方姑娘回來了，我去接她進來。」

王修道：「小心一些。」

常明正待舉步而行，突見人影一閃，一個十四、五歲，身著青衫、背插長劍，眉清目秀的童子，停身在突岩之前，距幾人也就不過是兩、三尺遠近，說道：「不敢有勞。」

顯然，他已經聽到了王修和常明的對話。

王修心中暗道：「好快的身法，好靈敏的耳目，小小年紀，有此成就，自是大有來頭的人。」

公孫成站起身子一抱拳，道：「在下公孫成，請教小兄弟是哪一門派中人？」

那小童氣定神閒，還禮笑道：「在下是松溪老人的守洞童子。」
公孫成道：「失敬，失敬，閣下原來是松溪老人的門下。」
那小童微微一笑，道：「在下奉命來此尋訪閣下。」
公孫成道：「不知有何見教？」
青衣童子道：「東主想在未見群豪之前，先和公孫先生談談。」
公孫成道：「松溪老前輩現在何處？」
青衣童子道：「候駕丹室。」
公孫成道：「可是只限定在下一人麼？」
青衣童子打量了王修、江曉峰一眼後，道：「以外的嘉賓，勞請公孫先生代邀，但人數不能超過八位。最好那些人，都是和藍天義照過面，或者知他較多的人。」
公孫成道：「那很好，在場之人，大都和藍天義見過面的，就我們五人一行如何？」
青衣童子道：「如若公孫先生覺著妥當，在下自是不便多言，小童替諸位帶路。」說罷，轉身向前行去。
這事大出意外，不但公孫成爲之一呆，就是王修也有莫名所以之感，兩人相互望了一眼，齊齊舉步向前行去。
江曉峰低聲說道：「王老前輩，在下去不去？」
王修回頭一笑，道：「一起來吧！」
幾人隨在那青衣童子的身後，出了深谷，向一座絕峰行去。

遠遠看去，那絕峰峭立如削，縱有上乘輕功，也是不易攀登，行至近前，才見那峭壁間石岩突出，處處都可落足著手。

行近峭壁之前，青衣童子停下腳步，道：「咱們如攀登峭壁，可省下不少路程，如要繞道，必須繞過此峰，走一條羊腸小徑。」

公孫成道：「既有捷徑可循，咱們就攀登這片峭壁吧！」

青衣童子微微一笑，道：「這走法近了很多。」手足並用，向上攀去。

群豪相隨身後，魚貫而登。

青衣童子一面向上攀行，一面不時回顧，似是察看幾人的腳程。

行至崖腰時，突然停了下來，道：「到了。」

公孫成回目流顧，只見停身處，正好把谷中形勢，盡收眼底，如若那松溪老人，派人在此監視，谷中人的活動，大都看得十分明白。

心中暗道：「這松蘭雙劍，選了這樣一處險靜所在隱居，原來是有心安排。」

只見那青衣童子，在一個粗大的石岩上搖動了一陣，峭壁間立時裂開了一座石門。

但那入口之處極小，只是勉可容一人側身擠入。

青衣童子當先行入，公孫成等，魚貫而隨。

只見那石門之內，另有一個十三、四歲的佩劍女童守候。

呼延嘯走在最後，進入石門之後，那女童立時將門掩上。

門內是一條很窄的石道，大都要佝背而行，才可通過。

行約十餘丈，景物突然一變，只見一座廣大的石室中，放著石案和松木椅，石壁一角處，放著一座三尺高低的丹爐，爐中火光熊熊，冒出半尺左右的藍色火焰。

一支高燃松油的火炬，照得滿室通明，石室中空氣清新，想是有著很好的通風路線。

王修暗中估計攀登山峰形勢，這一陣奔走，大約已經將近到前山，這石室雖在山腹之內，但深度不超過三丈。

目光轉動，只見這爐室對面壁間，有著兩處門戶，想是還有相通的石室。

那走在最後的青衣童子，進入丹室之後，回頭推上一塊石蓋，掩去了幾人進入丹室的門戶。

青衣童子回顧了幾人一眼，緩緩說道：「諸位請坐。」

這石室很寬敞，十餘張松木椅子，半圓形地圍著一座長形石案。

王修拉過一張木椅，當先坐下，公孫成、江曉峰等依序而坐。

這時，那青衣童子已然捧著香茗送了上來，道：「諸位請稍候片刻，敝東主就要出來了。」

話聲甫落，只見左首一座石門大開，緩步走出一個身著皮袍的白髮、白髯老人。

江曉峰心中暗道：「這老人很會保重啊！這樣熱天，竟身著皮衣。」

目光微抬，只見他臉色紅潤，依然有如童子，雙目中神光懾人，一望即知，是一位身具精深內功的人物。

公孫成站起身子，一抱拳，道：「晚輩公孫成，見過張老前輩。」

王修、江曉峰等緊隨著站起身子，抱拳作禮。

松溪老人一拱手，道：「諸位請坐下。」

自己也在一張松木椅上坐了下來。

王修輕輕咳了一聲，道：「三十年前晚輩有幸得拜仙顏，但不知老前輩是否還記得晚輩王修？」

松溪老人笑道：「你號稱神算子的是麼？」

王修道：「不敢當，那是江湖朋友們的抬愛。」

松溪老人目光轉到江曉峰的臉上，道：「這位小兄弟，大名怎麼稱呼？」

江曉峰道：「晚輩江曉峰。」

常明接道：「小要飯的常明。」

呼延嘯道：「老奴江嘯。」

松溪老人微一沉吟，道：「藍天義執意胡鬧，不知目下江湖上的情形如何了？」

公孫成道：「托天之福，目下江湖上還是個陰霾未雨之局，藍天義在這一年中，一直未開始大舉發動。」

松溪老人凝目沉思一陣，道：「這中間定然是別有內情了。」

王修道：「老前輩高見，但目下牽制那藍天義的原因，已然消失，江湖大變在即，但幸得老前輩禪關屆滿，看來，這一代武林同道，福澤深厚，不該受此磨難。」

松溪老人道：「唉！藍天義如若熟讀了金頂丹書和天魔令，縱然我和拙荊雙雙出山，也未必能夠是他之敵，果報累累，豈是無因……」

王修接道：「老前輩語含玄機，似乎是說，藍天義爲害江湖一事，播因於數十年前了？」

松溪老人點點頭，目光轉注在公孫成的身上，道：「我所以要提前請你們到此，一則想了

然一下江湖近況，再者就是告訴你們，這件事的前因後果了。」

仰臉思索了一陣，道：「世人都知道藍天義的俠名，但知道藍天義的出身生性的人，確實是少之又少了。」

王修和公孫成，在武林中向以博聞多知稱譽，但此事兩人卻是全無所悉，相互望了一眼，茫然不知所對。

松溪老人道：「藍天義確然在江湖之上，做了不少為民除害、行俠仗義的事，但那並非是出於他的本性。」

公孫成道：「他行俠數十年，獲譽之高，江湖上一時無兩，想不到六十大壽之後，竟然易善為惡，要在江湖上造一番殘酷的殺劫，不惜把數十年建立起來的俠譽，全部盡付流水，這一點實叫在下想不明白。」

松溪老人道：「這就和他的出身生性有關了。」

略一沉思，道：「藍天義出身於盜匪世家，其生父閻坤，匪號藍鬍子，五十年前在江湖道上，是一位極具惡名的獨行大盜，但他的母親，卻是一位書香世家的宦門之女，閻坤夜入官府，見其貌美，施展迷香，挾其外出，迫其成親，生下了藍天義，那閻夫人熟讀典籍，極富心機，對閻坤威迫成親一事，一直耿耿於懷，但她自知手無縛雞之力，閻坤又是一個殺人不眨眼的魔王，閻夫人雖有報復之心，卻無報復之力，那閻坤又是粗魯之夫，不解溫柔，把夫人囚居於一座懸崖絕峰之頂，以防她逃走，而且動輒打罵，這就使那閻夫人心中積怨更深，極思報復，苦於沒有機會而已，但數年之後，終於找到了一個機會……」

這一段武林秘辛，只聽得王修等一個個瞠目結舌，全神貫注。

王修輕輕歎息一聲，道：「那閻夫人找到了什麼樣的報復機會？」

松溪老人道：「唉！背後論人之短，實非老夫願爲，但眼下形勢不同，老夫只好直說了。」

公孫成道：「也許可從那藍天義出身之中，找出對付他的辦法。」

松溪老人道：「那就是藍子羽的出現了，藍子羽爲躲避仇人追蹤，帶傷避難絕峰之頂，遇上了閻夫人，傷勢發作，無法行動，閻夫人助他療好傷勢，並留在家中養息。其時閻坤在外行劫未歸，閻夫人本來很美，只是山居無人，又加上夫婿不解溫情，也就未注意過自己的容貌，但自藍子羽留住之後，她開始注意自己，她天生麗質，再加上刻意修飾，雖已生兒育女，但卻別有一種成熟嬌豔……」

說到此處，似是難再接口，沉吟不語。

公孫成道：「以後情形如何了？」

松溪老人道：「唉！以後麼？那閻夫人就和藍子羽勾搭成姦，閻坤回家之後，目睹其情，心中自是大怒，藍子羽爲護情人，和那閻坤展開了一場惡鬥，那時藍天義已解人事，目睹其情，自然是傷心欲絕了。」

語聲一頓，接道：「藍子羽的武功，本來是高過那閻坤甚多，但他心中有愧，不忍下手，但在閻夫人迫促之下，只好施下殺手，活劈了閻坤，帶著閻夫人下了絕峰……」

公孫成道：「藍天義也隨同而去麼？」

松溪老人道：「那時他年紀幼小，全無謀生之能，只好跟著藍子羽，易姓爲藍，那藍子羽在武林之中，原是一個邪正之間的人物，但他對閻夫人，倒是很好。對待藍天義更是視如已

出，把一身武功，傾囊相授，大約是希望在藍天義身上的捨施，可以補心中一份愧咎，但那藍天義心中，卻一直記著殺父之仇，有一次，在一場父子過招中，藍天義突然記起殺父之仇，忽下辣手，刺死藍子羽，藍夫人目睹其情，心中愧忿交集，閉門懸樑而死……」

王修突然接口說道：「我明白了，明白了！」

松溪老人道：「你明白什麼？」

王修道：「他潛意識中，對女人有一份莫可名狀的痛恨。所以，忍心殺了他賢淑無比、聰慧絕倫的妻子，對那位明豔照人、美絕人寰的女兒，也不是出於衷心的喜悅。」

松溪老人怔了一怔，道：「藍天義又殺了自己的妻子？」

王修道：「不錯，他殺了一個賢淑的妻子，也是助他成爲江湖一代大俠的恩人。」

松溪老人歎息一聲，道：「他內心中，隱伏著對女人的一種怨恨，一旦這些怨恨爆發出來，就成不可收拾之局，平日裏千般愛護，一怒間可能取她之命。」

公孫成道：「藍天義如何得到金頂丹書和天魔令，練成絕世之技，老前輩可知曉內情？」

松溪老人道：「那天義二字是他自己所取，因他滿懷激忿，行道江湖，下手極辣，很短時間，便成了綠林道上的公敵，俠義道中人，大都在暗中助他，有些在暗中替他解圍，又有些甘願把自己得意的武功傳授給他，就這樣，藍天義在夾縫中成長起來，武功漸高，俠名日著，致於他如何得到金頂丹書和天魔令，就非老夫所知了。」

王修緩緩說道：「坎坷的幼年，悲愴的身世，造成藍天義極端的性格，也使他學得了故作忠厚的外貌，內心之中卻潛藏無比的凶殘，他恨女人，更恨世人，爲善則除惡務盡，爲惡他冷酷嗜殺，很多年在江湖上行走的經驗，又使他學得一些假仁假義的用人手段。」

松溪老人道：「當今武林之中，知曉藍天義身世之秘的，除了老夫之外，絕無僅有，但老夫亦不願把此中內情，當天下武林之面，張揚出去，這就是老夫約請幾位來此的用心了。」

王修道：「現在老前輩敘述往事，使我等茅塞頓開，也使人對藍天義反覆無常的變化，不再感覺驚奇了。」

公孫成道：「藍天義心極深沉，常人難料，早有行惡之心，卻能毫不露一點風聲，只待萬事皆備，才開始行動，目下江湖道上，尙有很多人不信藍天義會造劫武林，老前輩對此一事，是否能夠指示我等一、二？」

松溪老人道：「這個，老夫亦無完全之策，你和公孫成，在武林之中，向以多謀見稱，難道也想不出一個辦法麼？」

這倒打一耙，只問得王修和公孫成面面相覷，良久之後，王修才說道：「藍天義積數十年的準備，確令人有無機可乘之感，還望老前輩振臂一呼，使武林同道早些覺醒，共禦強敵，也許還可爲武林道上保存一些元氣。」

松溪老人站起身子，道：「長江後浪推前浪，一代新人換舊人，老夫相信，我歸隱這數十年間，武林中必有美質奇才，也許今夜子時的群豪大會之上，能找出對付藍天義的良謀……」目光凝注到江曉峰的臉上，笑道：「我看這位小兄弟年紀很輕，但他的內功，卻已修到相當的境界了。」

江曉峰一欠身，道：「晚輩才質愚拙，還望老前輩多多指教。」

松溪老人笑道：「老夫自信這一對老眼，還未昏花到看錯人的程度，看你內蘊英華，似是成就已超過了年齡甚多，縱然是天賦過人，也得下一番苦功才成，但師承亦極重要，不知令師究係何人？」

江曉峰早得呼延嘯的教導，不敢說出金蟬子的名字，但一時間，卻又想不起一個替代之人，沉吟良久，說道：「家師很少在江湖上走動，識人不多，晚輩亦不敢說出師父名諱。」

松溪老人點點頭：「武林不乏這等不求聞達的隱士，那才是嘯傲林泉的高人，像老夫這般，既已退隱，仍然擺脫不了名利的糾纏，重行出山，只算得一介俗夫罷了。」

目光又轉到江曉峰臉上，接道：「就老夫所見，後起之秀中，閣下的確是一個可造之材，但老夫知道每一個門戶中，都有他的規戒，我縱有傳技之心，卻也不便冒昧。」

哈哈一笑，接道：「這麼吧，老夫數十年退隱生活中，研究丹藥之道，以遣寂寞歲月，練成了伐毛洗髓的靈丹五粒，服用之後，相信對你將小有幫助，此丹既無禁忌，又不需靜坐養息，每十日服用一粒就成了。」

江曉峰急急說道：「老前輩這等厚愛，晚輩自是感激不盡，但這等寶貴之物……」

松溪老人接道：「寶劍贈烈士，紅粉送佳人，你有很好的天賦，又得遇良師，小小年紀，內功已有了極佳的成就，老夫贈送靈丹，只不過是助你收牡丹綠葉之效。」

目光一轉，望著那青衣童子道：「去把那瓶九轉小還丹，和護命保元丹，給我拿來。」

那童子應了一聲，轉身而去，片刻之後，拿了兩個羊脂玉瓶。

松溪老人接過玉瓶，把一個較小的瓶子交給江曉峰，道：「這是五粒九轉小還丹，也是老夫丹爐中最爲珍貴的藥物，你收著吧！」

江曉峰起身一揖，道：「這個……這個，晚輩如何能受。」

王修道：「長者賜，不敢辭，張老前輩垂愛你，正是你的造化，還不快些拜領恩情。」

江曉峰略一沉吟，伸手接過玉瓶，長揖拜倒，道：「多謝老前輩賜丹之恩！」
松溪老人道：「不用多禮，快快請起。」
再打開大瓶木塞，倒出了四粒翠綠色的丹丸，分贈王修、公孫成、常明、呼延嘯每人各一粒，說道：「這護命保元丹，乃老夫練製的療傷丹藥，奉贈各位一粒，以備不時之需。」
王修抱拳一禮道：「老前輩的厚賜，我等感激不盡。」
松溪老人道：「諸位也該休息一下了，今晚三更，咱們峰頂再見。」
王修與公孫成相互望了一眼，齊聲說道：「我等就此拜辭。」
幾人仍從原來山腹中行出。

公孫成一行趕回山谷之內，方秀梅早已在岩下等候。
江曉峰趨前一步，抱拳一禮道：「姊姊好麼？」
方秀梅眨動了一下眼睛，喜道：「兄弟，你幾時到的？」
江曉峰道：「小弟剛到不久。」
公孫成目注王修，說道：「方姑娘最爲敬慕之人到了，怎麼也不打個招呼？」
方秀梅目光一掠王修，道：「神算子王修兄麼？」
王修點頭一笑道：「正是區區在下，方姑娘俠骨熱腸，爲武林正義奔走，當真是叫咱們男子漢羞愧萬分。」
方秀梅歎息一聲，道：「一年之前，賤妾對藍天義崇敬無比，只覺遍天下也找不出這樣一位堂堂正正的英雄俠士，想不到他竟然是一位僞裝忠厚，內懷陰謀的人物。」

王修道：「如若藍天義早死幾年，將可使他的俠名永垂武林，可惜他活得太久了。」

方秀梅道：「王兄說得是。」

目光轉到了公孫成的臉上，道：「你們到哪裏去了？」

公孫成道：「松溪老人遣人召我們在丹室之中會晤……」

方秀梅聽得一怔，道：「他突然召你們到丹室之中會晤，定然有著很重要的事情了？」

公孫成道：「他告訴我們那藍天義的出身，使我們又加多了對那藍天義幾分了解，而且，還給了我們每人一粒療傷靈丹……」

語聲一頓，道：「姑娘去見武當派中人，結果如何了？」

方秀梅道：「唉！真是一言難盡，不論我提出了多少目睹的事實，那牛鼻老道始終是有些不肯相信。」

公孫成道：「也許是因爲咱們的聲望不夠，人微言輕，無法使人相信。今夜之中，松溪老人要和天下英雄見面，以他在江湖上的聲望，一言九鼎，應該能使與會之人相信了。」

王修道：「姑娘見了武當門下的什麼人？」

方秀梅道：「一個中年道士，身著紫袍，背插長劍……」

公孫成道：「姑娘沒有問過他的法號麼？」

方秀梅道：「問過了，但他不肯說，那也是沒法子的事，不過我聽得一個勁裝少年，呼他四師叔。」

王修略一沉吟，道：「那該是武當門中青萍子了，此人在武當四子中，排行第四，如是他，那就好多了。」

方秀梅道：「好什麼？我瞧也是一個冥頑不靈的人。」

王修笑道：「如若是他，在下自信可以說服。」

方秀梅道：「我和他說了半天，他沒有一句承諾，不見一點激動，幾位少林高僧，也是一般模樣，似乎是全然不把武林危亡之事放在心上。」

王修道：「主要是他們對此事，還不相信，需知藍天義如若發動，武當和少林，都是他們主要的下手目標，如若咱們能使他們相信的話，兩派決不至袖手旁觀了。」

突然抬起頭來，望著藍天白雲，緩緩地說道：「在下心中一直懷疑一件事……」

方秀梅道：「你懷疑什麼？」

王修道：「我懷疑藍天義身側，另有一位足智多謀的人，暗中替他策劃這次事件，過去，我懷疑那人是藍夫人，但此刻，已證明不是藍夫人，但我卻無法說出那人是誰，金頂丹書和天魔令上，記載著絕世神功，和魔道奇學，但卻並沒有記述險詐權謀之術，藍夫人才智還在藍天義之上，但藍天義竟能欺騙藍夫人近二十年，這就非藍天義所具之能了……」

語聲微微一頓，接道：「那人的武功也許不高，但他卻是一位智謀超人的陰險人物。」

方秀梅怔了一怔，道：「藍天義身側之人，我大都知曉，但除了茅山聞人君不語外，我再也想不出還有什麼人有此才謀了。」

王修道：「也許就是君不語，或是另有他人，只怕咱們無法一下子能夠猜到。如是咱們真能一舉猜知，那也不足爲奇了。」

長長吁一口氣，道：「此事一時間無法了然，眼下倒有一件重要之事，不知公孫兄和方姑娘如何決定？」

方秀梅茫然望了公孫成一眼，道：「公孫兄，什麼事啊？小妹一點也不知道。」

公孫成苦笑一下，道：「王兄才能，勝我等十倍，不用繞圈子讓我們猜了，什麼話，還請明說出來吧！」

王修道：「今夜黃山群雄大會之上，兩位準備如何激勵他們的鬥志，聯手拒擋藍天義？」

方秀梅道：「小妹把目睹實情公諸天下，如是還不能說動他們，小妹準備自挖心肝，以表大信於天下。」

王修道：「很悲壯，但於事無補，聽在下之言，打消此念！」目光轉到公孫成的臉上，接道：「公孫兄有何安排呢？」

公孫成道：「小弟麼？覺著只有盡其在我，如不能說服與會之人，那只有讓日後的事實慘劇來證明了。」

王修道：「縱然能說服與會之人，也只能使他們相信此事，到此之人，未必都是主腦人物，就是相信了，也無法立刻行動，而且有行動，必要有個首腦人物才成，那人應該先使與會之人對他生出敬佩。」

公孫成究竟是聰慧人物，略一沉吟，道：「王兄想在這次大會之上，創造出一個使與會之人敬服的偶像？」

王修道：「不用創造，那人就在此地。」

公孫成道：「以王兄的盛名……」

王修搖搖頭，道：「不是我，我和你一樣，咱們都是輔助之人，不能擔當首腦之位，這人麼？就是這位江世兄。」

江曉峰道：「我？」

王修道：「英雄出少年，藍夫人拖住了藍天義，給了你一年的時間，這是天意，江世兄就不用推辭了。」

方秀梅望了江曉峰一眼，道：「王兄，這件事太重大了，我這位江兄弟出道不久，江湖上大都不知其名……」

王修道：「愈是沒有名，才能激起別人的不服氣，也才能形成一場熱鬧比試，才能顯露出江世兄的武功，才能使與會之人心生敬服。」

方秀梅道：「兄弟，這一年，你跟著鳥王呼延嘯，不知是否學會了他的百禽掌法了。」

江曉峰道：「小弟才智愚笨，只怕無法盡得神髓。」

方秀梅還待接口，公孫成卻搶先說道：「王兄如此安排，想是早已胸有成竹了，要我等如何配合，但請吩咐。」

王修道：「我也是剛剛想到，兩位與會時，仍請照原議進行，兄弟自會在適當時機，安排江世兄出場，不過……」

目光轉到方秀梅的臉上，接道：「方姑娘千萬不可妄存自絕之想，如若咱們無法使與會者覺醒自救，你死了也一樣於事無補。」

方秀梅道：「賤妾覺著，留下此身既無能助江湖道義，希望以死喚醒天下英雄，王兄既然提醒賤妾，賤妾自當保重就是。」

王修點點頭，道：「方姑娘仁俠節操，確是叫人敬服，咱們也得利用此一時刻，好好調息一下，今夜之中打起情神，應付與會之人。」

二更過後，黃山天柱峰上，坐滿了武林豪客。

雖是六月暑天，但入夜後的天柱峰頂，仍然有著輕微的寒意。一輪明月，灑下皎潔的光輝，耀如白晝，松濤輕嘯，更顯得名山清幽。王修等一行人登上峰頂時，上面已然集滿了天下英豪。

這些人坐的並無一定的次序，三五成群，各據一方，但卻空下了正北方一大塊空地，顯然，那是留給武林名宿，松蘭雙劍夫婦的。

江曉峰目光流轉，打量了峰頂群豪一眼，只見這些人有僧有道，有老有少，約略估計，不下五、六十人之多。

這些人雖然甚至彼此相識，但卻很少交談，大都是閉著雙目靜坐養神，形成了一種冷淡、嚴肅的氣氛。

王修、公孫成、方秀梅、江曉峰、常明等，找了一處草坪坐下。

江曉峰低聲對王修道：「老前輩，這不像一次聚會，倒像是來此聽憑宰割的囚犯一般，有著一股冷肅之氣。」

方秀梅冷哼一聲，道：「這叫明哲保身，怕說多了話，惹禍上身，莫非他們忘了覆巢之下無完卵的古訓。」

這幾句話說的聲音甚大，山靜夜深，全場中人，都可聞得，但卻無人接言答話。

江曉峰看在眼中，不禁暗暗一歎，忖道：「今夜之中，我如真能出手，必得給他們一些教訓才是，叫他們知道，逃避未必就能自保，以激勵他們拚命、保命之心。」一念及此，頓覺豪

氣橫生。

突然間，響起了一個清朗的聲音，道：「王兄，久違了。」

江曉峰轉目望去，只見一個黑髯長垂，背插長劍的中年道人，盤膝而坐，遙遙地合掌作禮。

王修微微一笑，抱拳道：「青萍道兄，別來無恙？」

原來，那道人正是武當門中四子之一的青萍子。

青萍子頷首應道：「托天之佑，善哉！善哉！」言罷，重閉雙目。

就這一陣，峰頂正北方一片空地之上，已然出現了一男一女兩個人。

這兩人來得無聲無息，全場中人，大都不知兩人幾時登上了峰頂。

那男的白髯過胸，青袍福履，赤手未帶兵刃，正是松溪老人。

女的滿頭白髮，身著玄服，背插雙劍。

月光下，只見她臉色光潤，全無老態。

松溪老人目光轉動，環顧了四周群豪一眼，緩緩說道：「老夫夫婦退出江湖數十年，本擬從此之後，不再過問江湖中事，但卻被幾片血書感動，忍不住重行出山，但老夫並無意強人所難，迫諸位聽從老夫……」

目光轉注到公孫成的身上，道：「這些武林同道，都是你所請，什麼事，應該由你說明，群議如有決定，老夫自當細作考慮。」

只見公孫成站起身子，作了一個揖，說道：「多承諸位賞臉，在下這裏先行謝過了。」

四周群豪，雖都把目光轉投過來，但卻無一人還禮，亦無一人接言。

公孫成輕輕咳了一聲，道：「兄弟和幾位武林同道，偵得了藍天義收羅黑道人物，準備大開殺戒，征服武林，遂他統治江湖之願，故而邀請諸位到此，共商對策。」

語聲頓住良久，四周一片寂然，竟是沒有接話的人。

公孫成長長吁一口氣，又道：「藍天義不但收羅了甚多綠林道上的惡煞凶神，而且，白道上高手，亦被他收羅甚多，他由天魔令上學得用毒之術，以及控制人生死的奇技，使羅致之人，個個聽命於他，兄弟舉例說明，諸位當知那藍天義手段的惡毒了……」

目光轉動，四顧群豪，仍未見一個響應接口的人。

公孫成黯然說道：「武林道上，大家都知曉少林高僧無缺大師，武當名宿玄真道長，這兩位方外高人，都是一向受我武林同道敬仰的人物，以他們在武林中的身分地位，決不會甘為藍天義的爪牙，但他們兩人，目下卻在藍天義的手下，助紂為虐……」

在他想來，這番話至少可使少林和武當兩派人接口，但事實上，卻大出了他意料之外，少林僧侶和武當門中人，竟無一人接言。

公孫成歎口氣接道：「綠林道上乾坤二怪，也算是極具威望之人，但此刻，也為藍天義所役用，助他行惡。」

這次，竟然有了反應，只聽一個清亮的聲音說道：「數十年來，江湖上只聽說藍天義行俠仗義，卻從未聽說過他偽善行惡，敝門中接到了鐵面神丐李五行的通知，說那藍天義藍大俠，即將在江湖上掀起一番殺劫，迄今十餘月，卻是毫無動靜。」

這番話立時引起了四周的反應，但聞一個冷冷的聲音接道：「本門也有同感，當本門中接到鐵面神丐的通知之後，對此事異常重視，因此，敝掌門亦曾下令本門中全面戒備，藍天義如

若真有不利江湖的舉動，本門當奮起一戰……

「照那李五行的通知，多則一月，少則十日，江南武林道上，必將有一些慘事傳到，但本門中戒備三月之久，卻未聞一件江湖變故，故而，在下代表本門，提出愚見，此事應當從長計議，不可貿然從事。」

公孫成凝神望去，只見那第一個說話之人，乃是形意門的掌門人十二蓮花童子玉，第二個接口的，卻是南太極門中名宿田萬山。

松溪老人點點頭，道：「老夫這些年來，息隱黃山，對武林中事，很少過問，也不太了然，對藍天義爲人，老夫雖略知一、二，但他的近年情形，卻是隔閡甚深，兩位之疑，老夫亦難答覆。」

方秀梅高聲說道：「晚輩方秀梅自信是所有在場中人，和那藍天義較爲接近的人，對那藍天義也知曉較深，童掌門和田大俠提出之疑，賤妾自信能夠答覆。」

松溪老人道：「好！方姑娘有何高論，儘管請說，今夜這黃山之會，老夫希望諸位都能暢所欲言，辯出一個是非真理。」

方秀梅道：「晚輩遵命。」

童子玉望了方秀梅一眼，道：「方姑娘有何高論，我等洗耳恭聽。」

方秀梅道：「去年藍天義六十生日，江南武林道上，大都趕往鎭江藍府，去爲藍天義祝賀，貴掌門是否也去了呢？」

童子玉道：「區區雖未親身趕往，但卻備了一份厚禮送去。」

方秀梅道：「那很可惜，如是童掌門親身趕去，也許會看到一場驚險大變，那也用不著今夜賤妾一番口舌了……」

語聲一頓，接道：「賤妾可以斷言，童掌門的禮物被收下，送禮人卻未能登入藍府一步，就被遣了回來。」

童子玉道：「此乃藍大俠謙遜之處，遣人相迎途中，收下禮物，重賞送禮之人，在下並未有著受屈之感。」

方秀梅道：「閣下乃一派掌門之尊，交遊廣闊，去年趕往藍府拜壽的武林高手，定然有童掌門的相識故舊了？」

童子玉道：「不錯，有幾位和在下相交頗深。」

方秀梅道：「那些人，是否參加了藍府中的酒筵之會呢？」

童子玉道：「他們在武林之中，都是甚有身分的人，自然是參加了。」

方秀梅道：「童掌門要憑心而言，這些人參與了筵會之後，童掌門可曾再見過他們？」

這話問得甚是有力，童子玉沉吟了半晌，道：「沒有見過。」

方秀梅道：「那麼童掌門是否聽說過他們的消息？」

童子玉微微一怔，道：「這個麼？亦未聽過，不過……」

方秀梅道：「不過什麼？」

童子玉道：「在下幾位知友，都是各有成就之人，平常無事，一、二年不通音訊，不足爲奇。」

方秀梅道：「至少，你會聽到他們一些近況傳說，但這一年，你卻是什麼也沒有聽到，是麼？」

童子玉道：「難道這就能證實，那藍大俠生了謀霸江湖的意圖麼？」

方秀梅道：「例證甚多，這不過是其一罷了……」

語音一頓，接道：「童掌門可知曉，你那幾位參與藍家壽筵的朋友到了哪兒去？」

童子玉道：「這個在下不知。」

方秀梅道：「他們服用了藍天義在酒菜之中下的奇毒，已爲藍天義所控制，目前正在爲那藍天義奔走效命。」

武當派中的青萍子突然接口說道：「在下想請教姑娘一事。」

方秀梅道：「道長請說。」

青萍子道：「姑娘可是與會之人麼！」

方秀梅道：「除了一、二次之外，十年來我年年參加那藍天義的壽筵。」

青萍子道：「藍天義在酒菜之中下的毒物，很毒是麼？」

方秀梅道：「奇毒無比。」

青萍子接道：「那是說姑娘中毒之後，仍能夠逃了出來？」

方秀梅道：「除了我之外，還有一個人，那人也在此地。」

青萍子道：「什麼人？」

方秀梅指著江曉峰，道：「這位江相公江曉峰。」

青萍子道：「在下想很多人，都未能逃出，只有兩位逃了出來，竟能好好活著，毒既未發，人也未死……」

方秀梅向群豪不厭其煩地解說，自己被藍天義暗中下毒情形，道：「藍天義明知奇毒無

救，所以，才放我們離開，但他卻沒有想到，我們別有一番遇合，竟然解了身中奇毒，留下性命。」

青萍子合掌當胸，道：「無量壽佛，貧道爲兩位慶幸，能夠逃得性命，只是別有一番遇合，解了身中奇毒，未免太過籠統，如是姑娘想說服在場之人，最好能坦然相告，說明內情。」

方秀梅略一沉吟，道：「好吧！那是藍天義百密一疏，忽略了鎮江住著一位療毒聖手薛二娘……」

田萬山接道：「薛二娘住在鎮江何處？」

方秀梅心中一動，道：「她住在鎮江，不過，此刻已經不在鎮江了。」

接著把自己和江曉峰療毒經過，說了一遍。

二十　技服群雄

峰頂群豪一片默然，一時間，再無接口之人。

方秀梅看峰頂群豪，個個噤如寒蟬，不禁心頭火起，冷笑一聲，道：「青萍道長還是不肯相信？」言語之間，隱隱有火藥之味。

青萍子微微一笑，道：「貧道相信八成，那薛二娘的確是位療毒高手，只是兩位處處能夠趕巧，這且不去說它，最重要的是，姑娘必需別人信服。」

方秀梅略一沉吟，道：「你青萍子在武當門中身分不低，貴門中玄真道長和少林派的無缺大師，連袂趕往鎮江藍府中，討取金頂丹書一事，道長想必早已知曉了？」

青萍子臉色微變，但口氣仍甚和緩地說道：「如若敝門中長老，代表本派，趕往鎮江討取金頂丹書，貧道自然知道，如若是個人的單獨行動，貧道就不一定知道了。」

方秀梅：「那你究竟是否知道呢？」

青萍子搖搖頭，道：「不知道。」

方秀梅道：「那是說，玄真道長趕往鎮江討取金頂丹書的事，道長是全然不知，所以，他被藍天義收羅控制，當做隨身護法，和你們武當派顏面，亦是全無關係了？」

這幾句話，詞鋒犀利，字字如刀，大出峰頂群豪意外，是以大部目光都投注在青萍子的臉

上，看他如何反應。

要知那武當派乃江湖上的大派，青萍子又是武當派中堅人物，爲了門派聲譽，個人威望，也不會在眾目睽睽之下，忍受那方秀梅的諷刺。

但事情竟是大出意外，青萍子淡淡一笑，道：「算你說服了貧道，下面要看姑娘如何說服其他門派中人了。」

方秀梅怔了一怔，道：「道長果是極有風度的人物。」

只聽田萬山高聲說道：「此地現有少林門中人，不知方姑娘可以求證一下無缺大師的行動否？」

方秀梅冷冷說道：「我心懷正義，明如日月，縱然是少林高僧，我也一樣敢問他。」

但聞一聲阿彌陀佛，一個身披灰色袈裟，年約五旬，光頭頂上，烙著三個戒疤的和尙，緩緩站了起來，道：「貧僧來自嵩山少林本院，法名宏法，因本門中掌門人，及諸位長老、師兄，都因本寺重務纏身，無法應召，特命貧僧趕來，恭聆諸位高見。」

方秀梅道：「原來是宏法大師，敢問大師在少林本院之中，是何職位？」

宏法大師道：「貧僧得方丈厚愛，現掌少林羅漢堂，不過，貧僧接掌羅漢堂不久，非本門中人，知曉不多。」

方秀梅道：「這就是了，大師既是寺中一堂之主，身分不低，想必知曉無缺大師了。」

宏法大師道：「那是貧僧師伯。」

方秀梅道：「那很好，你可知曉他現在何處？」

宏法大師道：「無缺師伯行蹤不定，難得回寺一次，佛蹤何處？貧僧不知。」

方秀梅道：「我知道，他和武當名宿玄真道長一樣，現做那藍天義的身側護法。」

宏法大師道：「女施主講話要有擔當。貧僧無缺師伯，在武林之中，身分甚爲崇高，女施主如信口開河……」

方秀梅冷冷接道：「我親眼看到他討取金頂丹書，又親眼看到他站在那藍天義的身側，賤妾麼？還蒙他賞賜一掌，還會錯得了麼？」

突聞童子玉插口說道：「方姑娘，童某心中有一點懷疑，不知當不當問？」

方秀梅道：「自然當問！」

童子玉道：「無缺大師武功高強，天下皆知，憑你方姑娘，決非他的敵手，但姑娘竟然能逃過那無缺大師之手，的確是叫人難信。」

出萬山接道：「姑娘說那玄真道長，也在藍天義的身側，不知姑娘和無缺大師動手時，那玄真道長是否在場？」

方秀梅道：「自然在場。」

田萬山道：「啊！是說姑娘逃過了兩大高手的合攻？」

方秀梅道：「不錯，他們是合攻，只不過……」

王修突然接口說道：「方姑娘，如是他們不信，現有證人在此，何不叫他們問問證人？」

一面用傳音之術，對江曉峰道：「江兄弟，你要理直氣壯一些，而且要越壯越好，今晚之局，要你技壓全場了。」

童子玉高聲說道：「誰是證人？」

江曉峰站起身子，道：「區區在下。」

童子玉打量了江曉峰一眼，道：「閣下面生得很，咱們沒有見過。」

田萬山冷笑一聲，道：「當時你也在場？」

江曉峰道：「不錯，我也在場。」

田萬山道：「無缺大師沒有殺了你麼？」

江曉峰道：「他想麼，也許是想，可惜是力不從心。」

田萬山冷笑一聲，道：「聽說閣下和笑語追魂方秀梅，是僅存逃出藍府中的人物，不知閣下用什麼方法逃了出來？」

江曉峰略一沉吟，道：「那很簡單，因爲在下和方姑娘，不怕毒發死亡，所以逃了出來。」

田萬山臉色一沉，道：「年輕人，說話不可太張狂，咱們在江湖上走動的人，哪一個未經過出生入死的大風大浪，就憑你這點年紀，算你出娘胎就練武功，也成不了多大氣候，竟敢大言不慚，藐視天下英雄……」

江曉峰冷冷接道：「閣下如是不相信，不妨試試？」

田萬山霍然站起身子，道：「要老夫如何一個試法？」

江曉峰道：「閣下劃出道來，在下無不遵從。」

田萬山凝目望去，月光下，只見江曉峰氣定神閒，雙目中精芒逼人，不禁一怔，暗道：「這娃兒如此沉著，若有所恃，難道真的是身負絕技的人物不成？」

忽然之間，內心之中，泛起了一股寒意，一時間趑趄不前。

但他究竟是老走江湖的人物，略一沉吟，計上心頭，舉手一招，一個黑衣佩劍少年，應手

而出，快步行到田萬山身前，欠身一禮，道：「師父有何吩咐？」

田萬山不理那黑衣人，卻望著江曉峰道：「老夫不願以大壓小，留人笑柄，由小徒先試試閣下的手段。」

方秀梅冷笑一聲，道：「田兄的修養工夫很好，不過，小的栽了跟頭之後，老的不上也不成了。」

田萬山臉色一變，似想發作，但卻又強自忍了下去，回顧了那黑衣少年一眼，道：「你去領教幾手高招。」

那黑衣佩劍少年，應了一聲，舉步向前行去，面對江曉峰抱拳一禮，道：「在下成玉，請教朋友上姓大名？」

江曉峰道：「我叫江曉峰。」

成玉道：「在下奉命領教江兄幾手高招。」

江曉峰本來想謙遜幾句，繼而一想囑託之言，立時臉色一變，冷冷說道：「那麼，閣下請出手。」

成玉打量江曉峰一眼，只見他未帶兵刃，當下說道：「江兄身無兵刃……」

江曉峰接道：「在下就用一隻手接你幾劍。」

成玉一皺眉頭，道：「江兄口氣如此托大，想必是學有所專了？」

江曉峰心中暗道：「這絕峰之上，高手甚多，如是一個個要和我動手比試，打到天亮，也未必能夠打完，必得要以極快速的手法，一、兩招內，擊敗此人，才能有先聲奪人的氣勢。」

心念一轉，緩緩說道：「閣下亮劍吧！」

成玉雖是那田萬山的弟子，但生性和田萬山，卻是大不相同，似極忠厚，但在江曉峰的再三相激之下，也不禁怒火暴起，唰的一聲，抽出長劍，道：「江兄再三相讓，兄弟恭敬不如從命了。」

江曉峰冷冷道：「你出手吧！」

心中卻在暗自盤算著，如何一擊能奪下他手中之劍。

成玉長劍一振，一式「白鶴亮翅」，領動劍訣，攻出一劍。

江曉峰早已得到呼延嘯的警告，不能用出金蟬步法，當下肅立不動，直待劍芒近身時，才突然一個大轉身，左手一拂，食、中二指，點向成玉的前胸。

成玉回劍如風，迎向江曉峰右臂之上削去。

哪知江曉峰左手攻出的一指，其用心就在引誘成玉的劍勢，右手早已藏機待發，成玉劍勢回轉，江曉峰右手閃電探出，托住了成玉右腕，五指一緊，成玉頓覺腕疼如裂，拿不穩手中長劍，兵刃倏忽脫手，到了江曉峰的手中。

江曉峰奪得長劍之後，未再為難成玉，放開成玉腕穴，退後兩步，緩緩把長劍還給成玉，道：「兄弟手法取巧，算不得正規武學。」

成玉接過長劍，還入鞘中，轉身行到田萬山的身前，一抱拳，道：「弟子無能，貽羞師門，願領責罰。」

田萬山道：「沒有用的東西，記罰百鞭。」

江曉峰聽到田萬山要記罰百鞭，不禁心頭火起，冷笑一聲道：「師父自然是強過徒弟了，在下倒要領教田大英雄幾招。」

這次指名挑戰，不留寸步餘地，田萬山雖然老奸巨猾，也無法再找出推託之詞，只好緩步而出。

心中卻在想著江曉峰適才的一招手法，但想來想去，就是想不出一招破解的招法。

原來，江曉峰奪劍手法，快速異常，場中之人，大部份都沒瞧清楚，田萬山雖然看得十分用心，但也只見江曉峰出手的位置，其間制機變化，卻是未能瞧出。

心中念轉，人已行近江曉峰三尺左右。

江曉峰輕輕咳了一聲，道：「閣下沒有帶劍？」

田萬山收住腳步，鎮靜了一下心神，道：「老夫和你對掌。」

江曉峰道：「那麼好，請出手吧！」

田萬山搖搖頭，道：「老夫這把年紀了，怎能占人先機？」

口中說話，人也擺出一個防守的架式。

江曉峰道：「閣下既是不肯搶先出手，那麼在下得罪了。」

右腳踏前一步，右掌陡然推出，直向田萬山前胸按去。

這一招乃是百禽掌中招術，田萬山從未見過。

田萬山瞧不出江曉峰的拳路，就不肯貿然還手，一吸氣，躍退五尺，避開一擊。

江曉峰雙臂一張一合，人已欺到了那田萬山的身側，合掌並推，擊向小腹。

田萬山看他這一招，似是「童子拜佛」，但卻仍有甚多不像之處，心中沒有把握，仍是不肯還手，閃身避開。

江曉峰看他不肯還手，心中頓少顧忌，掌、指並出，展開快攻。

眨眼之間，拍出八掌，踢出三腳。

田萬山太過謹慎，未看出對方拳路，不肯還手，待江曉峰展開快攻，立時，陷於被動，再想反擊，爲時已晚，被江曉峰一掌按在了左肩之上。

如是江曉峰內勁外吐，立可重創田萬山，或是用手指拿住他肩井穴道，也可以使田萬山失去抗拒之力。但江曉峰想到他乃成名江湖多年的人物，不想使他難堪，是以，只以左掌按住對方左肩頭上，使他認輸就成。

卻不料田萬山老羞成怒，右手一轉，一招「迴光返照」，拍擊過來。

江曉峰未料到他竟然不肯認輸，幾乎爲他所乘，匆忙之間，想起了藍夫人傳授的一招「鎖龍手」，右手一探，五指連續輕彈而出。

五縷指風，微微一擋那田萬山的攻勢，五指伸合，正好扣住了田萬山的右腕脈穴。

這一次，江曉峰不再留情，五指緊收，內力直達腕脈。

田萬山頓覺半身麻木，難再掙動。

江曉峰神情肅然地說道：「彼此無怨無仇，難道動手相搏，非要鬥出慘局才成！」

左手一震，按在田萬山肩上的右手，內力陡然發出，同時，右手也鬆開了田萬山的右腕脈穴。

田萬山身不由己，踉蹌向前奔出了十餘步才停下身子。

當著數十位英雄之面，田萬山受此羞辱，內心激憤無比，但他心中明白，對方確是一位身負絕技的高手，再戰下去，也只是自找其辱。

強自忍下一口氣，說道：「英雄出少年，老夫失敬了。」

江曉峰一拱手，道：「晚輩手法上取巧而已，如若論真實功力，晚輩卻非老前輩的對手。」

王修低聲對公孫成道：「江曉峰氣度不凡，大有領袖之概。」

方秀梅目光掃掠全場一周，道：「還有哪一位不肯相信江少俠的武功，不妨出手一試。」

他一招奪劍，十招制服了田萬山，使得全場中人，大都震駭不已，只覺這位少年，果然是身負絕技的高手，一時竟無人接腔答話。

方秀梅道：「諸位既不肯答話，想來是相信賤妾所說之言了。」

語聲未落，突見一聲冷笑，道：「這位江少俠英雄武功誠然不錯，但如若說他能勝過藍天義大俠，那確是叫人難信。」

方秀梅轉頭看去，只見那說話之人，是一位身著藍衫的中年文士，手中拿著一把摺扇，緩緩行了出來。

方秀梅看清楚來人之後，不禁一怔，道：「修羅扇……」

那中年文士微微一笑，道：「不錯，在下正是修羅扇秦冲，方姑娘眼力很好啊！」

談話之間，秦冲已然行到了江曉峰的身前。

江曉峰轉目望去，月光下，只見那秦冲臉色雪白，顎下無鬚，長眉入鬢，長相極是俊俏，只是臉色太白了一些，再加上雙目中光芒閃爍不定，給人一種陰深、輕浮的感覺。

秦冲行近江曉峰，卻轉眼望著方秀梅笑道：「方姑娘還能記得在下，使在下甚覺驚喜……」

語聲一頓，接道：「神算子、摘星手，都是武林中多智人物，想來這番黃山大會，定然是

有著目的了，但不知方姑娘是否可以把目的告訴在下？」

神算子王修、摘星手公孫成，齊齊轉頭望了那秦冲一眼，但卻無人接言。

方秀梅道：「你突然跑來此地，想來也是有爲而來了？」

秦冲淡淡一笑，道：「在下想問明內情，並無其他用心，只是想算算看要不要打這一架。」

方秀梅道：「閣下之言，很難聽懂，可否說清楚一些？」

秦冲道：「在下想來，諸位安排這一場黃山之會，定然必有所圖，要是我秦冲勝過這位江少英雄，是否就算是這次黃山大會掄元魁首？」

方秀梅道：「我們只是求證一件事，那就是使與會之人感覺到，江曉峰具有衝出鎭江藍府之能，和你想得奪魁黃山的用心，相差很遠。」

秦冲哈哈一笑，道：「如是這般簡單麼？在下就坐山觀虎鬥，用不著出手和人拚命了！」竟自轉向原位行去。

半晌未講話的松溪老人，此刻卻突然開口說道：「秦冲。」

秦冲搖搖手中摺扇，道：「什麼事？」

松溪老人道：「老夫不記得這次黃山之會，也曾邀請閣下與會。」

秦冲搖頭笑道：「就晚輩所知，這黃山之會，亦無規定限制，不許未受邀請之人參加。」

他口齒伶俐，反而問得那松溪老人半晌答不出話來。

王修緩緩接道：「秦兄的威名，在黑、白兩道中，都有著很重的份量，如若能夠露幾手，叫我們開開眼界，當可使這番黃山之會，增加不少光彩。」

秦冲停下腳步，笑道：「秦某人一向不做沒有代價的事，白打白鬥，非在下之願。」

江曉峰突然接口說道：「閣下要什麼代價？不妨開出來，江某人能夠做到，決不推辭。」

秦冲搖著摺扇，重又行了回來，道：「江兄的意思是，想和在下賭一賭，是麼？」

江曉峰道：「今晚黃山之會，並非比武論劍，秦兄想賭，只限咱們私人！」

秦冲哈哈一笑，道：「好啊！就算咱們私人賭吧，江兄準備和兄弟賭什麼？」

江曉峰道：「任憑秦兄吩咐。」

秦冲道：「江兄很俊美，兄弟正好缺一個隨侍的書僮，江兄實是上好的材料，如是你敗在我手中，那就要終身聽我之命，一輩子做我書僮，不知江兄的意下如何？」

江曉峰道：「好！就此一言為定，我如敗於你手，終身為你書僮……但如是兄弟勝了你，那就是你一生為我奴僕，一世不能反悔。」

秦冲臉色一變，冷冷說道：「本來，咱們比武爭勝，是點到為止，但你下了如此重注，恐怕就可能要送掉自己的性命了。」

江曉峰道：「賭注由閣下所定，在下只不過蕭規曹隨，求其公平罷了。」

秦冲道：「江兄既如此說，那就請亮兵刃出手吧！」

江曉峰一揚雙掌，道：「兄弟就以這雙肉掌，接秦兄幾招如何？」

秦冲冷冷說道：「一個人只有一條命，江兄傲骨凌人，那也是沒有法子的事了。」

摺扇一合，點向江曉峰的前胸，口中卻說道：「江兄傲骨凌人，定然不肯先行出手了。」

他口中說話，手中摺扇卻是奇招連出，一句話說完，摺扇已攻出四招。

江曉峰如是未從藍夫人和呼延嘯習練武功，秦冲這四招連綿的攻勢，縱然未必能夠傷他，至少也逼得他手忙腳亂，非施展出金蟬步法才能避開。

但此刻，他卻站在原地，指點掌削，把秦冲四招詭異的攻勢，化解於無形之中。

秦冲攻出了四招，都爲對方逼開化解，心中也已有數，知曉遇上生平未曾遇過的勁敵，心中凜然，不敢再存絲毫輕敵之念，摺扇一張，護住前胸，蓄勢待敵。

這時，突聞方秀梅高聲叫道：「江兄弟，小心他摺扇中藏有毒針。」

江曉峰應了一聲「不妨」，側身而上，劈出一掌。

這一掌乃百禽掌法中的奇技，名叫「野鶴閒雲」，看上去輕描淡寫，不見凌厲，實則暗藏殺手，變化極多。

秦冲看對方劈來掌勢，竟然是瞧不出一點路子，不敢出手封擋，橫跨一步，閃避開去，希望能夠瞧出對方掌路，再行出手，一擊可搶得先機。

江曉峰身隨掌轉，左手隨著拍出。

這一招逆勢而上，大出一般武學常規，用的卻是藍夫人傳授的一招「渾水摸魚」。

秦冲駭然一震，疾快地向後退了兩步。

他應變雖快，仍然被江曉峰指尖掃中左臂，登時衣服破裂，左臂麻木。

匆急之間，摺扇急出一招「陰陽倒轉」，勾起一片扇影，護住了身子。

江曉峰突然收掌而退，淡然一笑，道：「秦兄，不用慌，咱們並未規定如何分出勝敗，慢慢打也是一樣。」

全場中人都瞧出江曉峰幾招迫攻之後，已然占儘先機，迫得秦冲全採守勢，理應步步逼進，一鼓作氣而擊敗對方才是，但他放棄先機，抽身而退。

秦冲收了摺扇，雙目中泛現出冷厲的殺機，道：「江兄，果然高明。」緩步向前逼進。

突然間，摺扇揮展，一掄急攻。

但見扇影飄飄，分由四面八方攻來。

江曉峰施展出百禽掌法，鶴爪鵰啄，自成一派章法。

這是一場激烈快速的惡鬥，秦冲扇影漫天，忽點忽削，變化極盡詭奇。

江曉峰忽起忽落，有如鳳舞鸞翔，足、掌、肘、肩，各具克敵之妙。

鬥到分際，但見人影交錯，已然難分敵我。

突然間，扇風頓住，人影乍分，兩人各自向後躍開。

秦冲神情嚴肅，緩緩收了摺扇，插於衣領之上，道：「江兄高明，兄弟認輸了。」

這話大出四周觀戰群豪意料之外，因爲，場中除了幾位特佳高手之外，大都未瞧出那秦冲如何敗在了江曉峰的手中。

江曉峰一抱拳，道：「秦兄謙讓了。」

秦冲緩緩舉起右掌，道：「秦某技不如人，死而無憾。」

右掌一翻，自向天靈穴上拍去。

江曉峰急急叫道：「秦兄住手。」

秦冲收住掌勢，怒道：「兄弟自作了斷，也就是了，難道還不肯放過兄弟，定要在下履約麼？」

江曉峰搖搖頭，道：「秦兄如不想在此多留，儘管請便。」

秦冲怔了一怔，道：「咱們訂下的賭約呢？」

江曉峰道：「幾句戲言，如何能夠認真？再者秦兄明來明去，本來面目，不失丈夫氣度，比那些假俠名以為歹，偽善貌以行惡，徒具虛名者，高明多了。」

秦冲略一沉吟，道：「盛情心領，兄弟就此別過。」

轉身向山下行去，他行動奇速，不大工夫，已走得蹤影全無。

方秀梅輕輕咳了一聲，道：「在場之人，還有哪一位不相信這位江世兄是破圍而出的，不妨上來試試。」

一時間，四周肅然，竟無一人接口。

原來這會場中的高手，雖然甚多未見過修羅扇秦冲，但大都聽過其人之名，知其厲害，看他敗在江曉峰的手中，心中早生寒意，哪還敢挺身而出，自取其辱？

方秀梅回顧了王修一眼，道：「咱們此刻應該如何？」

王修低聲說道：「看情形，今天要使與會之人信服，恐非易事，而且除了極少數的門派之外，與會之人，大都非主腦人物，他們也作不了主……」

「目下之策，咱們只有以進為退，說明厲害之後，再看那松溪老人的態度，松溪老人雖已退出江湖，但我看他這些年來，卻一直未把武功擱下，而且山腹清靜，又增丹道，內功精進，已到爐火純青之境，公孫兄已把這件事搭在他的肩上，老人家縱然想推辭，只怕也有些推不掉了。」

他說話的聲音極低，場中之人，又多數在竊竊私語，大都未聽到他們的談話。

方秀梅重重咳了一聲，高聲說道：「既然是無人接口，想是相信了賤妾之言，可惜的是，藍天義俠名太著，賤妾又人微言輕，諸位如是願聯手自保，張老前輩自會為我們作主，如是諸

位對那藍天義心存畏懼，不願聯手自保，張老前輩清靜無爲之身，自也用不著蹚這次渾水，我們幾人無門無派的江湖草莽，也算盡到了心意……」

武當派的青萍子突然站起身子，合掌接道：「藍天義隱密雖洩，但還未見諸行動，因此今夜情勢，只怕是難有結論……」

目光突然轉到松溪老人身上，接道：「老前輩望重武林，一言九鼎，目下之事，老前輩如肯贊助一言，或可使大局改觀。」

松溪老人一直閉目靜坐，直待青萍子以言相詢，才睜開眼睛，緩緩說道：「老夫歸隱已久，懶散林泉，本不該再行出山，重問江湖中事，但又不忍坐視江湖大劫，因此破例而出，但老夫只能從旁相助，無法主盟大局。」

青萍子道：「老前輩之意，是不肯出而領導了？」

松溪老人道：「老夫已經說得很明白了，我無法領導你們，但蛇無頭不行，鳥無翅不飛，你們必須自己選擇一個領袖人物，老夫必須保持自由之身，才能來去自如，妥作安排。」

青萍子略一沉吟，道：「不知老前輩屬意何人？」

松溪老人道：「老夫無成見，但領袖人物，必能使人心生敬服才成，道長如問老夫之意，以老夫愚見，你們最好能夠各憑武功，選出一個全體公認的高手，領袖群倫。」

青萍子望了江曉峰一眼，道：「多謝老前輩的指教，不過目下在場之人，並非全是各門派中的首腦人物，縱然能有一人，藝壓群豪，他仍是無法被推舉爲武林中的領袖人物。」

松溪老人道：「今夜與會之人，雖非各門派的首腦，但亦非全無地位，至少，他們可以和掌門人交談，只要在場人心中由衷敬服，不妨推他做爲抗拒藍天義的首腦，至少可加重他的責任，日後，也有不少方便，如是今夜聚會，全無作爲，豈不有負諸位千里迢迢的趕來黃山一行麼？」

青萍子道：「老前輩說得是。」

目光轉到江曉峰的身上，道：「今夜黃山掄元，非得先勝閣下，才具挑戰的資格、但閣下已然連經兩戰，是否需要休息一會兒，才能和人動手？」

江曉峰道：「道長如想賜教，在下極願奉陪。」

青萍子道：「閣下招術奇奥，在力敗修羅扇秦冲時，已見功力，貧道雖然自知非敵，但卻是極願一試。」

緩步而出，拔出長劍。

王修低聲說道：「公孫兄，青萍子顧全大局，已然存心成全江世兄了。」

公孫成道：「松溪老前輩點破玄機，弦外之音，已甚明顯，在場之人，如是稍具智慧者，都應該體會到他的苦心。」

王修道：「假如無青萍子道長領導，只怕還是一個僵持之局。」

兩人交談聲音奇低，連那近在咫尺的方秀梅也未聽清楚。

青萍子行近江曉峰四、五尺處，長劍平胸，道：「江少俠請亮兵刃。」

江曉峰還未來得及答話，方秀梅已然遞過長劍，道：「兄弟，青萍子道長是武當派這一代中的傑出高手，劍技精深，你用姊姊的劍吧！」

江曉峰正待推辭，心中突然一動，暗道：「青萍子仙風飄飄，不似驕狂之徒，我如赤手空拳，勝了他，那豈不是太過傷害武當派的尊嚴麼？」

心中念頭一轉，伸手接過長劍，道：「道長請。」

青萍子長劍一振，道：「貧道有禮了。」唰的一劍，刺向前胸。

江曉峰揮劍一擋，反擊兩劍。

青萍子揮劍劃出一道銀虹，噹噹兩聲金鐵交鳴，封開了江曉峰的長劍，立時誠心揮劍搶攻，臉色一片肅穆。

武當劍法，本有所長，青萍子造詣又深，劍閃朵朵銀花，穩健中，自含凌厲之勢。

江曉峰只覺對方劍招，正中含奇，絲絲入扣，天衣無縫。

心中暗道：「如論劍術之道，青萍子才算得正宗之學。」

他心中對那青萍子生出敬重之心，不願立刻施展殺手，擊敗對方，反而改採守勢。

青萍子的劍招，漸次收緊，威勢也逐漸地增強，江曉峰立時被困於一片劍幕之中。

如若不是江曉峰從那藍夫人學藝四月，這一番自棄先機的比劍之中，江曉峰必敗無疑，但藍夫人四月相授之技，無一不是武技中精粹大乘之才，每當遇上危境時，自有神來之招，破去青萍子的劍法，反客爲主，優劣易勢。

江曉峰被逼入三次險境，連出三劍奇學，造成反劣爲優的形勢。每一次奇招反擊，都使得青萍子心頭震駭不已。

江曉峰如若趁機施下毒手，青萍子早傷劍下，但他每次都停劍不攻，再讓青萍子的先機。

青萍子在江曉峰第一次相讓時，心中還有些不太相信，只道他是碰巧一劍，扳回劣勢，因他早已瞧出，那江曉峰所學十分博雜，也許是只會這一劍，所以停手不攻，但二次、三次過後，他已完全了然，江曉峰是在有意相讓。

當下揮劍再攻，一面低聲說道：「江施主不用再故存相讓之心，貧道如不敗下陣去，豈不太耽誤時間麼？」

江曉峰道：「道長既如此說，在下得罪了。」

長劍疾攻，連出三招奇學。

但聞三聲金鐵交鳴，青萍子手中長劍，脫手落地。

這三劍如閃電、如奔雷，快速中挾帶著石破天驚之勢。

不但全場中人，看得心頭震動，連邢松溪老人夫婦，也看得目凝神光，臉上顯露出驚愕神色。

青萍子伏身撿起長劍，緩緩說道：「江施主武功高強，貧道十分敬服。」

江曉峰一拱手，道：「道長過獎了。」

青萍子並未立刻歸座，目光轉動，四顧了一眼，道：「貧道覺著這江施主的武功，十分高強，敗得心服口服。諸位之中如還有不服之人，不妨出場一試。」

也不待群豪回答，逕自行入原位。

江曉峰心中突生不安之感，忖道：「我這點年紀，如何能夠被人推做抗拒藍天義的領導人物？」心中突萌退志。

王修一直在留心著江曉峰的神情舉動，看他神色，已知他心中萌生不安之感，急急施展傳音之術，說道：「江兄弟，百里行程半九十，你要振奮起來，一技壓服在場之人，個中道理，以後咱們再為慢慢詳談。」

江曉峰本想走回原位，聞言只好停下腳步。

這時，四周已有數人起身，同時向江曉峰走來。

這些人，心中都明白，自己武功，決難比得青萍子和修羅扇秦冲，但他們自己有一把算盤，覺著那江曉峰已然連鬥數陣，精神、內功，都消耗甚大，如若自己敗在他手，不算丟人，萬一勝了他，臉可是露大啦，還有些人不服他小小年紀，被擁做這次黃山大會的盟主。

幾個原因一湊合，竟有很多人起身挑戰。

江曉峰還未來得及看清楚來人，已有三、四人逼近身側。

其中一個身軀特別高大的漢子，一抱拳，道：「在下山東曹州府大力神羅邦，領教閣下武功。」

羅邦帶著三分渾氣，也不待江曉峰接口，說完兜胸就是一拳。

江曉峰看他出拳威猛，不禁心中一動，暗道：「這人號稱大力神，倒要試試他有幾分氣力。」

心中主意暗定，暗運內力，右掌一起，硬接一拳。

江曉峰接下一拳，突感心頭大震，不禁吃了一驚，暗道：「這人神力過人，如能好好指點，必有可觀成就。」

羅邦眼看江曉峰接下自己一拳之後，全然無動於衷，心中大是敬佩，喝道：「好小子，有你的。」雙拳連揮，擂鼓一般地捶了過來。

江曉峰不再硬接他的拳勢，一閃身避開亂拳，一招「分雲取月」，抓住了羅邦的右腕，猛力向前一帶，借力使力，把羅邦摔了一個大馬爬。

羅邦站起身子，拍拍身上泥土，瞪著比自己矮半截的江曉峰，怔怔出神，心中直叫邪門。

江曉峰摔倒了羅邦之後，高聲說道：「哪一位接手？」

一位身材枯瘦，施用一對日月雙輪的漢子，冷冷說道：「在下怨魂不散陳通，領教江少俠的精博武功。」

江曉峰道：「閣下請出手吧！」

陳通一揮輪，就是一陣快攻。

江曉峰看他出手招數，詭奇異常，心中暗道：「這人武功不弱。」

陳通一掄快攻過後，江曉峰才揮劍反擊，他心中存了速戰速決之心，出手的劍招，凌厲奇幻，十招之內，已然逼得陳通棄去雙輪。

江曉峰拳掌、劍法，雖是奇奧、威猛，但卻從未傷人，這就引起了更多人心存僥倖，是以，挑戰之人，銜接不停。

江曉峰奮起精神，一口氣又擊敗了一十八名挑戰者。

這些人有用兵刃，有比拳掌，但卻無一人，能過十招。

這一陣激戰之後，場中已然無一不對江曉峰心存折服。

方秀梅抬頭望望天色，已是玉兔西下，五更時分，當下說道：「諸位中，還有不服之人麼？」

她一連喝問三聲，不聞一人回答。

方秀梅道：「諸位既然已心服口服，那就應該擁推江少俠主盟大局，以阻止那藍天義造劫江湖。」

這時，群豪之中，大都已對江曉峰心生敬服，當時，群相起應。

王修冷眼旁觀，只見幾個最重要的人物，少林宏法大師、武當青萍子、形意門的掌門童子玉、南太極門的名宿田萬山，卻是默然靜坐，雖未出而反對，但亦未呼應贊成。

這幾人，都是中原道上，大門大派中人，門下弟子眾多，也是這次黃山之會最爲重要人物，如若他們並未所許，縱然江曉峰被推做盟主，那也不過是徒具虛名……

正忖思間，突見青萍子緩緩站起身子，道：「就貧道個人而言，已對江施主五體投地，但此次黃山之會，事先並未有比武之議，亦無推選盟主之說，各派精銳，大都未趕來參如，而且，武林盟主，職位尊高，得能號令天下，我等幾人，也無法作得主意。必得返回後，稟告掌門，聽候裁奪，若是勉強推選，對江施主而言，只是徒有虛名，對我等而言，亦頗難對掌門交代，但我等這次黃山之行，算是大開了一次眼界，目睹了武林後起一代奇傑，容我等回山之後，稟告掌門，再作推選盟主之議，一得蠢見，不知諸位意下如何！」

江曉峰一抱拳，道：「江某人少不更事，何德何能，怎敢妄動主盟天下之念，諸位不用費心了。」

宏法大師合掌念了一聲佛號，道：「江施主也不必太過謙辭，就貧僧所見而論，推選施主爲天下武林盟主，亦可當之無愧，不過，茲事體大，不能不慎重從事，貧僧回到嵩山之後，當把所見所得，一字不遺漏的稟告掌門。」

松溪老人突然開口說道：「既是如此，諸位請早歸去，老夫無物敬客，還請恕罪。」

群豪紛紛起身，道：「老前輩言重了。」

王修高聲說道：「此次黃山之會，雖無美酒佳餚，但來此之人，都能一睹松蘭雙劍兩位老前輩的仙顏，只此一椿，已然不負往返，何況，藍天義霸統江湖的陰謀，也在此次一會之中

翠袖玉環

揭穿，希望諸位回山之後，能夠奉告掌門，多加小心，遣人求證，那就更不負此番黃山之會了。」

峰頂群豪，各懷心事，行速極快，片刻工夫，散走大部，峰頂上，只餘下王修、公孫成、常明、方秀梅、呼延嘯和松蘭雙劍等人。

王修大步行近松溪老人，欠身一禮，道：「老前輩，想不到……」

松溪老人搖手不讓王修再說下去，接道：「老夫覺著這半宵黃山之會，收獲甚豐，藍天義數十年的俠名，深入人心，豈能在極短時間之中改變，目下成就，已非小可了……」

語聲微微一頓，道：「一個人，如若想在江湖之上使人敬服，除了立德之外，還要立威，江曉峰已然立威，此後，應該重於立德，至於老夫，既已答允公孫成之請，決不再推辭，不過，我不能和你們在一起。如若有事，我自會和你們相會，老夫也要先走一步了。」

回顧了玄色老婦一眼，雙雙站起身子，袍袖一拂，連袂而起，眨眼間，消失無蹤。

王修望著松蘭雙劍的背影，口中喃喃自語道：「立德之舉，談何容易，這要時間，但目下情形，我們哪裏有時間？」

方秀梅道：「他既然說出了立德二字，想必早已胸有成竹，爲什麼不說明白一些呢？」

公孫成道：「也許他是指某一件事而說，但內心之中，又無把握，故而含糊其詞。」

但聽王修自言自語道：「是了，是了。」

突然微微一笑，道：「公孫兄一句話提醒了我，那松溪老人立德之言，應該是說一件事。」

方秀梅道：「什麼事呢？」

王修道：「這次黃山之會，那藍天義雖無行動，但他必已早知消息，在他們回程之上，必會發生事故。」

方秀梅道：「不錯，這也是極短時間內，能夠立德的機會，時間、人事，都有著極佳的配合……」

話至此處，突然一怔，道：「不過，他們去處不同，咱們應該追哪一個才對？」

公孫成道：「咱們幾個人，決不能分開，分則實力大受影響，只怕難有作爲，今宵與會之人，來自四面八方，我們分身無術，豈能全盤兼顧？」

王修道：「既不能全盤兼顧，但可分輕重緩急，因爲咱們雖無法揣測藍天義的行蹤，但咱們可以就昨夜與會之人中，分析藍天義的主要目標，咱們就趕向重要之處，此雖非完全之策，但咱們如不欲分散實力，也只有這一個辦法了。」

公孫成道：「王兄可是早已胸有成竹了？」

王修道：「就在下觀察所得，昨宵與會之人中，以武當派的份量最重，青萍子雖非武當掌門，但他是掌門人的師弟，身分、地位，在武當門中，都非小可，武當掌門遣派那青萍子親身與會，顯然，內心之中，對此會十分重視，而其餘各大門派，都抱著輕淡之心，派來與會之人，也非門派中重要人物，就算有很大的傷亡，也不致動搖到各大門派的根本……」

公孫成道：「王兄推算，定然不會有錯，不知咱們何時動身？」

王修道：「咱們也該走了，上路之前，最好能改扮易容，使藍天義莫測高深。」

幾人計議停當，立時動身下山。

行到谷口之時，已經是紅日初升時分。

只見那大力神羅邦站在谷口轉彎之處。

此人身軀高大，站在那裏有如一塊山岩一般，擋住了去路。

常明停下腳步，望了羅邦一眼，還未開口，羅邦已然搶先說道：「果然被我等到了。」

突然放步向江曉峰衝了過去。

王修、方秀梅、呼延嘯，齊齊向前行來，人未到，掌勢都已經遞了出來。

但見羅邦噗通一聲，對著江曉峰跪了下去。

江曉峰早已暗中運氣戒備，但見羅邦突然拜伏在地上，心中大是奇怪，一皺眉頭，道：「你這是何意？」

羅邦道：「俺羅邦一生從未服過人，但對閣下卻佩服得五體投地，俺想追隨江少俠的左右，還望江少俠成全俺這番心意。」

江曉峰搖搖頭，正待出言拒絕，王修卻搶先說道：「你想追隨江少俠？」

羅邦道：「不錯。」

王修道：「那好辦，你先起來吧！」

目光轉到江曉峰的臉上，低聲說道：「江世兄，答應他……」

江曉峰道：「這件事太過突然，只怕有詐……」

王修急急接道：「這位羅兄，是一位十分忠厚之人，怎會用詐？」

一面暗中示意，不要江曉峰再多講話。

江曉峰微一頷首，道：「你起來吧！我答應了！」

羅邦一抱拳，道：「多謝江少俠。」

江曉峰微微一笑，道：「好，你既有此一片誠心，我如不收留你，你心中定然是很難過了。」

羅邦道：「俺羅邦承蒙收留，心中已感激不盡，別說一點戒規了，就是上刀山、下油鍋，俺姓羅的也不會皺皺眉頭。」

輕輕咳了一聲，接道：「不過，我們訂有很多戒規，不知你能否遵守？」

江曉峰道：「那很好，你現在先隨著常兄開道。」

羅邦四顧了一眼，道：「哪一位是常兄？」

這渾裏渾氣的一叫，只聽得江曉峰、王修等，莞爾微笑。

常明接道：「小要飯的常明，羅兄請跟我來！」轉身向前行去。

羅邦望望江曉峰，邁開大步追了過去。

江曉峰目睹常明等去遠之後，才搖搖頭，回顧了王修一眼，道：「王老前輩，在下有些想不明白，什麼人竟會派這樣一個渾人來做奸細。」

王修笑道：「那人太聰明了，他認爲利用羅邦這等渾人，使咱們心中不致生疑，他卻沒有想到，這等人一根腸子通到底，要他動手拚命，那是很好的人選，如是要他弄巧，必然成拙，不過，奇怪的是，他對你倒是由衷的敬服，那人不知用的什麼方法，能使這渾厚之人，甘心受他之命？」

公孫成道：「王兄覺著主使來此之人，是否和那藍天義有關呢？」

王修道：「不僅有關，而且在下可以斷言，那主使之人必是藍天義的屬下。」

方秀梅道：「王兄之意，是說這次黃山大會之中，已經混入了藍天義的人手？」
王修點點頭道：「不錯，但也有埋伏在山下，暗作接應的人。」
公孫成道：「這麼說來，咱們又和藍天義接上手了。」
王修道：「除非藍天義統一了武林，或是咱們擊敗了天道教，此後，無時無刻，不在和藍天義接手之中，不同的是，有時鬥智，有時鬥力罷了。」
江曉峰道：「對羅邦，咱們該如何處置？」
王修舉步而行，一面低聲說道：「除去羅邦並非難事，但在下覺著，與其殺了他，倒不如設法利用他。」
江曉峰道：「他受人遣派而來，咱們如何利用？」
王修道：「以其人之道，還治其人之身，他們用羅邦的渾氣，使咱們生疑心，咱們也利用羅邦的渾氣，使他無法分辨真假，把咱們安排的假行動，由他洩漏出去，然後再加調整。」
江曉峰道：「老前輩高見，除此之外，確也再無良策了。」
幾人一面商量應付羅邦之策，一面加快腳步而行。
王修和公孫成等，都是常年在江湖上走動的人，熟知地理形勢，一路奔行而去的，正是武當門人歸山之路。
行約一個時辰，已登官道，而且也發現了青萍子和六個屬下的行蹤。
王修招呼常明，停了下來，說道：「咱們不能就這樣追下去，那是自暴行蹤了，前面有一座小鎮，鎮中有客棧、店鋪，衣物具全，咱們在鎮中改扮。」

他胸中早有算計，把幾人的改扮行旅身分、連絡的方法、暗記，全都說了出來。

在道旁休息一陣，分批趕入小鎮。

天近中午時分，小鎮中當先奔出來一頭毛驢，毛驢上坐著一個土布衣服，手提小包裹的老婦人，毛驢之後，卻隨著一個頭戴竹笠、黑布褲褂、布襪草履的漢子，肩上扛著一條扁擔，一端綁著一個小包袱。

那小毛驢奔行甚快，半個時辰之後，已追上了青萍子等一行。

青萍子的為人，極為機警，眼看一頭小毛驢，急急趕來，緊追身後而行，立時招呼本門弟子，在道旁一株大樹下坐下休息，暗中監視那毛驢的行動。

但那小毛驢並未停下，越過幾人，在前面不遠處，轉入了一座岔道之上。

青萍子站起身子，道：「走吧！」

王修設計精密，幾人的身分，也經常交換，雖然一直追隨在青萍子等身前身後，但卻一直未引起青萍子的懷疑。

一連數日，一直未遇警兆，也未見藍天義的人手出現，那青萍子也似是若有所恃一般，走得很慢，一天也就不過是走上五、六十里。

這日中午，渡江而過，翻越了九姑嶺，已是太陽將要下山的時分。

青萍子抬頭望去，前不見村鎮，回顧了六位屬下一眼，笑道：「咱們要緊趕一陣了。這幾日，我故意放慢行程，希望能夠遇上藍天義的屬下，一證那王修之言的虛實，竟是未能如願，明日咱們就可進入湖北境內，那一帶在咱們武當派勢力範圍之中，自然是更不會遇上敵人了……」

話未說完，突然一個冷冷的聲音，接道：「道長很想遇上天道教來的人麼？」

青萍子吃了一驚，轉目望去，只見身前三丈處，一株大榆樹下，站著一個身著青袍，背插長劍的老者。

此人似是早已在大榆樹下等著一般，竟近在三丈左右，青萍子一無所覺。

但青萍子四顧一陣之後，發覺只有那老者一人，立時恢復了鎮靜，淡淡一笑，道：「貧道武當青萍子……」

那老者冷冷地接道：「我早知道了，用不著再報法號。」

青萍子乃武當派這一代中，極為傑出的人物，劍術、修養，都有著很好的火候，當下吸了一口氣，道：「閣下很面善，但貧道卻一時想不起來了，閣下可否見告大名？」

青袍人道：「你不認識老夫，大約認識別人吧。」

舉手一招，接道：「道長請出來吧！」

廿一 力挽狂瀾

只見人影閃動，大榆樹上，飛落下一個身著道袍，白髯飄飄的佩劍老者。

青萍子看清楚來人之後，立時欠身一禮，道：「原來是玄真師叔鶴駕。」

他初聞玄真道長，投入藍天義手創的天道教中時，心中還有些不信，此刻，竟見玄真之面，心中的激忿、羞愧，交織成一片怒火，他雖然仍能強行忍過，行禮拜見，但言詞口氣之間，已無法控制住心中不滿之意。

玄真道長一揮手，道：「不用多禮……」

追隨青萍子身後的六個屬下，本來要行大禮拜見，但聽青萍子口氣不善，全都停了下來。

青萍子不待玄真接言，搶先說道：「弟子風聞師叔投入了天道教藍天義的門下，弟子還有些不信，但此刻看來……」

玄真道長接道：「此刻，你親自所見，親耳所聞，應該相信了？」

青萍子道：「弟子還是有些不信！想師叔一向在江湖上的聲譽甚好，而且在本門之中，也極受弟子們的愛戴，弟子實在想不出，師叔何以會投入天道教中！」

玄真道長冷笑一聲，道：「兩個原因，第一是，天道教替天行道，統一武林，免去紛爭，第二是，不入天道教，只有死亡一途。」

青萍子道：「人死留名，雁過留聲，師叔如若遇上了爲難之事，只要傳一句話到武當山上，掌門師兄必將傾盡咱們武當門下之精銳，以解師叔之危，那也不用投入天道教，甘爲人下，此事如若被傳揚於江湖之上，不但師叔的威名受損，而且整個的武當派，都將蒙受汙名了。」

玄真道長道：「反了，反了，你敢對師叔如此講話，真正豈有此理！」

青萍子道：「師叔如若以武當長老身分，處罰弟子，弟子自無不受之理，但如若以天道教中人物身分，處罰弟子，請恕弟子無禮了……」

玄真怒道：「你要怎樣？」

青萍子道：「爲了本門中的聲譽，弟子要盡力一戰。」

那站在大榆樹下的佩劍老者，突然接口說道：「道兄，我瞧青萍子很難勸醒，道兄也不用多費口舌了。」

青萍子厲聲喝道：「閣下何許人，何以不敢報上姓名？」

佩劍老者冷冷說道：「老夫金陵劍客張伯松，你不認識老夫，那是怪你的眼拙了。」

青萍子氣得臉色泛青，目隱殺機，唰的一聲，抽出背上長劍，道：「金陵劍客張伯松，貧道倒是聽過這個名字，但貧道實代閣下慚愧，玷汙了那劍客二字。」

張伯松冷笑一聲，道：「道兄如若顧念門戶之情，不肯出手，區區要代道兄出手了。」

青萍子眼看今日形勢，似是已難善了，於是長劍揮動，道：「如若閣下肯於賜教，貧道定當捨命奉陪……」

玄真道長怒聲喝道：「住口！」

青萍子長歎一聲，道：「師叔，咱們武當派的事，似是用不著別人插手，師叔如若對弟子不滿，回歸武當山後，弟子當自領家法，跪在祖師堂上，聽候師叔責罰……」

玄真道長冷然接道：「那是說，今日你不認我做師叔了？」

青萍子道：「如是師叔還自認是武當派中人，那就該替弟子作主才是。」

張伯松突然飛身而起，起落之間，已到了玄真道長身側，道：「道兄請退開，在下領教一下，武當派劍陣的威勢。」

原來，適才青萍子長劍揮動，正是暗示門下弟子，擺成劍陣拒敵。

玄真道長低聲說道：「不敢勞張香主出手，如若他們執意不聽，貧道自會對付他們。」

目光轉到青萍子的臉上，接道：「就算是你們四子到齊，也難抗拒藍教主的天威，聽師叔相勸，棄劍投入天道教中，藍教主大仁大義，不究既往，定會重用於你……」

青萍子圓睜雙目，怒聲說道：「師叔快請住口，弟子不願口出不敬之言，你既投入天道教中，依據祖師爺的遺訓，犯了欺師滅祖的大罪，弟子再三謙讓，是因爲師叔爲人，一向受弟子們的敬仰……」

玄真道長接道：「你執迷不悟，我也無能救你了。」

右手一翻，拔出長劍一揮，迎面劈下。

青萍子閃身躲開，卻未還手。

玄真道長冷笑一聲，道：「你不是我的敵手，如你目下棄劍投誠，時猶未晚。」

青萍子道：「師叔請出手吧！」

玄真道長怒道：「不知好歹。」長劍一振，連攻兩招。

臥龍生 精品集

青萍子飛身而起，橫裏躍出去七、八尺，道：「弟子已經連讓三劍，師叔如是再攻，弟子要回手反擊了。」

玄真道長臉色一片冷漠，道：「我已再三勸你，你執意不聽，殺你也不爲過。」長劍一探，「神龍出水」，點向青萍子前胸。

青萍子知曉師叔浸淫劍道近一甲子，劍上造詣，精深無比，雖是一記平平常常的招術，也不敢掉以輕心，誠心運劍，遞出了一招「力屏天南」。

雙劍相觸，響起了一陣金鐵交鳴之聲。

玄真道長長劍連揮，展開了快攻。

刹那間，劍風輪轉，劍芒飛閃，分由四面八方，攻向青萍子，而且劍劍都指向要害大穴，竟然是毫無情意。

青萍子全神運劍，防守得十分嚴密。

玄真道長攻出的劍勢雖然凌厲，但都是武當派中劍招，青萍子十分熟悉，故能防範機先，表面上看起來，玄真道長劍勢縱橫，把那青萍子困入一片劍光之中，實則青萍子有驚無險。

雙方力鬥百招，仍然是一個未分勝敗之局。

玄真道長雖然是占盡上風，就是無法把青萍子迫服劍下。

六個武當弟子，擺成了一座劍陣，凝神觀戰。

一個武當名宿，一個武當才人，兩人全用本門中劍法相搏，奇招迭出，六個觀戰弟子，平日無法領會劍招，此刻卻能目睹它的作用變化，獲益匪淺。

玄真道長又攻了二十餘劍，仍未能取得勝機，不禁火起，劍術突然一變，施展武當鎮山劍法，太極慧劍。

青萍子識得厲害，駭然震動，暗道：「看來，他當真已存了殺我之心。」心中念轉，也施展出太極慧劍反擊。

這一套劍法，變化精微，奇奧博大，兩人雖是一脈相承，但因火候功力不同，施出來的威勢，也是大不相同。

忽見玄真道長一劍劈出，斜削青萍子的肩頭。

青萍子以攻制攻，劍勢一抬，點向玄真道長執劍右腕。

這本是破解玄真道長的劍式，哪知玄真道長劍尖一轉，人隨劍走，陡然一個轉身，長劍突然轉向青萍子右腕削去。

青萍子送出的劍勢，還未來得及收回，玄真道長的劍招已然削到。匆忙之間，急急舉劍倒退，但仍是晚了一步，寒芒過去，斬下了青萍子右手食指。

青萍子一咬牙，奮身躍起，脫出了玄真道長的劍圈之外。

玄真道長冷厲喝道：「哪裏走。」

長劍一招「野火燒天」，身隨劍起，追刺過去。

青萍子懸空打了一個跟頭，飛身落入劍陣之中。

玄真道長一劍未中，身子也向劍陣中落去。

六個武當弟子發動陣勢，長劍齊齊出手。

但聞一陣金鐵交鳴之聲，把玄真道長逼出陣外。

青萍子左手緊握傷處，低聲說道：「改以五行劍陣拒敵。」

原來，青萍子擺的天罡七斗陣，但因自己受傷，一時間難再應戰，少了主持天罡七斗陣的軸心，只好下令改以五行劍陣迎敵。

五行劍陣，只要五人，按五行變化拒敵，又多了一個人出來。

多出之人，年紀最輕，閃入陣中，撕下一片道袍，道：「四師叔，傷得很重麼？」

青萍子道：「不要緊，只斬去一根食指。」

他口中說得倔強，但十指連心，已然疼得他臉色一片蒼白。

那年輕道人把撕下的一片道袍，紮在青萍子右腕之上，從懷中掏出一個玉瓶，道：「弟子已帶有傷藥，四師叔請敷用一些。」

青萍子剛剛敷過藥物，包起傷勢，突聞一聲慘叫，一個武當弟子，突被玄真一劍洞胸穿過，倒地而逝。

這五行劍陣，變化雖奇，但玄真對此卻熟悉異常，被他找出一個空隙，一劍刺斃一人。

張伯松負手觀戰，始終未出手相助，似是存心要武當派上下三代，自相殘殺。

五行劍陣少了一人，空出了一個方位，全陣的效用頓失，玄真道長唰唰兩劍，又刺傷了兩人。

這兩人，劍傷未中要害，竟然是強自忍痛，守定方位，不肯退讓。

青萍子咬牙說道：「寶劍給我！」

那年輕道長說道：「師叔調息一下，弟子去補空位。」

口中說話，人已衝上前去，補起了那死去師兄的空位。

五行劍陣雖然又恢復原勢，但因兩個受傷道人，無暇休息，運氣止血，失血過多，漸呈不

支，連帶全陣變化，都受到了影響。

但見玄真道長踏前半步，長劍左右搖擺，擋開左右劍勢，飛起一腳，把那年輕道長踢得破空而起，連人帶劍，向外飛去。

情勢危惡，青萍子已然顧不得右手傷勢，一提氣，飛身而起，左手抓住那年輕道長的衣領，右手奪過他手中長劍，左手借刀一送，道：「快些逃走。」

那年輕道人身子直飛出三丈開外，向一塊大岩石上撞去。

他被玄真道長一腳，踢在右腿「懸鐘」穴上，半身痳木，已然無力運氣，再加上被那青萍子全力一送，身子如斷線風箏一般，眼看撞向巨岩，卻是無法移動，心中暗道：「完了！四師叔要我遠走報信，只怕要負他之望了，這一撞上巨岩，豈有不死之理？」

突覺一股暗勁撞來，一擋自己懸空而飛的身子，接著，巨岩後疾快地伸過一雙手來，抓住了自己的身子，拖入巨岩之後。

只見巨岩後面，蹲著兩人，一個放牛牧童，一個中年樵夫。

接著自己的正是那放牛牧童。

那中年樵夫低聲說道：「說話小聲一些，你法名怎生稱呼？」

那年輕道人雖不知兩人身分，但卻知曉是友非敵，低聲應道：「小道法號長平，兩位是什麼人？」

中年樵夫道：「此刻無暇和你細說，快些脫下道袍。」

長平道長轉目望去，只見那牧童，正在擦去臉上的油污，心中若有所悟，一面脫衣，一面說道：「小道右腿『懸鐘』穴被人踢傷，運轉不便。」

那中年樵夫，伸手推活他的懸鐘穴，接道：「我叫公孫成，那一位就是黃山奪魁的江曉峰江少俠，你脫下道袍之後，換上牧童衣服，下入此谷，早些趕回武當山去，把目睹之情，告訴貴掌門。」

長平道長道：「江少俠請救小道四師叔。」

這時，江曉峰已脫去牧童衣服，換上那道人的衣履，一面挽髮盤髻，一面應道：「此地之事，不勞你留心了，你快些趕回武當山去就是。」

長平道長也動手換穿牧童衣服。

且說青萍子，拿到長平道長手中寶劍，怒聲喝道：「師叔殺戮徒孫，倒是得心應手，天下為老不尊者，莫過於斯了。」

玄真道長冷冷說道：「你不肯聽我良言相勸，那是自找苦吃。」

青萍子長劍揮動，疾劈兩劍，穩住了五行劍陣，道：「世間不少喪心病狂的人，但像師叔這等放手殺傷門下弟子的，倒還少見。」

玄真道長冷笑一聲，道：「你再不棄劍投降，他們都將死無葬身之地。」

青萍子長劍疾展，攻勢更見猛烈，似是已存了拚命之心。

玄真道長冷冷說道：「你不聽師叔勸告，那就休怪我劍下無情了。」

長劍橫削直劈，攻勢猛烈至極。

但五行劍陣，在青萍子主持之下，威力大增，而且兩個受傷弟子，也在青萍子劍招照顧之下，減少了不少壓力。

玄真道長雖然熟悉那五行劍陣的變化，但一時之間，也無法加以擊潰。

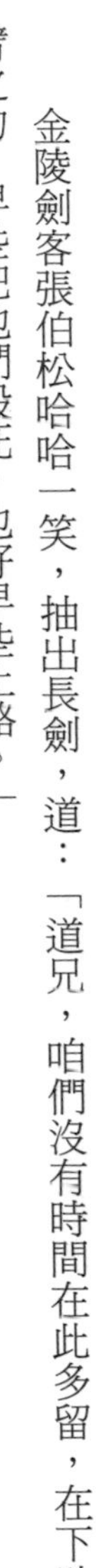

金陵劍客張伯松哈哈一笑，抽出長劍，道：「道兄，咱們沒有時間在此多留，在下助你一臂之力，早些把他們殺死，也好早些上路。」

玄真道長道：「他們不聽我的話，自是死有應得。」

張伯松突然上前一步，長劍一探，刺向青萍子。

張伯松雖然不解這劍陣變化之妙，但他冷眼旁觀甚久，已瞧出目下五行劍陣重要力量，大都集中在青萍子一人身上，由於他支援分助，才使劍陣保持不潰，如是對青萍子加強壓力，劍陣即使不致於立刻潰散，但可給玄真道長擊潰劍陣的機會，是以，劍招綿綿，一直攻向青萍子。

武當派五行劍陣，雖然不似少林羅漢陣變化複雜、精妙，在武林之中亦是威名甚著，張伯松雖然武功高強，但他不解劍陣變化奧妙，一動上手，才覺出劍陣的威力，明明是一劍刺向青萍子，但是劍陣一轉，卻被另外一個道人斜裏攻來的一劍，擋開張伯松的劍勢。因爲劍招攻襲方位，在張伯松劍勢力道上最弱之位，是故，雙方功力雖然相差很大，但張伯松的劍勢，仍被那道人一劍震開。

玄真道長劍勢一緊，唰唰唰刺出三劍。

這三劍看上去，都是刺向空間，但事實上，卻是阻滯五行劍陣的先機攻勢，三劍快攻過後，五行劍陣的變化，頓然一緩。

張伯松借勢快攻，疾攻四劍，迫得青萍子向後退了兩步。

玄真劍回如風，又刺傷一個道人，五行劍陣立時被兩人合手快攻衝散。

只聽玄真道長道：「青萍子，昔年我代師兄授你藝業時，曾贊你聰明過人，終非池中之

物，如今，你如想登上武當掌門之位，那就快些棄劍投降……」

青萍子冷冷接道：「你滿口胡言亂語。」

玄真道長大怒道：「不知好歹。」長劍一緊，又刺死一個弟子。

這時，追隨青萍子的弟子，除了已經離開的長平道長之外，兩個身受重傷，已無再戰之能，倒在地上，餘者全都戰死。

玄真道長四顧一眼，道：「青萍子，你隨行之人，已然傷亡全盡，目下只餘下你一個人了，如若答允投入天道教中，不但可保性命，且日後還可登武當掌門之位，如是再不聽師叔良言相勸，只有死亡一途了。」

青萍子冷笑一聲，接道：「師叔的惡毒行徑，自會有人歸告掌門，貧道今日縱是戰死此地，亦是無憾了。」

長歎一聲，仰臉望天，喃喃自語，道：「師祖請恕弟子無能，已無法把此凶訊帶回武當山上了。」

目光轉到張伯松的臉上，道：「你如還覺著自己是男子漢，咱們就單打獨鬥的一決死戰。」

張伯松還未來得及答話，突聞玄真道長咦了一聲，道：「奇怪啊？」

青萍子轉目望去，只見長平道長，手執長劍，緩步行了過來。

不禁大怒，厲聲喝問道：「無知的孽徒，還不返回山谷報訊，要回來送死麼？」

長平道長也不答話，微微垂首，直向前面行來。

青萍子不聞長平道長回答之言，心中更是惱怒，厲聲喝道：「你眼睛，耳聾了麼！」

長平道長仍不答話，只管埋著頭向前行進。

玄真道長似是已瞧出情形有些不對，冷冷喝道：「站住。」

長平道長突然加快一步，道：「還幾位師兄的命來。」長劍一揮，疾攻一劍。

這一劍快速、奇詭，兼而有之，玄真道長雖已早有防備，但他卻未料到，對方劍招如此之快，急急揮劍封架，已自無及，趕忙向後退了兩步。

長劍過處，由玄真道長小腹劃過，道袍裂開，傷及肌膚。

如非他及時退避，這一劍就要他腹破腸流。

青萍子見長平攻出一劍，已知他不是長平道長，不禁心頭暗道：「這是何許人物呢？偽裝成武當門下道長。」

就在他心念一轉之間，玄真道長也已警覺出，來人不是長平道長，一面揮劍反擊，一面冷冷喝道：「閣下是何許人，假扮武當門中弟子？」

長平道長也不答話，一味揮劍猛攻。

張伯松一皺眉頭，對青萍子道：「這人是誰？」

青萍子道：「討命的。」迎面一劍劈了過去。

張伯松揮劍相迎，兩人立時展開了一場惡鬥。

長平道長劍招奇幻，十回合之後，已逼得玄真道長只有招架之功。

青萍子滿腔激忿，早有拚命之心，眼看玄真被人纏住，立時劍走險招，招招皆指向張伯松的致命要害，而且，只求傷敵，不理本身安危。

這等玉石俱焚、同歸於盡的打法，使得張伯松完全失去了主動，處處以防守為先。

兩人搏鬥之間，突然一聲淒厲的長嘯，傳入耳際。

張伯松轉目望去，只見玄真道長長袍綻裂，長髮垂亂，一躍數丈，如飛而去，不禁心頭大駭，擋開了青萍子一記穿心劍，立時轉頭向外一躍數丈。

足落實地，還未站穩，見眼前人影一閃，長平道長橫裏擋住了去路，道：「閣下留下一點東西再走。」

張伯松長劍一起，迎胸刺去。

長平道長右腕疾落，啪的一聲，拍沉了張伯松手中劍勢，身隨劍轉，左手順勢一拍，正擊在張伯松右肩之上。

這一掌奇招橫出，只打得張伯松身軀一晃，栽倒在地。

張伯松右腕一抬，兩柄半尺長短的金芒，閃電擊出，人卻借勢一滾，滾出了八、九尺遠，挺身而起，飛躍而去。

長平道長揮劍一拍，擊落兩道金芒。

凝目望去，只見那兩柄擊落的金芒，乃是兩把八寸左右的金色短劍。

張伯松卻藉那長平道長擊落金劍之勢，轉身疾奔而去。

青萍子歎息一聲，道：「多承相救，貧道感激不盡。」

江曉峰望了那橫臥地上的屍體一眼，道：「在下趕援來遲，致使貴門中弟子，非傷即亡。」

青萍子望望斷指迸流的鮮血，道：「如非大駕來援，貧道亦難逃殺身之危。貧道生死事小，但如不把這次凶訊，回帶武當山去，就對本門有著極大的影響，對閣下大恩不敢言謝，但

不知是否可以告知姓名……」

長平道長一欠身，道：「在下江曉峰。」

青萍子道：「果然是江少俠，貧道心中本有此想，唉！非江少俠的身手，也難在片刻之間，擊敗武林中兩大高手。」

江曉峰緩步行到兩個身受重傷的道人身側，舉手一探，地上的兩個重傷的道人，竟也已氣絕而逝。

青萍子黯然說道：「他們傷中要害，早已無救，早死一刻，也可少受一些活罪！」

江曉峰道：「道長的傷勢呢？」

青萍子道：「貧道傷勢不重，不勞掛懷。唉！這番離山，六位弟子隨行，如今已死了五個，還有一個長平，不知死活。」

江曉峰道：「長平道兄已然易容改裝，趕回武當山去了！道長歸途之上，也許能和他相遇。」

青萍子仰面望天，長長吁了口氣，道：「十餘門派，分別下山。藍天義既然遣人擋截我們武當派，想必亦分遣人手擋截其他門派，江少俠分身乏術，寸陰如金，貧道不敢多耽誤你的時間，江少俠先請便吧！貧道掩埋了五位弟子屍體，即將兼程趕回武當山去，早把此訊稟報掌門。」

江曉峰道：「道長力戰甚久，還是坐息一陣才好，遮掩屍體的工作，由在下承當。」

青萍子本想推拒，但話將出口時，突然又改變了主意，盤膝坐下，閉目調息。

江曉峰選了一片山地，揮劍挖了一個土坑，把五具屍體，盡皆掩埋起來，用劍削一個木

牌，刻上「武當弟子之墓」，立在墓前。

回頭看去，青萍子仍然在閉目調息，頭上汗水隱現，顯是運功正到緊要關頭。

江曉峰心中雖是急於要走，但想到了青萍子的安危，必得有人守護才成，只好留下等候。

又有一個時辰，青萍子才調息醒來，睜開雙目，望了那新墳一眼，臉上泛現一片感激之情。

緩緩行到了新墳之前，閉目合掌，低誦兩聲無量壽佛，才轉身行向江曉峰，肅然說道：「江少俠年紀雖輕，但卻身負絕技，確是叫人敬佩，江少俠如能抽出空暇，希望近日中能到武當山上一行，貧道在山上恭候。」

也不待江曉峰答話，突然轉過身子，大步而去。

江曉峰望著那青萍子遠去的背影，突聞身後響起一陣步履之聲，回頭望去，只見那扮裝樵夫的公孫成，大步行了過來。

江曉峰道：「長平道長去了麼？」

公孫成道：「我帶他趕小路，翻了兩座嶺脊，告訴他應走之路，在約會之地，久等不見江兄，才趕了回來。」

江曉峰道：「我幫青萍子掩埋了死傷的弟子，又替他護法，讓他坐息了一陣才走，在下也就要趕往約會之地。」

公孫成突然抬頭看看那高聳的大榆樹，低聲道：「江兄，這大榆樹上，是否藏的有人？」

江曉峰抬頭看看那茂密的枝葉，心中暗道：「這樹上就算是藏上十個人，也是無法瞧得出來啊！」

口裏應道：「在下劍驚玄真和張伯松，落荒而逃，未見這樹上有人出現。」
公孫成略一沉吟，道：「這是一處出山要道，這大榆樹也高得出奇，如若是有人藏在那樹頂之處，這一帶行人往來，都難逃他的雙目。」
江曉峰道：「公孫老前輩說得不錯，在下上去瞧瞧。」
公孫成道：「這倒不用有勞江少俠了，在下還能對付，我上去瞧瞧吧！」轉身而起，爬上大樹。
片刻之後，突見枝葉翻動，一個人影，由樹上直掉下來。
江曉峰目力過人，已瞧出那人身著綠色短衫，前胸處一片鮮血，當下一躍而出，雙掌一推，先行一擋那人沉落之勢，然後，伸手接住那人，只見他臉色鐵青，已然氣絕而逝。
又等片刻，公孫成匆匆由樹上下來，道：「死了麼？」
江曉峰道：「氣息已絕。」
公孫成道：「本想留他活口，或許可問出一些內情，但樹上相搏，難以控制，下手重了一些。」
江曉峰放下屍體，道：「老前輩打算怎麼處置？」
心中卻暗暗忖道：「究竟還是老薑辣，我在此地守了一個多時辰，竟然想不到樹上可能有敵人的埋伏，他一到此，就瞧出破綻，論江湖上的閱歷、經驗，實應該向人家多多請教了。」
公孫成飛起一腳，把屍體踢入了峽谷之中，道：「走！看著王修如何安排。」
江曉峰道：「王老前輩也來了麼？在下已數日未見過他了。」
公孫成一面舉步而行，一面說道：「原本相約，咱們走在一起，以免實力分散，但因目下

息。」

形勢有了改變，咱們也不得不分頭行動，好在，我已和王兄研商出多種連絡之法，當能互通消息。」

江曉峰緊跟在公孫成身後而行，一面問道：「你說目下形勢大變，不知有了什麼變化？」

公孫成道：「藍天義來得太快，而且並非是咱們想像的合成數批，集中力量，先行消滅參與黃山大會之人，而是分成數十批，分路攔擊，且人數多寡不等，大都易容改面！」

江曉峰啊了一聲，道：「他們意欲何為呢？」

公孫成道：「藍天義比我們想像中還要陰險一些，這舉動不僅使在下覺著奇怪，而且連神算子王兄，也有些難明企圖，因此，決定分頭追查，以明內情。」

江曉峰道：「咱們馳援各路武林同道計畫，是否也有了更改呢？」

公孫成道：「目下敵我雙方，似乎是暗中較智、鬥力之局，咱們的行動，自然受著他們的舉動影響，隨時變更……」

稍一停頓，笑道：「有一個好消息，要告訴江世兄了，王修兄已經約請到幾位高手幫助咱們。」

江曉峰心中明白，王修用心，要他集中精神，多想、多練那藍夫人傳授之技，當下啊了一聲，不再多問。

兩人腳步加快，向前奔行，日落西山時分，到了一處十字路口。

公孫成停止腳步，四顧了一眼，不見人蹤，突然奔向一所道旁的福德祠中。

只見他右手提起供在福德正神前面的香爐，左手迅快地在下面摸出一物，放下香爐，奔回

原處，笑道：「瞧瞧這上面寫的什麼？」

江曉峰暗暗忖道：「好啊！原來他們利用土地廟做爲連絡之處，此廟比比皆是，倒真不失爲一大善策。」

公孫成展開函件望去，只見上面寫道：「兼程疾進彌陀寺。」

字跡潦草，顯然是匆匆寫成。

但江曉峰一望之下，還能認出那是方秀梅的筆跡，心中暗道：「就算熟悉了連絡信號，但地理形勢不熟，亦是無可奈何，這彌陀寺不知距此好遠，如是相距太遠，問路也問不出個所以然來。」

只見公孫成眉頭連皺，自言自語地說道：「奇怪啊，方姑娘似是很急促，連暗語也不用了……」

江曉峰道：「那定然是十分緊急之事，老前輩知曉彌陀寺距此好遠麼？」

公孫成略一沉吟，道：「大約有百里左右吧！」

江曉峰道：「如此之遠，只怕要大半夜的緊趕，她要咱們兼程急進，必然是十分重大的事，咱們要立刻動身才是。」

公孫成似是突然間想起了一件重大之事，急急說道：「不錯，定是如此，咱們得快些趕去才成。」放腿向前奔去。

江曉峰急起直追，道：「你想起了什麼事？」

公孫成道：「那彌陀寺的老方丈，是一位高僧！」

江曉峰道：「可是藍天義要加害那位方丈麼！」

公孫成道：「這也許是原因之一，但更重要的是，那彌陀寺中，有一個海眼井……」
江曉峰道：「什麼叫海眼井？」
公孫成道：「那彌陀寺後，有一口大井，據說那口井水直通大海。」
江曉峰道：「這傳說有些不可能吧！」
公孫成道：「這傳說在下亦不相信，但那寺中井水，卻和一般的井水不同，據說那井中每月之內，必有兩次，如同滾水開鍋一般的沸騰，有時水花竟能濺飛到井岸之上。」
江曉峰沉吟了一陣，道：「那彌陀寺的老方丈武功如何？」
公孫成道：「他雖從來不談武事，但武林中人，都知他是一位得道的高僧，而且有著很好的武功。」
江曉峰聽他口氣，似是對那彌陀寺中方丈的事，所知有限，也就不再多問。
兩人快步疾奔，兼程而進，沿途之上，除了飲水稍停之外，一直沒有休息。
那公孫成熟悉地理，半日一宵緊趕，到天色將亮時分，已到了彌陀寺外。
這時，天色破曉，景物隱約可見，彌陀寺隱現於漫天晨霧之中。
公孫成停下腳步，指著那大霧中巍巍的寺影，道：「這就是彌陀寺，咱們先行運氣調息一下，然後再進寺中看看。」
江曉峰長長吁一口氣，道：「咱們日夜兼程，趕到此地，如若因為一刻調息工夫，誤了大事，豈不是功虧一簣？」
公孫成道：「體能未復，趕往寺中，萬一遇上了事故，我們無法出手相助，那時，反將促使事情惡化了。」

江曉峰略一沉吟，道：「老前輩要多久時光，才能調息復元？」

公孫成道：「要完全復元，非一、兩個時辰不可，如若只求和人動手，一頓飯工夫就可以了。」

江曉峰微微一笑，道：「好吧！那麼老前輩請找一處安全所在調息，在下想先入寺中查看一下。」

長長吐吸地換一口氣，雙臂一抖，飛起而去，兩個起落，人已到彌陀寺外，再一個縱身飛入寺中，隱失不見。

公孫成雖感體力難支一場搏戰，也顧不得運氣調息，急起直追，飛入了彌陀寺中。

寺中，已然不見江曉峰行蹤何處，大霧彌漫中，但見殿房重重。

他究是久在江湖上走動的人，見聞博廣，略一沉思，立時縱下圍牆，閃身在一處牆角旁邊，運氣調息。

且說江曉峰飛躍一道黃色的圍牆之後，運足目力望去，只見一座空廣的院落，不見人影，約略估計，有畝許大小，幾棵大樹的枝葉，在濃霧中隨風飄動。

江曉峰打量過院中形勢，快步越過廣場，行近二門。

這二門兩側連著廂房，攔住了去路。

舉手一推，兩扇木門仍然緊緊關閉。

江曉峰一提氣，翻上屋面，再一飛躍，飄落實地。

這二門內的景物，大不相同，十餘棵高大的白果樹，散佈在畝許大小的天井院中。

四面房舍，使濃霧減弱不少，再加上江曉峰那過人的目力，已清晰地見到了四下景物。

二重院中，種植著不少花樹，晨霧中花氣芬芳。

一道紅磚鋪的小道，直通向第一重大殿。

這是一座規模宏大的寺院，房屋連綿，殿院重重，但卻靜得使人有些心悸。

江曉峰步踏紅磚而行，心中暗暗忖道：「如若這寺中還有僧侶，也該起身作早課了。」

心念轉動之間，人已踏上七級石階，行到大殿前面。

大殿前一排窗門，雖未打開，但窗簾未垂，可見殿中景物。

兩盞長明燈，熊熊燃燒，供台後三尊金身佛像，像前燃著一爐長香。

江曉峰看過殿中景物，心中更是懷疑，暗道：「殿中打掃得纖塵不染，何以不見僧侶？」

匆匆繞過大殿，向後行去。

突然間，一扇木門內，閃出來一個人影，攔住了去路。

江曉峰暗自冷笑一聲，道：「好啊！見到人了。」

定睛看去，只見那攔路之人，是一個十七、八歲的小沙彌。

江曉峰仍然穿著一身道裝，背插長劍。

小沙彌打量了江曉峰一眼，道：「佛、道不同，小師父走錯地方了。」

江曉峰淡淡一笑，道：「紅花、白藕、青蓮葉，三教本是一家人，小道貪趕路程，錯過宿店，腹中轆轆，想來化一餐飯菜充饑。」

那小沙彌淡然一笑，道：「原來如此，但此刻時光尚早，寺中早飯未開。小師父先請寺外

稍息，小僧到廚下瞧瞧有什麼可用之物。」

江曉峰道：「天已破曉，紅日即升，貴寺中的師父們，怎還不做早課？」

那個沙彌望望江曉峰背上的寶劍，反問道：「道兄身佩寶劍，想必是會武之人。」

江曉峰道：「千里獨行，難免遇上盜匪。」

那小彌沙口齒十分伶俐，淡然一笑，道：「利器可護身，亦可傷人，懷璧其罪，如若不精劍道，佩劍反將招殺身之禍了……」

抬頭望望天色，道：「道兄快請出寺外，小僧去廚下準備一下，立可奉上齋飯。」

江曉峰心中暗道：「他一味的攆我走，具中必有緣故。」

心中念動，口中卻說道：「看來師兄對僧、道之分，心有成見。」

小沙彌搖搖頭道：「道兄錯了，小僧勸道兄退出寺外，確是一片仁心，希望道兄不要誤會才好。」

江曉峰道：「如是小道不肯退出呢？」

小沙彌歎息一聲，道：「那當真是在劫難逃了！阿彌陀佛！」轉身向前行去。

江曉峰施出金蟬步的身法，一個轉身，攔在那小沙彌的前面，道：「小師父，可否把話說得清楚一些。」

小沙彌大約是已感覺江曉峰的身法，快得有點邪氣，停止腳步，又打量了江曉峰一陣，道：「你們已經來了？」

江曉峰心中暗道：「這小和尚大約把我看成了敵人，何不將計就計，求見方丈。」

心中念轉，口中卻應道：「不錯。貴寺中方丈在麼？」

那小沙彌點點頭道：「方丈已然遣走了寺中僧侶，恭候大駕多時了。」

江曉峰道：「那麼？勞請小師父帶我會見貴寺方丈如何？」

小沙彌點點頭，苦笑一下道：「你說話很客氣，一點也不像凶神惡煞的樣子，我們方丈曾經說過，真正大奸巨惡的人物，大都是陰狠不形諸於色，惡毒不著痕跡，難得你這點年紀，竟然已有了此等深沉的涵養。」言罷，放步向前行去。

江曉峰心中暗道：「這小沙彌，口齒伶俐，辯才極佳，我如答上腔，不知要費多少口舌，還是不理他為上。」

小沙彌帶著江曉峰穿過了兩重院落，到了一處翠竹環繞的幽靜院落之中。百竿綠竹，環圍著一座寂靜的禪房。

小沙彌輕叩禪房木門，道：「他們來了。」

禪房中傳出一個低沉的聲音，道：「請他們進來。」

江曉峰步入禪房，抬頭看去，只見一張寬闊的木榻上，坐著一位白眉垂目，面色紅潤，顎下無鬚的老僧。

他衣著整齊，高腰白布履，身披黃袈裟，禪榻一側，一張木案上，放著一個銅缽，缽上有蓋掩遮，不知內放何物，木案旁邊四張竹椅，銅缽邊兩卷佛經，整個禪房中，再無他物。

江曉峰打量過禪房景物，合掌說道：「小道見過老禪師。」

白眉老僧淡淡一笑，道：「老僧已然恭候甚久了，施主又何苦易容改裝呢？」

江曉峰微微一笑，道：「老禪師好眼光。」

白眉老僧長長吁一口氣，揚手對那小沙彌道：「大限已到，你可以逃命去了。」

小沙彌合掌說道：「弟子願追隨師父……」

白眉老僧哼一聲，接道：「你如不聽方丈之命，老衲即把你趕出門牆。」

小沙彌不敢再行強辯，就在禪房門外大拜三拜，轉身而去。

直待那小沙彌去後良久，白眉老僧才緩緩說道：「藍天義藍大俠還未趕到麼？」

江曉峰沉吟了一陣，道：「藍天義落後了一步，在下搶先了。」

白眉老僧怔了一怔，道：「你是誰？」

江曉峰道：「晚輩出道很晚，說出姓名，老禪師也未必知曉，只要老禪師能相信晚輩不是藍天義一夥人，那就成了。」

白眉老僧又仔細地瞧了江曉峰一陣，道：「如若老衲未走眼，施主的年齡應該不大。」

江曉峰道：「老禪師看對了。」

白眉老僧道：「施主不是玄門中人。」

江曉峰道：「老禪師又說對了。」

白眉老僧道：「如是老衲不允施主留此呢？」

江曉峰道：「那就要老禪師設法把在下攆走了。」

白眉老僧輕輕歎息一聲，低聲說道：「現在，你想走只怕也走不了啦。」言罷，閉上雙目，不再理會江曉峰。

江曉峰凝神聽去，果然聞得了輕微的步履之聲，心中暗道：「這老和尚耳目如此靈敏，定也是武林中人。」

心中念轉，人卻行向禪室一角，就地盤膝而坐。

江曉峰剛剛坐好，步履聲已入禪室，微微側目望去，只見當先一人，長衫福履，正是藍福，藍福身後緊隨著明豔照人的藍家鳳。

藍福目光一掠江曉峰，未加理會，卻對白眉老人拱手說道：「老禪師久違了，還記得在下麼？」

白眉老僧輕輕歎道：「你是藍福藍老施主。」

藍福道：「老禪師好記性。」

回顧藍家鳳一眼，道：「這位藍姑娘，乃是敝東主藍大俠的千金，藍大俠事務繁忙，不克親來，特遣藍姑娘和區區代他拜會老禪師。」

白眉老僧道：「不敢當，藍老施主有何見教，儘管請講。」

藍福道：「貴寺僧侶眾多，香火鼎盛，此刻怎的竟然不見一人？」

白眉老僧道：「他們都是深具善根的佛門弟子，不解武事，都已爲老衲遣離此地了。」

藍福道：「老禪師說得是，佛門弟子，戒律甚嚴。不過，區區希望我們需要之物，還在寺中。」

白眉老僧淡淡一笑，道：「藍老施主需要何物？」

藍福道：「老禪師是真的不明白呢？還是故作不知。」

白眉老僧道：「老衲自然是真的不知，豈有故作之理。」

藍福道：「在下來此之時，藍大俠曾經再三囑咐，不可對老禪師無禮，是以，在下不希望鬧出不歡之局。」

白眉老僧點頭歎道：「藍大俠如此相囑，足見和老衲還有一點香火之情。」

藍福道：「好來好散，彼此有益，老禪師交出金蟬，我們立時告辭，決不動彌陀寺一草一木。」

白眉老僧搖搖頭，道：「藍姑娘和藍老施主來晚了一步。」

藍福微微一怔，道：「怎麼說？」

白眉老僧道：「那金蟬已被老衲放入寺後井中了。」

藍福臉色一變，冷冷說道：「這話當真麼？」

白眉老僧道：「老管家知曉在下從不撒謊。」

藍福臉上透出殺機，口中卻仍然平和地說道：「老禪師放走金蟬，準備如何對我們教主交代？」

白眉老僧笑道：「什麼教主？」

藍福自知失言，但已無法改口，只好說道：「就是敝東主藍大俠。」

白眉老僧道：「原來藍大俠已自封了教主，那麼藍老管家也定已榮任要職了？」

藍福道：「老禪師心胸很開闊，在下十分敬服。」

白眉老僧淡然一笑，道：「事已如此，老衲驚怯逃避，似也於事無補了。」

藍福道：「好一個事已如此，老禪師想必早已胸有成竹，對教主有所交代了？」

白眉老僧笑道：「我想，你來此之事，藍大俠定然已對你有所交代。」

藍福道：「不錯，教主確有交代，要在下無論如何要取回金蟬。」

白眉老僧道：「如是取不回去呢？」

藍福道：「那就要老禪師的項上人頭抵償。」

白眉老僧點點頭，道：「這個，老衲已經準備好了，我遣走寺中僧侶，已準備引頸受戮。」

藍福冷冷說道：「你僞裝不會武功一事，瞞得過別人，但卻瞞不過我藍福，咱們到後院一決勝負，但你不能逃走，如是不守信諾逃走，在下要燒毀這彌陀寺，追殺數百僧侶。」

白眉老僧道：「這個麼？老衲也曾想到，所以，老衲留在這寺院中，恭候大駕，老衲願以人頭償還放去金蟬之舉，還望老管家上覆藍大俠，就說這彌陀寺中，除了老衲之外，都非會武之人，希望他能網開一面，放了寺中僧侶，保存這座古刹，老衲死而無憾了。」

藍福淡淡一笑，道：「聽你的口氣，似乎你是有意放了金蟬。」

白眉老僧點點頭，道：「那金蟬已是通靈之物，老衲實不忍加害於牠。」言罷，閉上雙目。

江曉峰只聽得大為感動，暗道：「這老和尚為了救一隻金蟬之命，不惜以生命償還，這等博愛的胸襟，才是佛門真諦。」

江曉峰微啓雙目望去，只見那白眉老僧氣定神閒，法相莊嚴，全無一點畏懼之色，當真是有著視死如歸的氣度。

藍福一皺眉頭，回顧了藍家鳳一眼，道：「勞請姑娘動手。」

藍家鳳怔了一怔，道：「要我動手？」

藍福微微一笑，道：「這老和尚武功高強，我一直不相信他會引頸受戮，所以，我要防備著他出手反擊。」

藍家鳳緩緩抽出長劍，舉了起來。

江曉峰只看得心頭大爲震動，暗道：「此女貌如嬌花，形若春水，怎的心地如此歹毒？」

只見藍家鳳長劍一落，劈了下去。

江曉峰心中又急又怒，正待出手相救，藍家鳳突然停下了劍勢，緩緩說道：「他不肯還手，我無法狠得下心，我不殺，要殺你們動手吧！」轉過身子，向內行去。

藍福雙目聳動，似想發作，但又強自忍了下去。

但江曉峰心中卻突然泛升起無限希望，忖道：「她心地善良，看來，究竟是和別人不同。」

心念轉動之間，瞥見藍福右手一探，長劍出鞘，回劍如風，直向那白眉老僧橫削過去。

江曉峰雖然早已有準備，但見藍福出劍太快，快得恐怕自己救援不及，心中大急之下，急聲喝道：「住手！」

喝聲中，拍出一掌，擊向藍福的後背。

藍福反應靈快，身子一轉，長劍隨收，斬向那白眉老僧的劍勢，突然之間，變成了護身劍招。

江曉峰旨在救人，一看藍福收住了劍勢，立時也收回了掌勢。

藍福輕輕咳了一聲，道：「閣下什麼人？」

江曉峰心中暗道：「聽他口氣，還未認出我的身分，最好是給他一個莫測高深。」

心中念轉，口中說道：「在下是過路的，承方丈慈悲，留宿寺中，看到你們這等殺人放火的惡毒匪性，頗有不平之感……」

藍福冷笑一聲接道：「一派胡言。」

目光轉到白眉老僧的臉上，道：「原來老禪師已經早有了準備……」

突然仰天打個哈哈，接道：「老禪師，只請一人，不覺實力太過單薄麼？」

白眉老僧在聽到那江曉峰呼喝之聲時，已然睜開眼睛，輕輕歎息一聲，道：「阿彌陀佛，施主和老衲素不相識，何苦捲入這是非漩渦之中，聽老衲之言，快些去吧！」

江曉峰心中暗道：「這老和尚明明一身武功，不知何以竟不肯出手抗拒，看來非得拖他下水不可，讓他百口莫辯。」

心中主意已定，故意冷笑一聲，說道：「受人之托，忠人之事，在下既蒙老禪師邀來助陣，豈能坐視老禪師被人殺死不救？」

白眉老僧一皺眉，道：「施主感情，老衲心領了，你還是快些逃命去吧！你留下，也不過是多加一條人命，於事何補？」

藍福冷眼旁觀也不接口，靜靜聽著兩人相辯。

江曉峰暗道：「這老和尚一心想死，不知為了何故。」

心中一急，突然說道：「老禪師金蟬交給在下，已是懷璧其罪，你想我還能夠走得了麼？」

江曉峰目光微轉，只見藍福和藍家鳳四道目光，都已投注自己的臉上，顯然，這番話，已然收到很大的效果。

原來，他忽發奇想暗道：「那老和尚不在乎自己的生命，卻把寺中僧侶全部遣走，死亡之故，是為了一隻金蟬，我如能把生死的大罪攬上身來，看他如何處理。」

心中暗定主意，口中卻說道：「老禪師只管放心，我收藏金蟬之處十分隱密，他們可以取

我之命，卻無法取去金蟬。」

白眉老僧接道：「你這人滿口胡言。」

目光轉到藍福的臉上，接道：「藍老施主，不用聽他胡言亂語，他乃今晨才到敝寺中討食之人，老衲怎會把金蟬交付於他。」

藍福道：「禪師可能舉出證明麼？」

白眉老僧怒道：「老衲從不說一句謊言，還要什麼證明？」

他面對死亡，從容鎮靜，毫無畏懼和自保之意，但藍福一句輕藐之言，卻使白眉老僧臉上泛起了忿怒之容。

江曉峰心中暗暗喜道：「原來，他還未勘破榮辱之關！」

但聞藍福冷笑一聲道：「在下也素知老禪師不說謊言……」

白眉老僧接道：「那就是了，你割下老衲首級，回去見藍天義吧！」

藍福冷笑一聲道：「如是在下能夠帶回金蟬，豈不更好。」

白眉老僧道：「金蟬已為老衲放走，你怎的不肯相信？」

藍福道：「世事多變，人心難測，咱們已二十年未見過面，在下如何能完全相信老禪師。」

白眉老僧臉泛慍色，道：「那你要如何？」

藍福道：「在下麼？先要這位小道兄交出金蟬。」

目光轉到江曉峰的臉上，道：「那金蟬你藏於何處？」

江曉峰搖搖頭道：「不能告訴你們。」

藍福淡淡一笑，道：「你口氣很硬，老夫要數數你身上有多少硬骨。」

一面答話，一面舉步向江曉峰行了過去。

江曉峰暗中運氣戒備，但表面卻不露聲色。

廿二　各逞心機

年來時光，江曉峰已得烏王呼延嘯大部真傳，從那藍夫人學藝四月，更是獲益不淺，不但內功、招術，都非過去可比，而且對敵之間，也學得沉著異常，是以，目睹藍福行來，仍然是靜坐不動。

但聞那白眉老僧怒喝道：「藍福，你站住！」

藍福回過頭來，淡淡一笑道：「什麼事？」

白眉老僧道：「老衲已經再三說明，這人和金蟬無關。」

藍福道：「老禪師之意呢？」

白眉老僧道：「讓他離開。」

藍福道：「只要老禪師能夠答允在下，交出金蟬，在下立時放他離去。」

白眉老僧道：「金蟬已爲在下放入後院井中，你們如有能耐，自去撈取就是。」

藍福道：「這麼說來，老禪師是執意不肯交出金蟬了？」

口中在對白眉老僧講話，目未回頭，右手一探，已抓住了江曉峰的衣領，一舉手，把江曉峰生生提了起來。

江曉峰存心激起白眉老僧的抗拒之心，眼看藍福伸手抓來，也未出手封架，只是運氣自

保，不讓他拿住穴道，任他抓住了衣領。

藍福仰天打個哈哈，道：「小道士，你剛才發出的掌勢，頗有凌厲氣勢，怎的竟會避不過老夫這一招擒拿手法？」

江曉峰道：「你突然出手，暗算傷人，算不得英雄人物。」

藍福冷冷說道：「老夫無暇和你多費口舌。」

右手回轉，拍向江曉峰的前胸。

江曉峰心中知曉，這一掌如若被他印上，定是傷得很重，正待出手抗拒，瞥見那白眉老僧右手一探，閃電奔雷一般地托住了藍福的右肘，道：「藍福，你不能濫殺無辜，快放開他。」

藍福微微一怔，道：「老禪師這些年來，禪功是越來越精進了。」

暗中氣貫左臂，陡然一回手，撞向那白眉老僧。

白眉老僧一襲袈裟無風自動，右手微微一抬，使藍福一肘撞空，口中說道：「藍老管家，你肘間關節被拿，仍有反擊之能，老衲佩服得很。」

藍福希望一肘能撞傷那白眉老僧，至少可逼他放了拿住自己肘間的右手，哪知不但未能如願，反因肘勢落空，強勁的內力，帶動身子，直向雲榻之上撞去。

但他究是非凡人物，左腿一觸木榻，借勢一穩身子，收回內勁。

凝目望去，只見那白眉老僧的右手，仍然抓住自己左肘間的關節。

這一回合交接，雖非拳掌、刀刃相搏，但凶險尤有過之。

藍福暗暗吸一口氣，右手五指緩緩鬆開，放下了江曉峰。

白眉老僧也緩緩放開了藍福的左肘，道：「老衲無意和藍大俠為敵，也無意和你動手……」

藍福道：「但你剛才已動手了。」

白眉老僧道：「老衲只是不准你濫殺無辜。」

藍福望了江曉峰一眼，道：「這小道士今天死定了，除非老禪師能在武功上勝了我藍福。」

白眉老僧搖搖頭，道：「老衲如有和你動手之心，適才就可制敵機先，錯開你肘間的關節。」

藍福冷笑一聲，道：「我能轉穴移位，並有三陰氣功護身，老禪師不肯傷我，不覺著太誇口一些了麼？」

白眉老僧怔了一怔，道：「你練了三陰氣功，可是也練會三陰掌了。」

藍福道：「不錯，老禪師可想試試麼？」

白眉老僧道：「你練了這等惡毒的武功，無怪是人性大變，已不是二十年前的藍福了……」

舉手對江曉峰一揮，接道：「小施主，除非你存了非死不可的心，現在可以走了。」

江曉峰略一沉吟，道：「我能夠走得了麼？」

白眉老僧道：「你答應走了？」

江曉峰道：「老禪師似是非要迫我離開，那也是沒有法子的事。」

白眉老僧聽他口風輕鬆，詞意中若有憾焉，心中暗自奇道：「這個道士來得奇怪，而且故意把事情攬到頭上，適才發掌，力道雄猛，確非一般江湖人物，難道他是有意而來麼？」

只聽藍福冷冷說道：「梁、商兩位護法，不論何人，未得我命，如想擅自離開禪房，儘管下手格殺。」

原來梁拱北、商玉朗二人，早已藏在室外待命，聞得藍福呼喊，才一齊出現，齊齊欠身應了一聲。

江曉峰心中暗道：「聽藍福口氣，似乎是並未發現公孫成，此人機智過人，必可自保，暫時倒不用替他擔憂了。」

心中念轉，口中說道：「老禪師，在下離此禪室，必死無疑，只有寄望老禪師相救了。」

白眉老僧冷哼一聲，道：「你自投羅網，不聽勸告，老衲只怕也無能救得你了。」

藍福道：「能，只要老禪師要他獻出金蟬，不但他可以安然離此，老禪師這彌陀寺亦可安然無恙，此後江湖，不論如何演變，老禪師這彌陀寺，都將是一塊樂土。」

言下之意，無疑是許諾彌陀寺，此後不受武林中紛亂干擾。

白眉老僧輕輕歎息一聲，道：「老衲遣走僧眾，放去金蟬，以身相殉，用心就是希望此後能永絕禍患，彌陀寺不再受武林中風波干擾，想不到你竟是不肯相信老衲之言……」

藍福長長噓一口氣，接道：「老禪師，在下事務繁忙，不能在此多留，也不願再多費唇舌，老禪師只有兩個選擇，一個是交出金蟬，一個是和在下動手，一分勝負。」

白眉老僧冷冷說道：「老衲已再三說明，金蟬已放入了後院井中，你們有辦法自去打撈，放走這位施主，老衲引頸受戮，你攜老衲首級，回去覆命去吧！」

藍家鳳突然接口說道：「藍老護法，這位老禪師是一位得道高僧，他的話，似甚可信。」

藍福淡淡一笑，道：「姑娘，對他的了解，老奴自信比你深刻，此刻看來，他儼似得道高

僧，但如姑娘知曉了他昔日的為人，就不會把他看作得道高僧了。」

說話之間，陡然回手一把，抓向江曉峰的左腕脈穴。

江曉峰早已暗中運氣戒備，本可讓開一擊，但他默查那白眉老僧，似是還未堅定抗拒之心，只好再一次置身險境，以激起那老僧抗敵之心，微微一探左臂，避開了脈穴要害，讓那藍福抓住小臂。

那白眉老僧雖然不計較自己的生死，但對別人的安危，卻是看得十分重要，江曉峰這苦肉計，還是真的生了很大的效用。

只見那白眉老僧雙眉一聳，冷冷說道：「你當真要老衲出手麼？」

藍福冷冷一笑，道：「老禪師太輕淡自己的生死，但對他人的生死，卻似是看得十分重要……」

回目一顧藍家鳳，接道：「鳳姑娘，先斬下這小道士一條右臂。」

藍家鳳略一猶豫，揮劍斬來。

但聞那白眉老僧厲聲喝道：「住手！」

喝聲中一躍而起，直向藍福撲去。

藍福冷冷一笑，道：「老禪師終於動火了。」

不退不避，左掌一抬，反向那白眉老僧掌上迎去。

江曉峰也同時發動，身子一閃，避開了藍家鳳，輕靈迅速，奇奧異常，正是金蟬步的身子。

藍家鳳微微一怔，收住長劍，道：「你！」

只聽蓬然一聲，藍福和那白眉老僧雙掌接實。

白眉老僧飛離雲床的身軀，陡然又退了回來，仍然盤膝坐在原位。

藍福也被那強猛的掌勁，震得向後退了兩步。

江曉峰卻借勢，用力一掙，掙脫了藍福手掌中的左臂。

藍家鳳叫了一個「你」字之後，忽生警覺，立時住口，長劍揮動，唰唰唰，連劈三劍。

她原想以凌厲的劍招，逼使對方再用出金蟬步法，哪知江曉峰心中亦有了警覺之心，竟然是不再用金蟬步法，一面施展突穴斬脈的手法，封堵藍家鳳的劍勢，一面閃身讓避，三劍躲過，兵刃也出鞘，劍握手中。

藍家鳳停住劍勢，未再搶攻，江曉峰也未再揮劍還擊。

藍福長長吁了一口氣，冷冷說道：「老禪師這禪室之中狹小，咱們到外面動手如何？」

白眉老僧望了望江曉峰，忖道：「這人是何來路，實叫人納悶，他能從藍福手中掙脫，足見武功不弱了。」

忖思之間，突見藍福一側身子，疾向木案上的銅缽抓去。

白眉老僧心中正盤算如何應對今日之局，想阻止已是不及。

突然劍光一閃，寒芒一道，閃電而至，斬向藍福的右腕。

發劍之人，正是江曉峰。

他劍勢迅快，迫得藍福不得不疾快地縮回右手，避開劍勢。

江曉峰一劍逼向藍福，身子一側，擋在木案前面。

藍福雙目中殺機浮動，冷冷說道：「好小子，老夫幾乎被你騙過……」

目光轉到白眉老僧身上，道：「老禿驢不用再裝腔作勢了，你既早約好了助手，還故意惺惺作態，難道你出了家，就無大丈夫氣概了麼！」

這幾句話，罵得十分苛毒，白眉老僧似是已難再按下心頭之火，冷笑一聲，道：「藍福，你敢對老衲如此無禮。」

藍福冷笑一聲，道：「你如再故弄玄虛，老夫還要罵出更難聽的話。」

白眉老僧緩緩下了雲榻，伸手抓起木案上的銅缽，望了江曉峰一眼，道：「小施主，你用盡心機，想挑起老衲抗拒之心，終於如願了。」

目光轉到藍福的臉上，接道：「這些年來，想必你已經練成了驚人之技，才這般目中無人，舉動狂妄，咱們到後院中去吧！」

藍福道：「你早該這麼痛痛快快動手一戰了。」轉身向外行去。

藍家鳳、白眉老僧、江曉峰魚貫相隨，行出禪室後，又穿過兩重殿院，到了後院之中。

這時，已是日上三竿時分，霧氣盡消，後院中景物清晰可見。

江曉峰目光轉動，四顧一眼，只見這座後院十分廣大，假山花樹、小橋流水，顯是經過一番很久時間的經營、佈置。

假山旁花樹環繞著一片很大的草坪。

藍福站在草坪中間，一揚手中長劍，道：「老禪師可以出手了。」

白眉老僧淡然一笑，道：「急什麼？老衲既答應你，一定領教，不過，這位施主，確非老衲邀請的助手，老衲亦未把金蟬交付於他，此事和他全然無關，你放他離開，咱們立時動

手。」

藍福道：「老禪師，我藍福走了幾十年江湖，豈容人往眼裏揉進沙子，相信天下沒有非要找死不可的人，他苦苦挑撥你起而抗拒，豈是無因……」

白眉老僧接道：「你硬是不信老衲的話了？」

藍福道：「我相信他不是你約的助拳人……」

白眉老僧道：「那你爲何不放他走？」

藍福道：「因爲他有爲而來，老禪師也許不知，但他卻是受人遣派而來……」

江曉峰道：「藍福，你當真是老謀深算，猜得一點不錯。」

藍福忽道：「你敢直呼老夫之名，等一會兒我要你叫我老祖宗。」

白眉老僧歎一口氣，道：「看起來，施主是當真的不想活了！」

江曉峰道：「這叫做在劫難逃，如果老禪師能夠戰勝藍福，在下就可以活命了。」

白眉老僧冷冷說道：「小施主的算盤打錯了，老衲勝算不大。」

江曉峰道：「那就沒有法子了，咱們只好一起死了。」

藍福目光轉動，只見藍家鳳、梁拱北、商玉朗，都已亮出兵刃，守在四周，沉聲說道：「你們守著這小道士，不要他逃走就成，我收拾了老和尚，再對付他。」

話聲甫落，反手一劍，刺向白眉老僧。

白眉老僧左手托著缽底，右手持著缽蓋，銅缽一送，嗆的一聲，把藍福劍勢滑開。

藍福道：「你是得道高僧，決不會先行出手，在下不願再拖下去了。」

口中說話，手中劍勢未停，唰唰唰連刺三劍。

白眉老僧手中銅缽左揮右擋，把藍福的劍勢，全都滑開。

江曉峰心中暗道：「這老和尙把銅缽當作兵刃，而且缽上還要加個蓋子，那是只能防守，不能攻敵了，不論多麼高強的武功，如若是只能守不能攻，那是永處劣勢，非敗不可了。」

只聽藍福冷冷說道：「老禪師密合銅缽，銅缽中有何古怪，可以施展了，再不施展，只怕沒有機會了。」

白眉老僧也不答話，凝神而立，雙目盯在藍福長劍之上。

藍福奇招連出，一口氣攻出了二十餘劍，盡都爲那白眉老僧手中銅缽，滑震開去。

這時，藍福已警覺到對方並非只憑銅缽光滑之力，滑開自己劍勢，而是一種很特殊的武功，奇怪的是，他一直不肯出手反擊，不知是何緣故……

忖思之間，突聞那白眉老僧說道：「藍福，你要攻出幾劍才算夠？」

藍福停下劍勢，道：「你如不肯還手，咱們永遠無法分出勝敗了。」

白眉老僧道：「你如是一百劍不能傷害到老衲，難道還要再攻一百劍麼？」

藍福道：「不錯。除非你能殺了我，或使我失去了再戰之能。」

白眉老僧皺皺眉頭，道：「老衲不願殺人。」

藍福道：「那只有等著被殺了。」再度揮劍而攻。

這次，劍路大變，專削白眉老僧握缽的雙腕，但見一道銀芒，翻轉飛騰，繞著白眉老僧的銅缽和雙腕飛旋。

這法子真是惡毒無比，白眉老僧頓然被迫得手忙腳亂。

那老僧手中銅缽，雖然防守的招術佳妙，但他無法反擊，先機已失，藍福改變打法之後，

劍勢只攻雙腕，又正是攻其脆弱之處，那白眉老僧勉強支持了十餘招，被藍福一劍刺中左腕，僧袍破裂，傷及肌膚，鮮血涔涔流了出來。

奇怪的是，那白眉老僧，仍是只採守勢，手中銅缽疾如輪轉，封擋藍福的劍勢。能和藍福拚鬥數十招，非具有非常的武功莫辦，但使江曉峰想不通的是，這白眉老僧何以只守而不攻呢！

心中百思難解，忍不住失聲叫道：「老禪師你如再不還手，不但你死定了，就是在下也得賠上一條命了。」

他心中明白，這白眉和尚，對自己的生死之事，早已全不關心，但對別人的生死，卻是重視異常。

只聽白眉老僧應道：「老衲還可接他十幾招，你如是要命，怎不借機逃走？」

江曉峰仍不見他還手，卻要自己逃命，不由心頭火起，冷冷說道：「我如要走，早就走了，你如是一定想死，在下也只好奉陪了。不過，在下覺著大師死得十分不值。」

說話之間，藍福劍法已變，招招快如閃電，白眉老僧已然被刺中了十餘劍，一件袈裟，破裂了十餘處，處處見血。

但見銅缽招數也極神妙，總是不讓劍勢刺中要害，雖然身中十餘劍，滿身浴血，但都在肌膚之上，仍未失再戰之力。

江曉峰只看得暗暗心驚，忖道：「他浴血而戰，長鬥下去，失血過多，就算不被藍福殺死，亦將因失血過多而亡，得設法讓他休息一下才是。」

他自得鳥王呼延嘯和藍夫人傳授武功之後，藝業大進，尤以藍夫人相授的武功，雖非是整

套的劍術、拳法，但大都是保命、制勝的絕學，這些日子中，又服用松溪老人的靈丹，感覺之中，內功亦有很大進境，或可和藍福一戰。

暗中估量敵我形勢，正待接替白眉老僧，耳際間卻響起了藍福的聲音，道：「老禪師還是不肯認輸麼，在下已經劍下留情了。」

白眉老僧縱聲而笑，道：「老衲可以戰死，卻別想叫我認輸。」

江曉峰冷笑一聲道：「老禪師視死如歸的豪氣，雖然可佩，但死有重如泰山，輕如鴻毛，老禪師一味求死，卻不計死得值也不値。」

說話中一個飛躍，長劍探出，一式「風起雲湧」，噹噹噹三聲金鐵交鳴，擋開了藍福的劍勢，接著說道：「老禪師暫請休息一下，讓在下試試藍福的武功如何？」

他出手一劍，不但使藍福大爲驚訝，那白眉老僧也同樣心頭震動，想不到這位衣著破損的小道士，竟然是劍術名家。

江曉峰一劍封擋開藍福劍勢，接著又一招「烽火千里」，長劍閃起了一片劍花，凌厲的劍招，把藍福迫得向後退了兩步，橫身攔在了白眉老僧的身前。

藍福愕然問道：「閣下什麼人？」

江曉峰略一沉吟，道：「在下麼？嚴懲惡。」

藍福道：「嚴懲惡，從沒有聽人說過啊！」

江曉峰笑道：「凡是武林僞善、邪惡之徒，在下都要嚴而懲之。」

藍福恍然大悟，怒道：「好狂的口氣。」長劍一振，刺了過來。

這一劍，招式奇幻，若點若劈，長劍快近胸前，真叫人無法分辨他刺向何處。

江曉峰心中早已盤算，如若和他纏戰下去，被他瞧出劍路，自己恐難是敵手，趁他還未了然自己身分之前，給他迅雷不及掩耳的快攻，如能傷得他，或是把他驚走，那是最好不過了。

他心中早已打好了主意，眼看藍福一劍刺來，立時一個大轉身，長劍護身，噹一聲震開了藍福的長劍，直向藍福刺去。

這變化大出武學常規，藍福長劍攻出，還未來得及收回，江曉峰人已刺進藍福懷內，手中長劍忽的推出，一片劍光，直斬過去。

這一招是藍夫人所授絕技之一，名「天女散花」，妙在那抱劍一轉，靈巧異常地欺近了敵身，然後劍灑一片銀芒，不傷劍下，那是絕無僅有了。

但那藍福確有人所難及的非常武功，千鈞一髮之間，突然一吸氣，腿不打彎，腳未移步，硬繃繃地向後退了兩步。

他應變雖快，仍被江曉峰的劍勢掃中小腹，衣袍破裂，鮮血泉湧而出。

江曉峰不待藍福有還手的機會，立時飛躍而起，縱起一丈四、五尺高，又頭下腳上，飛撲藍福。

這一招卻是呼延嘯的飛禽身法中的厲害招術，「大鵬搏虎」。

他片刻之間，連出奇技，都是冠絕一代之學，藍福雖然身負絕技，也被他鬧得手忙腳亂，眼看長劍落下，不顧傷勢，振劍而起，劍繞頂門，幻起一片銀虹，一陣金鐵交鳴，雙劍觸接一起。

江曉峰就借雙劍交觸之力，陡然一沉身子，頭上腳下翻了過來，蓬然一腳，踢中了藍福左肩。

這一腳力道極猛，只踢得藍福連打了兩個跟頭，滾出去六、七尺遠。

藍福雖然連受重創，但他憑藉深厚的功力，強提真氣，一挺而起，右腕一揚，把長劍直擲過來。

左手按在傷處，一面說道：「你們快走。」

藍家鳳、梁拱北、商玉朗，目睹藍福狼狽之狀，心中無不大驚，幾人心中明白，藍福武功，強過自己甚多，如若他不是對方敵手，自己上去，無疑是白送性命。聽他叫走，立時轉身向外奔去。

江曉峰一劍撥開藍福投來兵刃，雄心陡生，暗道：「這藍福乃是藍天義為非作歹的第一助手，今日能夠把他除去，也可一挫藍天義的銳氣。」

一轉念間，殺機突生，飛身而起，連人帶劍，直飛過去。

藍福大喝一聲，右掌霍然劈出，人卻就地一滾，閃到八尺開外，挺身而起，疾如飛矢而遁。

江曉峰但覺藍福劈來掌勢中，挾著一股陰寒之氣，不自覺地打了一個冷顫，心中不禁一怔。

就這一怔神間，藍福已走得蹤影全無，兩人交手相搏，雖是凶險百出，看得人心悸生寒，但時間卻極短促，也不過是片刻的時光。

白眉老僧目睹強敵逃走，急步行了過來，道：「施主身負絕技，老衲有眼不識，失敬了。」

江曉峰想到，適才他一味求死，只守不攻的情境，不禁心頭冒火，冷冷說道：「大師求

死未能得如所願，全是在下之罪，不過，你不死，也許有人會代你而死，你也可稍消心中之氣了。」言罷，轉身大步而去。

白眉老僧急急說道：「施主止步。」

江曉峰行了幾步，頓覺攻心寒氣，擴張奇速，雙臂上亦寒意森森，不禁心中大驚，暗道：「這是什麼惡毒武功，如此厲害，大有立刻間擴延全身之勢。」

白眉老僧不聞江曉峰回答，急步追來，回身擋住去路，道：「施主受了傷？」

凝目望去，日光下，只見江曉峰頂門之上泛起了一片鐵青顏色。

江曉峰道：「嗯！我中了藍福的暗算，自覺傷得不算輕，但我求生之意很強，沒有大師視死如歸的豪氣，我要找一個地方療傷。」一側身，又舉步向前行去。

白眉老僧橫跨兩步，又攔住了江曉峰的去路，道：「施主，你傷在何處，有何感覺？」

江曉峰道：「他打了我一記劈空掌，掌力中挾帶著一股強烈的森寒之氣……」

白眉老僧急急接道：「施主有何感覺？」

江曉峰道：「我覺著身上寒意很濃，要找個地方靜坐調息一下。」

白眉老僧凝目自語，道：「三陰氣功，三陰掌，施主定然身中了三陰掌了。」

江曉峰道：「三陰掌很惡毒麼？」

白眉老僧道：「那是一種至陰、至毒的武功，昔年曾經震動了中原武林，此功失傳已久，想不到竟爲藍福練成。」

江曉峰長吸一口氣，道：「在我未死之前，我要盡力掙扎，如果療治不好，那也是命中注定，老禪師快些逃命去吧！在下就此告別了。」

白眉老僧道：「施主不能走，老衲……」

江曉峰道：「怎麼？你一定要我留在這裏陪你死麼？」

白眉老僧道：「老衲四十歲前，確是作惡多端，一度和藍天義交往甚密，四十歲後放下屠刀，深悔昔年罪惡，立誓決不妄傷一人，唉！這幾十年來，老衲內咎神明，一想起昔年之事，就覺著非一死難以安心，是以，適才動手時，老衲只守不攻。」

江曉峰啊了一聲，道：「原來如此，佛門廣大，慈航普渡，老禪師有此善心，必有回報，在下是自找煩惱，老禪師不用爲我擔心，在下如是幸能不死，咱們後會有潮。」

白眉老僧正容說道：「三陰氣功非常惡毒，名醫束手，療治不易，施主乃今世英雄，鋤奸俠士，老衲怎能坐觀不救。」

江曉峰怔了一怔，道：「怎麼？你能治療？」

白眉老僧道：「主要是這靈藥難求，老衲醫道雖然不精，但我有靈藥，可供施主療傷之用。」

江曉峰道：「甚麼靈藥？」

白眉老僧道：「金蟬子。」

江曉峰道：「金蟬子，那金蟬不是早已被你放走了麼？」

白眉老僧沉吟了良久，道：「那金蟬乃救世奇寶，老衲怎能輕易棄去？」

江曉峰道：「那你剛才所說，是騙他們了？」

白眉老僧道：「那也不是，老衲確已把金蟬放入這後院水井之中，不過，如若不知打撈之法，那就永遠無法取出了。」

江曉峰啊了一聲，道：「原來如此。」

語聲微微一頓，道：「老禪師要如何療治在下的傷勢？需要多久時間？」

白眉老僧道：「那要看施主的時間和希望了。」

江曉峰呆了一呆，道：「療傷醫病，還要受傷者決定時限，這倒是從未聽過的事。」

白眉老僧道：「老僧說得句句實言，希望施主相信。」

江曉峰道：「在下相信，只是心中有些不解罷了。」

白眉老僧道：「老衲出身綠林，昔年殺人越貨，無惡不作，四十歲遇一異僧點化，剃度出家，回首前塵，盡屬恨事，因此，開始研習醫道，希望能濟世救人，我吃了人所不肯吃的苦，漫行於冰天雪地、大澤深山，覓求靈藥，唉！一分耕耘，一分收獲，皇天不負苦心人，確然被我找到了無數的奇藥靈草，然後，我把藥草分贈給各地的名醫，取少許金錢，以作餬口之用，這樣遊蕩十餘年，才到彌陀寺研究佛經，深修醫理，寺中老方丈不幸爲一頭巨豹所傷，老衲斃豹救人，但卻無法挽回老方丈的性命，承寺內僧眾抬愛，擁立我爲方丈，主持寺務，一晃眼又是數十寒暑了。」

江曉峰點點頭，道：「在下對老禪師的身分，並未存疑，但你療傷的方法，卻是百思不解。」

白眉老僧道：「如是小施主有暇，老衲希望你多給老衲一點時間，自然那對施主是有益無害的。」

江曉峰道：「老禪師，是否可以再說清楚一些。」

白眉老僧道：「這麼說吧！你如能給我三日，可使你傷勢痊癒，但你如能給我七日，可使你功力稍進，如若你能給老衲一月時間，可使功力大有進境。」

江曉峰道：「我相信老禪師的話是句句實言，不過，在下恐怕難有一月時間。」

白眉老僧道：「那麼半月時間，施主能夠抽得出麼？」

江曉峰搖搖頭，道：「恐怕仍是有負老禪師的厚望了。」

白眉老僧道：「至少你需要三日，你不能帶著陰寒重傷，鋤惡江湖。」

江曉峰道：「那是自然，在下已覺出傷得很重，如若是不把傷勢療治好，也無法離開此地。」

白眉老僧凝目望去，只見那江曉峰的臉上，泛起了一片陰暗之色，不禁心中一怔，急道：「施主覺著哪裏不舒服？」

江曉峰道：「我覺著身上有些冷，冷得很難忍受。」

白眉老僧道：「施主還能夠走路麼？」

江曉峰點點頭，道：「還可以走。」

白眉老僧心中忖道：「看他臉色，傷勢不輕，應該是早已失去行動之能，怎的他竟能支持著不倒下去？」。

他不知江曉峰既得藍夫人傳授上乘內功，又服了松溪老人賜予的甚多靈丹，故抗拒陰寒之能，超異常人。

心中念轉，口中卻說道：「施主既然還能走，我們就快些走吧！」

江曉峰道：「到哪裏？」

白眉老僧道：「老衲早已建立了一處十分隱密的存身之地。」

突然伸手一指，點了江曉峰的穴道。
江曉峰驟不及防，被人一指點中了暈穴。
白眉老僧輕輕歎息一聲，道：「施主，不能再耗內力，以免增長療治的困難。」
扛起江曉峰，躍出圍牆，直向前面奔去。

這寺院後面就是山，白眉老僧扛著江曉峰直奔群山之中。
江曉峰醒來時，只見自己正臥在一張木榻之上，三面都是石壁，一面青藤遮掩，有如天然垂簾一般。
白眉老僧盤膝坐在榻前，地上放著兩個顏色不同的玉瓶。
那白玉瓶很高大，瓶口早已密封。
江曉峰打量過室中的景物，挺身坐起。
哪知人還未坐起來，立時，又躺了下去。
但覺寒意陣陣，由內心發了出來，全身開始顫抖。
白眉老僧緩緩站起身子，一面啓開玉瓶上的密封，一面說道：「施主醒來了。」
江曉峰點點頭，道：「老禪師，我冷得厲害。」
白眉老僧道：「看起來，那藍福的三陰掌，火候不弱了。」
拔開瓶塞，道：「你先喝這瓶藥酒，老衲再去取金蟬回來。」
用僧袍拂去了瓶口的灰塵，就玉瓶對著江曉峰嘴巴倒了下去。
江曉峰只覺那酒味甚醇，清香可口，再加腹中饑渴，不自覺地大口吞下。一口氣，喝下了大半瓶。

白眉老僧收起玉瓶，道：「人生難得幾回醉，施主就請醉一次吧！」

那酒味雖然清香，但卻十分猛烈，江曉峰喝下了大半瓶，立時間，醉個人事不省。

待他再次醒來時，室中景物已變，但見松枝高燒，火光熊熊，敢情已然是深夜時分了。

江曉峰定定神，道：「老禪師，在下口渴得很，可有泉水，給我一口。」

他一連呼叫數聲，不聞有人答應，心中立生警覺，一挺腰身坐了起來。

這一下雖然坐了起來，但他卻已發覺出雙腿以下被人點了穴道。

凝目望去，火光映照著一張絕世無倫的美麗面孔，長髮散披肩後，身著天藍色的疾服勁裝，出鞘長劍放在身側。

江曉峰怔了一怔：「你！藍家鳳！」

藍家鳳轉過目光，微微一笑，道：「很意外是麼？」

她笑容美麗，如花盛放，看得人怦然心動。

江曉峰長長吸了一口氣，道：「那位老禪師呢？」

藍家鳳道：「他沒有死，只是被我點了穴道。」

江曉峰轉目望去，果見那白眉老僧斜靠在石壁之上，雙目微閉，心中突然一動，暗暗道：「如若他已取得金蟬歸來，此刻那金蟬恐已落入這丫頭的手中了。」

他雖然不知金蟬有什麼奇妙的作用，但藍天義和這白眉老僧，都極為重視，定非平常之物了。

心中焦慮，口中卻問道：「你點了他的死穴？」

藍家鳳伸手撿起一根松枝，撥動一下火勢，使火勢燒得更爲旺盛一些，抬起目光，搖頭說道：「我點了他的睡穴。」

江曉峰心中暗道：「我和她敵對相處，如是問她問題，必將受她奚落，目下情勢，只好暫時忍耐，希望那公孫成和王修等，能夠及時而至，援手相救。」

他心中存有一絲希望，果然逐漸地鎮靜下來。

藍家鳳原想那江曉峰必然有很多話要說，一事接一事地問個不停，哪知江曉峰只問過那白眉老僧的生死之後，竟是不再多言。

她忍耐了良久，終於忍耐不住，緩緩說道：「別說你扮裝成一個小道士，就是你裝成和尚，我也一樣能認出來是你。」

江曉峰淡淡一笑，道：「那是說姑娘對在下很留心了？」

藍家鳳道：「你已是我爹爹心目中可怕之敵，我自然留心你了。」

江曉峰道：「那是說你爹爹早已存了殺我之心？」

藍家鳳道：「何止我爹爹呢？就是藍福，如若知曉是你，他也不會放過呢。」

江曉峰道：「現在，就是你藍姑娘也可以殺我了？」

藍家鳳沉吟了一陣，道：「你是不是很想死？」

江曉峰道：「生死之事，在下一向不放在心上。」

藍家鳳冷笑一聲，道：「你可是覺著我不敢殺你麼？」

霍然站起身子，順手撿起長劍，寒光一閃，冷鋒抵觸在江曉峰的前胸之上。

江曉峰閉上雙目，心中暗道：「完了，她如一劍把我殺死，那也算了。如是把我懲治得不死不活，有得一番罪受了。」

只聽藍家鳳輕輕歎息一聲，道：「識時務者爲傑俊，我就想不明白，你爲什麼一定非要和我爹爹作對，使咱們敵對相處？」

江曉峰心中暗道：「她喜怒難測，還是不理她的好。」

藍家鳳不聞江曉峰回答，心中火起，怒道：「你耳朵聾了麼？」

江曉峰睜開雙目，道：「在下聽得很清楚。」

藍家鳳道：「那你爲什麼不回答我的問話？」

江曉峰道：「在下很難回答？」

藍家鳳道：「那你是不答應了？」

江曉峰道：「你殺我爲父盡孝，我也不會怪你，但如你想勸我追隨令尊，受他之命，爲害江湖，那是萬萬不可能的事。」

藍家鳳道：「這麼說來，咱們這一輩子，是永遠無法和解了？」

江曉峰道：「你爹爹無情無義，你雖是他的女兒，但也不一定要助他爲惡……」

藍家鳳玉掌一揮，拍的一聲，打了江曉峰一記耳光，怒道：「你敢罵我父親。」

江曉峰內功未復，這一記耳光，只打得江曉峰眼中直冒金星，臉上指痕宛然。

藍家鳳望著江曉峰臉上指痕，和口角緩緩流出的鮮血，忽然閉上雙目，幽幽說道：「很疼嗎？」

江曉峰道：「這一點痛苦，在下還承受得了。」

藍家鳳黯然說道：「我打你那樣狠，你為什麼不罵我幾句？」

江曉峰過：「罵你？」

藍家鳳道：「是啊，罵我幾句，消消你心頭之恨。」

江曉峰道：「我心中一點也不很你。」

藍家鳳睜開雙目望去，只見江曉峰臉上一片平和神色，果然是毫無怨恨之情。

江曉峰長長吁一口氣，道：「我說你爹爹無情無義，你心中很不服氣，是麼？」

藍家鳳道：「他終是我父親啊！你怎麼能在我面前說他無情無義？」

江曉峰道：「有一樁事，只怕姑娘還不知道。」

藍家鳳道：「什麼事？」

江曉峰道：「你爹爹殺死了你的母親。」

藍家鳳呆了一呆，道：「你胡說，我爹爹一向對我娘敬重無比，怎會殺她？」

江曉峰道：「在下說得句句實言，我親眼看見他下毒手殺了你母親，唉！本來，你母親的武功，強過你爹爹很多，但她顧念夫妻情份，不忍下手，卻給了你父親施下毒手的機會，取了你母親之命。」

藍家鳳道：「我不信，你……」

江曉峰肅然接道：「在下說得都是實情，你如不信，不妨回到鎮江藍府中瞧瞧，我說他無情，就是指此而言。」

藍家鳳道：「我爹爹武功，何等高強，你若在場，豈不為他殺死？」

江曉峰道：「個中自有內情。」

當下，把藍夫人傳授武功經過，很仔細地說了一遍。

藍家鳳只聽得雙目圓睜，淚湧如泉。

江曉峰輕輕咳了一聲，接道：「事情已經發生了，希望姑娘節哀。」

藍家鳳突然棄去手中長劍，面南而跪，拜伏於地，哭道：「娘啊！你死得好可憐，女兒雖然知道殺你的人，卻又無法替你報仇。」

她哭聲哀痛，江曉峰雖然想勸她幾句，卻又不知從何說起。

藍家鳳哭了一陣，止住悲聲，問道：「你說我爹爹無義，那又是指何而言？」

江曉峰道：「他在壽宴之上下毒，中毒之人，都是爲祝賀他壽誕而來，這些人都是他親朋好友，他竟是全無半點道義，難道還不算無義麼？」

藍家鳳輕輕歎息一聲，舉步行近那白眉老僧，拍活了他的穴道，轉身向外奔去。

江曉峰急急叫道：「姑娘止步。」

藍家鳳停下身子，道：「什麼事？」

江曉峰道：「姑娘要到哪裏去？」

藍家鳳道：「回鎭江去。」

江曉峰道：「你爹爹能忍下心，殺死你的母親，只怕也能下手加害他的女兒，因此，你要特別小心一些。」

藍家鳳道：「那是我們父女的事，疏不間親，不用你操心了。」

不待江曉峰答話，縱身而起，躍出室外。

這時，那白眉老僧，血脈已活，望著藍家鳳遠去的背影，搖搖頭，回首對江曉峰說道：

「老衲慚愧得很，幾乎害施主丟了性命。」

江曉峰道：「老禪師能和那藍福力拚打鬥數十回合，對付藍家鳳自是不致落敗，想是爲她暗算所乘了。」

白眉老僧道：「她躲在這崖洞之內，老衲未想到室中藏有敵人，出其不意，被她點中了穴道……」

語聲一頓，接道：「不過，她對你一直很好，詢問老衲用藥之法，親自動手，扶持你用下藥物。」

江曉峰道：「有這等事，我怎麼一點也不知道呢？」

白眉老僧道：「施主醉酒未醒，自然是不知道了。」

江曉峰沉吟了一陣，道：「在下的傷勢，還要幾日時光，才能完全康復？」

白眉老僧道：「老衲已取回金蟬，對症行藥，七日可癒，但施主的內功，似是強過常人很多，也許不要這久時間。」

江曉峰道：「在下希望越快越好，目下有很多事，都待我去求證……」

他想到公孫成和自己來此，何以竟然不聞訊息，方姊姊留下信函，也應趕到此地了，需早些和他們會面才是。

心中思慮重重，恨不得立時離開。

但聞白眉老僧長長歎息一聲，道：「施主心存仁俠，憂天下之憂，老衲當盡力施爲，盡快療好你的傷勢。」

江曉峰略一沉吟，道：「老禪師把治傷的藥物，交給在下，在下一邊服用，一面借機調息，不知是否可以？」
白眉老僧沉吟了一陣，道：「施主一定不能多留幾日麼？」
江曉峰道：「實不相欺，在下心急似箭，恨不得立刻離此。」
這時，他臉上的易容藥物，早已被藍家鳳洗去，露出了本來面目。
白眉老僧道：「施主不是玄門中人？」
江曉峰道：「晚輩江曉峰。」
白眉老僧道：「施主既急欲離此，老衲願盡全力，明日午時之前，讓你離開就是。」
江曉峰道：「那很好。」
臉色一變，笑容盡斂，緩緩接道：「唉！老禪師是有道高僧，晚輩也不願把老禪師拖入江湖恩怨之中，但那藍天義派遣藍福來取金蟬，想那金蟬定然是十分重要之物，希望老禪師妥爲保管，不要讓牠落入了藍天義的手中。」
白眉老僧道：「實不相瞞，這金蟬生出的蟬子，乃是解毒聖品，但老衲收藏金蟬之事，知曉的人不多，算上藍天義不過三、五人而已。」
江曉峰道：「所以藍天義想要得到金蟬，使天下再無人能解他調製的毒藥。」
白眉老僧道：「除了金蟬子可製解藥之外，這金蟬還有很多用途……」
江曉峰笑道：「在下對金蟬一事，不希望知曉大多，只希望老禪師善爲保護，別讓牠落在惡徒手中就是。」
白眉老僧不再多言，扶著江曉峰躺了下去，接道：「老衲用金針刺你幾處穴道。」
江曉峰道：「老禪師只管動手。」

白眉老僧施展金針過穴之法，刺了江曉峰幾處穴道後，解了被藍家鳳點中的穴道，笑道：「施主可以放心坐息一下，運內功迫出身上的寒毒，老衲替你設法。」

江曉峰依言施爲，閉目調息，頓飯工夫之後，漸入忘我之境。

這一陣坐息，足足有兩個時辰，醒來時，已是日光滿簾。

白眉老僧雙手捧著一個瓦碗，笑道：「小施主請喝了這碗中藥物，就可以動身了。」

江曉峰接過藥物，只覺奇腥撲鼻，中人欲嘔，不禁一皺眉頭。

白眉老僧答道：「良藥苦口，時間太急促，老衲無法除去藥中的腥氣。」

江曉峰微微一笑，道：「不要緊。」舉起瓦碗，一口氣喝了下去。

大出意外的是，那藥物聞來雖腥，入口之後，卻是不覺有何異味。

江曉峰心中急欲早日找得公孫成的下落，一躍而起，道：「老禪師，在下可以走了麼？」

白眉老僧道：「可以走了，下此懸崖，直向南行，翻過幾座山峰，就可以瞧到彌陀寺……」

語聲一頓，接道：「施主去後，老衲也就要離開此地了。」

江曉峰道：「老禪師意欲何往？」

白眉老僧微微一笑，道：「江施主但請放心，老衲已經想通了，覆巢之下無完卵，藍天義他不會放過我，何況，武林中千百位被他奴役之人，都待人拯救，老僧已決心仗憑金蟬之助，研製出解毒藥物，以解救武林中受他藥物控制之人。」

江曉峰道：「老禪師有此心願，那是武林之幸了。」

白眉老僧道：「分手在即，老衲有一言相贈。」

江曉峰一抱拳，道：「晚輩恭聆教誨。」

白眉老僧道：「藍天義的武功，得自丹書、魔令，看藍福的成就，藍天義必已達登峰造極之境，江施主如無法取得丹書、魔令，那就很難勝過藍天義。」

江曉峰道：「老禪師說得是，但此事談何容易，在下根本不知那丹書、魔令，藏於何處，如何一個著手之法？」

白眉老僧道：「如若藍家鳳能夠全心助你，不難取得，老衲言盡於此，罪過，罪過。」合掌作送客之狀。

江曉峰心中暗道：「出家人也許別有規矩，他並未說錯話，不知他罪過的什麼？」心中雖有此想，口中卻不便再問，揮手告別。

這是一處絕峰間的突岩，峰上長滿了青藤，岩洞爲垂藤所遮，外面看去，十分隱密。

江曉峰攀下削壁，越過了兩座山峰，已可見矗立的彌陀寺。

他地勢不熟，只有先行設法找到公孫成之後，才能再定行止，找尋公孫成的辦法，只有再回彌陀寺中一行。

行至寺門口處，突然一個細微的聲音傳入耳際，道：「江兄弟，不用再進寺中了，藍天義已經親自趕到，寺外不設埋伏，旨在誘你入寺，快些折向南行。」

江曉峰已聽出是方秀梅的聲音，但寺外五丈之內，一片平坦，無處可以容身，方秀梅雖然施用的傳音之術，但江曉峰聽出那聲音，決不會超過兩丈，兩丈內幾乎是沒有一處可以藏人的地方。

但聞方秀梅的聲音，又傳了過來，道：「兄弟，快些走啊！不要左顧右盼的耽誤時間了。」

江曉峰本想找出方秀梅藏身之地，但聽她一再催促，只好轉身向南行去。

正南方是一條可行牛車的大道，江曉峰快步奔行，一口氣趕出了七、八里。

路上雖然奔行甚速，但一直留心著兩邊的景物，希望能瞧到接應之人。

但他一直奔行到一處十字路口，仍然未見有人接應。

這時天已正午，烈日當空，四處不見行人。

江曉峰停下腳步，心中暗道：「如若那寺外真的是方姊姊，至少應該在這十字路口上留下暗記，指明我該走的方向。」

突然間，目光觸及到一座福德小廟，不禁心中一動，忖道：「如若他們留著密件，定然在那小廟中了。」

四顧無人，舉步行進小廟，伸手去抓香爐，希望有所發現，哪知手指剛剛觸近，突然腕上一緊，被人扣住脈穴。

只見人影一閃，江曉峰凝目望去，此人頭戴方巾，身著青衫，正是「茅山閒人」君不語。

那君不語用力甚大，五指有如鐵箍一般，扣緊著江曉峰右腕，口中冷冷說道：「江兄最好不要妄動掙脫之念，這小廟四周，埋伏有不少人手。」

江曉峰萬萬沒有料到，這小廟竟然藏得有人，全然無備之下，脈穴受制，右臂麻木。

但他年來連經凶險之事，人已大為老練，當下暗自歎了一口氣，緩緩地說道：「君不語，你準備如何？」

君不語淡然一笑，道：「在下麼？只想和江兄談談。」

江曉峰怔了一怔，道：「談什麼？」

君不語答非所問地道：「江兄武功高強，在下不是敵手，因此，在下想先點了江兄的穴道，咱們再談如何？」

江曉峰道：「點我穴道？」

君不語道：「不錯，點了你穴道之後，在下才能放心。」

右手一揚，點向江曉峰左肋。

江曉峰內功精深，雖然腕穴被扣，但他仍然避開了君不語的一指。

君不語一面緊收左手五指，一面說道：「江兄好精深的內功。」右手連揮，點出三指。

江曉峰脈穴被扣，運轉不便，避開第一、二兩指，卻無法再避第三指，被君不語點中「帶脈」大穴，君不語微微一笑，放開了江曉峰的右腕，又分點了他四肢的要穴，抱起江曉峰，轉身向一片雜林中奔去。

直奔入林內一座茅舍之中，才放下江曉峰，長長吁一口氣，道：「現在，咱們可以談談了。」

江曉峰原想他定會把自己帶回彌陀寺去，向那藍天義請功，卻不料，他竟然將自己帶入一座茅舍之中，心中大感奇怪，方姊姊講此人智計多端，果然舉止難測。

心中念轉，口中說道：「要談什麼，閣下可以說了。」

君不語長長吁一口氣，平和地說道：「江兄是英雄人物，當知大丈夫一諾千金，你可以不答應，但如答應了，希望你不要變卦。」

江曉峰道：「那要看你說得什麼事了，如果是在下不能答應的事，就算你要取我之命，在下也不會答允。」

君不語道：「在下所求江兄者，也正是如此。」

江曉峰道：「你說吧！」

君不語道：「江兄被藍福三陰掌打傷，怎會如此快速的復元？」

江曉峰道：「這事與君兄何關？」

君不語道：「關係大得很，江兄最好是據實回答在下的問訊。」

江曉峰心中忖道：「那白眉老僧業已離開，說出來也不妨了。」當下應道：「我的傷勢，得那彌陀寺中方丈療治而癒。」

君不語點點頭，道：「那和尚現在何處？」

江曉峰一皺眉頭，道：「閣下問那老禪師的下落，只是想謀得金禪，是麼？」

君不語微微一笑，道：「在下未提過金蟬，但江兄卻自行招認，那金蟬又爲彌陀寺中的方丈取回去了。」

江曉峰呆了一呆，暗道：「這話倒是不錯，他未問我，我卻自行洩了隱密。」口中卻仍然倔強地說道：「那老禪師早已有備，豈能容你們取得金蟬。」

君不語微微一笑，道：「在下只是提醒江兄一聲，以後說話小心一些。」

江曉峰聽他口氣似教訓，又似抱怨，心頭更是茫然，暗道：「這人究竟用心何在，實在叫人無法了然。」

君不語輕輕咳了一聲，道：「藍大俠在彌陀寺四周，布下了十餘處暗樁，各以不同的身

分，暗中監視諸位的行動，諸位只要在彌陀寺十里範圍之內出現，決無法逃過藍大俠的耳目監視。」

江曉峰道：「在下想不明白，閣下以此見告，不知是何用心？」

君不語道：「用心很簡單，不願你江少俠落入藍天義的手中。」

江曉峰淡然一笑，道：「君兄和我商量的就是這件事麼？」

君不語笑道：「在下覺著江兄如能隱伏在藍天義的身側，才是最安全的辦法。」

江曉峰心頭一震，道：「爲什麼？」

君不語神情凝重地說道：「公孫成、王修，都是第一流的人才，但他們低估了藍天義，在下自忖才華難及王修，不過，在下占了點便宜，那就是我一直守在藍天義的身側。」

江曉峰圓睜星目，道：「我還是不明白，閣下是否可以說得清楚一些。」

君不語道：「藍天義以泰山壓頂之勢，和迅雷不及掩耳的手法，一面追殺以你江少俠爲首的一股反抗力量，一面奇兵四出，要在三個月內制服少林、武當兩大門派……」

長長吁一口氣，接道：「千百年來，武林中不乏胸懷陰謀、心存霸業的奸雄人物，但從無一人能具有藍天義這等優越的條件，也從無一人，有他這等充分的準備。」

江曉峰道：「黃山之會，已揭露了藍天義的陰謀，與會之人，自會把內情轉告各派掌門。」

君不語搖搖頭，道：「可惜來不及了……」

語聲頓住，臉色微變，略一凝神，冷冷接道：「什麼人？」

只聽一人應道：「我！」一個戴笠荷鋤的老農，應聲而至。

君不語右手一抬，三點寒芒，破空而出，同時一提真氣，準備出手。

但見老農一轉手中鐵鋤，三點寒星盡都釘了在鋤柄木杆之上，深入半寸，口中卻急急說道：「君兄住手。」

君不語寶劍已然出鞘，道：「閣下究是何許人？還請說明真實身分。」

荷鋤老農微微一笑，道：「兄弟王修。」

君不語略一沉吟，道：「藍天義派出了數十個經過易容高手，追查諸位行跡。」

王修道：「而且，他還下令屬下，凡是可疑之人，一律出手擒拿，這地方人本不多，目下已被他們生擒了近百位農夫、樵人，解往彌寺陀中，此地已有路斷人稀之歎了。」

君不語道：「但王兄一行，並無一人被擒。」

王修道：「敵勢滔滔，咱們鬥智不鬥力。」

目光一掠江曉峰，接道：「是否可以解開江少俠穴道？」

君不語微微一笑，道：「在下怕江兄不肯聽兄弟解說之言，出手就打，只好先點他的穴道，再行說明。」

右手揮動，拍活了江曉峰四肢穴道。

江曉峰舒展一下筋骨，道：「王老前輩來得正好，這位君兄……」

王修接道：「我在此隱身已久，君兄的話，大都聽到。」

君不語道：「你們幾人之力，既無法和藍天義強大的實力對抗，也無法分頭趕援各大門派，如若待那藍天義制服了各大門派之後，諸位再想力挽狂瀾，恐也回天乏術了。」

王修沉吟了一陣，道：「君兄才華內蘊，不喜顯露，但這等有關千秋百代的武林大難，還

望君兄能夠挺身參與。」

君不語輕輕歎息，道：「金頂丹書和天魔令，不但記載了絕世武功，而且還包羅行策、用謀、下毒施詐，藍天義從那裏學得了很多奇絕的武功，也學得了很多謀略。」

王修道：「如若藍天義的屬下之中，能多有多幾人像君兄這樣……」

君不語肅然接道：「在下本亦有此想，但經年來觀察所得，凡是投入藍天義手下的人，縱是別有用心而來，但經過了一段時日，竟都爲他所用了。」

王修如聞晴天霹靂一般，怔了半晌，道：「這是何故？」

君不語突然放低了聲音，道：「藍天義對凡是晉進護法的武林同道，都傳授幾種武功，有掌法、刀法、劍招，各依才慧，和使用的兵刃，傳授了一種內功調息之法，極具速效神通，似乎是一種別起奇效的怪異內功……」

王修接道：「這和一個人的心智何關？如何能使人效忠於他？」

君不語道：「兄弟的看法，怪異之處，就在那傳授的坐息之法了。」

王修道：「君兄沒有學過麼？」

君不語道：「自然是有，不過，兄弟心存戒懼，所以，一直未照他傳授的方法練過。」

江曉峰道：「難道藍天義無法瞧出來？」

君不語道：「似乎是一種鑒別的法，兄弟才慧有限，想不出個中的原因，在下亦曾幾度引起那藍天義的懷疑，爲了求生，在下不得不細心觀察，終於被我發覺，所有之人，練功三月之後，雙目之內，隱隱泛起了一片暗紫之色，兄弟只好在雙眉之內塗上顏色，才算混過了藍天義對在下的疑心。」

王修道：「兄弟見識不多，但我卻從未聽說過，一個人練功，會練得心智失去功能，永向一人效忠之事。」

君不語道：「兄弟親身經歷，王兄不信也得信了。」

王修道：「據在下所知，有一種藥物，可以控制人的神態，不知君兄是否留心聽過？」

君不語道：「事關在下的生死，在下自然是留心了，我們食用之物，兄弟都仔細檢查過了，食物之中，確然無毒。」

江曉峰突然插口說道：「藍天義六十大壽之日，與會之人，大都酒食中毒，才爲他控制，是否會是那次毒性發作呢？」

君不語道：「這也許有些連帶關係，不過，事後中毒人都服用了藍天義的解藥……」

探手從懷中，摸出一方白絹，道：「兄弟已在這白絹之上，記下了內功練習之法，如若能有人解得絹上圖中之秘，就可使藍天義眾多手下，心智盡復。」

王修接過白絹，瞧了一眼，藏入懷中，黯然說道：「就君兄所見，藍天義的屬下之中，有幾人能爲武林正義效力？」

君不語道：「這個麼？兄弟原本對那奇書生吳半風的寄望甚大，但經觀察之後，他亦早爲藍天義不貳之臣了。」

王修道：「聽君兄之言，只有君兄一人，還心存武林正義，胸懷救世大志了。」

君不語道：「所以，在藍天義群屬之中，兄弟很孤單。」

王修點點頭，道：「君兄此番不惜冒暴露身分之險，想必有重要事故相告了？」

君不語點點頭，道：「不錯，就兄弟觀察所得，江湖上外來之力，已然無法阻止藍天義

……」

江曉峰道：「難道要我們罷手不成？」

君不語道：「今日江湖形勢，似已不允我們成爲烈士，因爲後繼無人，豈可前仆，目下唯一之策，要使藍天義內部自腐，兄弟深思熟慮之後，覺出只有兩法可行。」

江曉峰道：「請教高見。」

君不語道：「江兄奪命金劍，無堅不摧，既是不能明取，只有暗攻一途了。」

王修沉吟道：「刺殺藍天義，不失一個方法，還有一法，可否見告？」

君不語道：「取得金頂丹書，和天魔令，那正、邪絕技彙集的秘笈，藍天義獲益雖多，但也不能盡得兩卷秘笈上所有武功，而且兄弟相信，兩卷秘笈上，必然記載有破解藍天義控制屬下之法。」

江曉峰伸手從懷中摸出奪命金劍，道：「金劍在，君兄拿去吧！」

君不語搖搖頭，道：「如若兄弟用心只在取得金劍，那也不用和兩位談這樣久了。」

江曉峰道：「君兄之意呢？」

君不語道：「請江兄和兄弟一起，混入藍天義的手下，一則兄弟武功，不及江兄，二則孤掌難鳴，如若江兄和兄弟聯手，成算、聲勢上，都將大不相同。」

江曉峰還未來得及答話，王修已搶先說道：「君兄，江少俠，是我們目下全力造就的人才，希望能使他在機緣和人力雙重促使之下，在適當時間內，和藍天義分庭抗禮……」

君不語道：「這個不大可能吧？」

王修道：「三獸過河，各憑造化，至少，在這一年中，我們江少俠的際遇和成就，甚感滿意……」

語聲一頓，接道：「松蘭雙劍兩位老前輩，君兄大概知曉吧！」

君不語道：「我知道，兩位前輩高人。」

王修道：「崑崙多星子，已然趕到中原。」

君不語道：「崑崙派中一位極有成就，碩果僅存的老前輩，不過……」

王修道：「不過什麼？」

君不語道：「合他們三人之力，只怕也未必能是藍天義的敵手，何況，藍天義一直在普傳絕技，他要把身側所有護法，都造成武林中第一流的人物。」

江曉峰道：「兄弟倒極願追隨君兄，混入藍天義屬下之中，見識一下。」

君不語道：「而且，藍天義也把你視作背上芒刺，必欲殺之而後快。」

王修道：「爲什麼？」

君不語道：「這也許和王兄適才所說的江兄奇遇有關了，因爲他打敗了藍福。」

王修怔了一怔，道：「有這等事？」

江曉峰苦笑一下，道：「我爲救彌陀寺方丈的性命，保護金蟬，不得不用出全力了。」

王修沉吟了一陣，目光轉到君不語的身上，道：「君兄覺著應該如何？」

君不語道：「王兄才華過人，強過兄弟甚多……」

王修接道：「兄弟慚愧得很，如是真有才華，也不致有著進退失據之感。」

君不語道：「王兄並非是在和藍天義鬥智，藍天義的才慧決非王兄之敵。」

王修道：「那是說藍天義手下，有著一位極具才智的人物……」

語聲一頓，接道：「那人想來就是君兄。」
君不語笑道：「王兄誤會了。」
王修道：「這就叫在下想不通了。」
君不語道：「金頂丹書上，不但記載了武功，而且還記載了江湖上各種謀略，王兄在和金頂丹書及天魔令上記載的謀略詐術搏鬥，非王兄之才，諸位早已落入藍天義的手中了。」
王修道：「君兄之意，是說如不能取得丹書、魔令，永遠無法勝過藍天義了？」
君不語道：「不錯。」
輕輕歎息一聲道：「藍天義能在兩天之內，想出了王兄是用遍佈天下的福德祠、土地廟，做爲互傳消息之處，而王兄也能在一、兩天內，發覺此法敗露，計上加計，謀中用謀，引他步入歧途。」
王修歎道：「這些事，都未能瞞過君兄，足見高才，尤過兄弟。」
君不語道：「這有些不同，我是冷眼旁觀，而且事後了然。」
望了江曉峰一眼道：「目下最爲重要的兩件事，一是諸位的安全，二是取得丹書、魔令，至少也得把它毀去，只要丹書和魔令一天在藍天義的手中，他的武功、才智，就無窮無盡。」
王修道：「君兄對此有何高見？」
君不語道：「兄弟經過了一番深思之後，覺著只有一個辦法，使江兄僞裝死亡，先消去那藍天義追殺江兄之心。」
王修道：「藍天義已存了必殺江少俠的決心，牽連所及，我等亦難逃身遭搏殺之危，目下似乎是也只有這辦法了，僞裝死亡並非難事，難的是要使那藍天義瞧不出一點破綻，他一身武

功卓越超群，豈能瞧不出一個人是真死還是假死。」

君不語道：「所以，咱們要真死。」

江曉峰心頭一震，忖道：「如是真要我死，也要死得轟轟烈烈，和藍天義打上一架才是。」這是他心中之念，並未說出口來。

只見王修微微一笑，道：「李代桃僵，找一個人替他死，是麼？」

君不語道：「這法子雖是有失正大，但情勢迫人，那也是沒有法子的事了。」

王修道：「法子倒是不錯，但那代死的人，只怕不易尋找。」

君不語道：「這個兄弟已然找到了。」

王修道：「現在何處？」

君不語笑道：「請暫恕兄弟賣個關子，今夜二更時分，兩位再到此室相會。」

話聲一頓，道：「兩位不可早來，也不能來晚，到此之後，以三聲蛙鳴爲號，如果兩位聽不到回應之聲，立即撤走，那可能說明，咱們計謀已經敗露，千萬不可久停。」

王修略一沉吟，道：「就此一言爲定，我們告辭了。」轉身向外行去

江曉峰緊隨身後而出。

廿三　連環巧計

王修在林中轉了一陣，到一叢亂草前面，道：「小要飯的快些出來。」

但見人影一閃，常明從草叢中鑽了出來，道：「老前輩，有什麼吩咐？」

目光一掠江曉峰，喜道：「江兄弟，小要飯的又見到你了。」

江曉峰凝目望去，只見常明腦後和左頰上，各有一處傷口，雖包著藥，仍有鮮血滲出，顯是受傷不久。

王修望望常明頭上的傷勢，道：「你傷勢怎麼樣了？」

常明道：「老前輩放心，小要飯的死不了啦。」

江曉峰道：「諸位也經歷了很多凶險。」

王修點點頭，道：「藍天義發覺了我們借用土地廟通訊的隱密，遣人劫殺，歷經數次惡戰，幸好還無人死亡。」

常明道：「所有的人，全都受傷……」

江曉峰接道：「常兄傷得最重？」

常明道：「照小要飯的看法，方姑娘傷得比小要飯的還重一些，可憐她卻未得片刻休息，一直忙著找你。」

江曉峰歎息一聲，道：「我那呼延叔叔呢？」

王修道：「如非有他同行，就算我們這一群不被生擒，也將沒有一人活命，他獨木支大廈，力斃四強敵，但本身卻不幸……」

江曉峰呆了一呆，道：「怎麼樣了？」

王修道：「不幸受了重傷。」

江曉峰道：「他老人家現在何處？」

王修道：「我為他尋找了一處十分隱密的所在，養息傷勢，七日之後，才能行動。」

江曉峰道：「在下可否去看看他？」

王修道：「不行，此刻彌陀寺四周，遍佈了藍天義的人手，如若被他們瞧到，那就大為不妙了。」

語聲一頓，神情嚴肅地接道：「咱們目下處境，危機四伏，已是有進無退。」

突然間，幾聲犬吠，打斷了王修未完之言。

王修臉色一變，道：「藍天義帶了很多嗅覺敏銳，久經訓練的藏犬，這狗叫之聲，來得突兀。」

但聞犬聲漸近，似是直向樹林間奔了過來。

江曉峰道：「這裏地荒人稀，咱們很難逃脫來犬追蹤，看來只有放手一戰。」

常明一皺眉頭，道：「你們躲上樹去，小要飯的由林外繞過去，設法把他們引開。」

江曉峰一把抓住常明，道：「常兄傷勢未癒，要去也該兄弟去。」

就在幾人談話的時候，犬聲已然進了樹林。

王修道：「看來，咱們無法擺脫了，目下只有一法，盡殲藏犬和來人，不要留一個活口，咱們藏在樹後，出其不意，先傷他們幾個人和狗。」

江曉峰、常明應了一聲，各自閃到一株大樹之後，目注犬聲傳來的方向。

驀地裏，一聲獅吼，起自樹林一角，只震得林木搖動，落葉飄飛。

江曉峰一皺眉頭，暗道：「藍天義還帶了獅子。」

世事微妙，物物相剋，那藏犬雖然凶猛，但聞得獅吼聲，立時轉頭向後奔去。

但聞一陣亂犬狂吠，疾奔而去。

江曉峰一個飛躍，落在常明身側，道：「常明，想不到藍天義還養了獅子，群犬已為獅子嚇走，咱們只要對付獅子了。」

常明搖搖頭道：「獅子既已找來，我們也不用去找牠了。」

只見王修緩步行了過來，道：「事情有些奇怪，這地方不似藏獅臥虎之地。」

語聲甫落，只見一個身著月白袈裟、芒履、竹杖的老僧，緩步行了過來。

來處正是傳出獅吼的方向。

王修恍然大悟，道：「是了，獅吼神功。」

看上去，那執杖老僧走得很慢，其實行速甚快，片刻工夫，已到了幾人停身之處。

王修已然瞧出來人是誰，大步迎了上去，一抱拳道：「多承大師相助。」

那老僧微微一笑，道：「王施主，還記得老衲？」

王修道：「大師消失江湖數十年，武林中盛傳，大師已經肉身成佛，想不到，在江湖面臨危亡之時，大師竟然出現於江湖之上。」

回目一顧，向江曉峰和常明說道：「你們快過來拜見大師。」

江曉峰、常明行了過來，齊齊抱拳一禮，道：「見過大師。」

執杖老僧左掌立胸，欠身說道：「兩位都是武林後起之秀。」

王修道：「還要大師多多指教。」

執杖老僧微微一笑，道：「但願老衲對兩位能有些幫助。」

語聲一頓，接道：「老衲已查看這一路搜查的人手，都是藍天義手下三、四流的角色，就算老衲不做獅吼，驚退藏犬，他們也難是王施主等之敵。」

王修道：「那些藏犬嗅覺靈敏，如若被牠們纏上了，只怕很難脫身。」

執杖老僧微微一笑，道：「大約他們覺著這林中既然藏有獅子，不會有人，倒是省了一些麻煩。」

王修道：「此地不是談話之處，咱們該找個地方，在下還要請神僧指點迷津。」

常明聽王修毅然改口稱叫神僧，不覺心中一動，想起師父說起過一個人來，不自覺地失聲說道：「神僧降龍。」

執杖老僧目光轉動，掃掠了常明一眼，點點頭道：「這位是……」

王修接道：「鐵面神丐李五行的弟子。」

常明一抱拳，道：「晚輩常明。」

執杖老僧道：「老衲和令師有過一面之緣，那時，李五行還未收弟子，時光匆匆，彈指間，已是二十幾年的事了。」

常明心中暗道：「二十多年，那時我還沒有出世哩，口中卻接道：「晚輩常聽家師談起老

前輩神跡，想不到今日竟有幸拜見。」話說完，當真的向下拜去。

降龍大師右手一拂，立時有一股潛力，阻住了常明下拜之勢，道：「不用多禮。」

目光轉到王修的臉上，接道：「就老衲所見，藍天義派出的各路人手，都已經開始向彌陀寺集中，大約時限已到，如若咱們離開此地，很可能碰上他們。」

王修道：「大師如此吩咐，自然是不會錯了。」

語聲一頓，接道：「大師想已知曉那藍天義倒行逆施的一切了。」

降龍大師點點頭，道：「老衲本已不再過問江湖上的是非，但藍天義挾一世俠名和丹書、魔令，為惡江湖，老衲實在不忍再獨善其身，不聞不問了。」

王修喜道：「那是蒼生之福。」

降龍大師輕輕歎息一聲，道：「藍天義在武功上的成就，老衲恐已非其敵手。」

王修道：「如此說來，當今之世，很難找到可與藍天義一搏的人了。」

降龍大師沉吟了一陣，道：「就事而論，世間確無人能抗拒丹書、魔令記載的絕世武學，但大勇、大仁之中，自有勇者秉浩然之氣，奪其先聲，可與之一決勝負。」

常明聽得心中大為不解，暗道：「不行就是不行，縱有大仁、大勇的人，也無法使其武功進入爐火純青之境。」

但聞王修說道：「神僧語含禪機，使我等茅塞頓開。」

回顧江曉峰一眼，低聲接道：「神僧請瞧瞧這位江少俠的才質如何？」

降龍大師目光移注到江曉峰的臉上瞧了一陣，微笑說道：「中嶽奇秀，將帥之才，骨格、稟賦，都是上上之選。」

王修道：「神僧看他的氣色呢？」

降龍大師道：「英氣內蘊天庭，逢凶化吉之徵。」

王修抱拳一揖，道：「神僧既然看上了，還望慈悲為懷。」

降龍大師抬頭望望天色，道：「老衲送他三掌。只是時間促迫，能否有成，就看他造化了。」

王修喜道：「好，我們為神僧護法。」

牽著常明，轉身向前奔去。

常明一皺眉頭，道：「老前輩，我小要飯的很少被人裝到悶葫蘆裏，但這一次，卻是被鬧得灰頭土臉，想不出是怎麼回事。你和降龍大師，打啞謎似的，聽得小要飯的似懂非懂。」

王修微微一笑，道：「那降龍大師，數十年前，就被武林中人視為神僧，武功絕世，胸懷玄機，你能聽得似懂非懂，那已經很難得了，不知你要懂些什麼？」

常明道：「老前輩要考我麼？」

王修道：「武林之中，都說一向行事正大的鐵面神丐李五行，收了一個詭詐多智的徒弟，你們師徒的性格，完全不同，今日我掂掂你有幾許斤兩。」

常明笑道：「詭詐多智，實不敢當，只怪小要飯的武功不成，有時只好和人動動心眼了。」

輕輕咳了一聲，接道：「那降龍大師答應了傳江兄三招掌法？」

王修點點頭，道：「難得呀，猜得不錯。」

常明道：「過獎，過獎！但老前輩和神僧降龍，似乎在商量一件事，那件事，和江兄有

關？」

王修道：「你能否說出什麼事？」

常明道：「這個，小要飯的不敢誇口，似乎是要江兄弟去冒個很大的危險。」

王修點點頭，道：「你已經知道的很多了，可惜李五行已經收了你。」

常明道：「藝不壓身，老前輩如若肯指點晚輩一、二，家師決不會責怪。」

王修道：「你不要打蛇順棍，等我見過老叫化之後，先問問他再說。」

伸手指著一棵古樹，道：「你爬上那棵大樹，如若發覺可疑之人，學三聲鴉叫示警。」

常明道：「看來，老前輩已經把晚輩估量得很清楚了。小要飯的學得一點口技，也無法瞞過你老人家。」

轉身而去，爬上大樹，王修雖知常明為人精細，不致誤事，但他仍然不敢稍存大意之心，不停地在降龍大師附近巡視。

直到夜幕低垂時分，仍不聞降龍大師傳聲相招，忍不住行了過去。

只見江曉峰閉目盤坐在夜色之中，滿臉大汗如雨，滾滾而下，哪裏還有降龍大師的蹤跡，不禁心中一震，暗道：「這老和尚的輕功，果然已到了飛行絕跡之境，我一直在附近巡視，竟不知他何時離開了此地。」

行近江曉峰的身側，輕輕咳了一聲，道：「江世兄。」

江曉峰似是陡然驚醒，睜眼望了王修一下，道：「天黑了。」

敢情，心有所專，這天黑也不知曉。

王修道：「天已黑了很久。」

江曉峰啊了一聲，轉目四顧一眼，道：「那位老禪師呢？」
王修道：「走了。」
江曉峰道：「幾時走的，晚輩怎麼一點也不知曉？」
王修搖搖頭，道：「降龍大師一向如此，有如見首不見尾的神龍。」
江曉峰站起了身子，伸展了一下雙臂，緩緩說道：「咱們走吧。」
王修奇道：「到哪裏去？」
江曉峰道：「去會君不語。」
王修微微一笑，道：「現在還早得很。」
江曉峰啊了一聲，道：「降龍大師要在下奉告王老前輩一件事，在下幾乎忘了。」
王修對降龍大師一語未留就悄然去一事正感不解，聽得降龍大師留的有話，急急問道：「他說些什麼？」
江曉峰道：「他告訴晚輩，他已和藍天義動手搏鬥過一次了。」
王修道：「勝負如何？」
江曉峰道：「一百招時，降龍大師傷在了藍天義的手中。」
王修道：「只有一百招，你沒有聽錯麼？」
江曉峰道：「沒有，晚輩聽得很清楚。」
王修道：「唉！如若降龍大師，接不下藍天義一百招，天下再無一人能和他打上一百招了，世間如是真有第一高手，那藍天義當之無愧。」
江曉峰接道：「他挨了藍天義一掌，傷得很重，所以，他無法多留，再和你見面了，不過……」

王修道：「不過什麼？」

江曉峰道：「他和藍天義動手時，經過了易容之術，藍天義雖然勝了他，但卻不知他的身分。」

王修道：「那也好，你再仔細想想看，他還說了些什麼沒有？」

江曉峰沉吟了一陣，道：「還說了一句，似乎無關緊要的話。」

王修道：「降龍大師博聞廣識，天下無出其右，每一句話，都應仔細推敲，快些告訴我，他說了些什麼？」

江曉峰道：「他說，此地事了之後，請老前輩帶我到武當山走走。」

王修凝目沉思了良久，道：「他沒說明要咱們會見什麼人？」

江曉峰道：「沒有。」

王修嗯了一聲，道：「這一塊地方，白晝之間，已經過藍天義屬下的仔細搜索，晚上，可能不會來了，你先坐息一陣，二更之後，會過君不語，再作道理。」言罷，當先盤坐調息。

時光匆匆，一陣坐息，已到了二更時分。

突聞呱呱呱，三聲鴉鳴劃破靜夜。

王修首先站起，低聲說道：「有人來了。」

兩人傾聽了一陣，不聞動靜。

但卻見一條黑影，直向兩人停身之處行來，來人並未放腿疾奔，高抬腳，慢放步，似乎是走得十分小心，生恐發出一點聲息。

王修道：「是小要飯的。」

這時，江曉峰已瞧出來人正是常明。

常明行到了兩人身側，低聲說道：「我瞧到了一條人影，行入了林中茅舍之內。」

王修道：「定然是君不語，你再去守在林邊的大樹之上，如是四更時候，未見我，你就自行退走，不用管此地之事，咱們在白羊角見。」

常明點點頭，轉身輕步而去。

江曉峰低聲道：「老前輩，白羊角是什麼所在？」

王修道：「是我們訂下的暗語。」

江曉峰啊了一聲，不再多話。

王修道：「我走前面，如是局勢有變，你就全力出手，必要時，不妨使用奪命金劍，不能留下活口。」也不待江曉峰答話，舉步向前行去。

江曉峰隨後跟進。

行至茅舍，王修依約裝出三聲蛙叫。

茅舍中，傳出君不語的聲音，道：「是王兄麼？」

王修輕輕咳了一聲，道：「不錯！」輕步行入茅舍。

目光轉動，四顧了一眼，確定室中只有君不語一人時，才舉手一招，江曉峰飛身而入。

王修低聲問道：「君兄如何打算？可以說出來了。」

君不語答非所問地道：「王兄可是在林中埋下暗樁？」

王修心頭一震，道：「何以見得？」

君不語道：「兄弟入林之時，聽得三聲鴉鳴，聲音雖是很像，但卻缺少回應，顯非宿鳥受驚。」

王修道：「君兄果然厲害。」

江曉峰運足目力，四顧了一眼，發覺室中只有君不語一人，忍不住問道：「那人沒有帶來麼？」

君不語道：「兄弟恐怕事情有變，不能帶他同來。」

王修道：「君兄可是改變了主意。」

君不語道：「沒有，那人現在林外等候，咱們同去瞧瞧。」

王修一皺眉頭，道：「距此多遠？」

君不語道：「不足二里。」

王修道：「好，君兄帶路。」

君不語道：「兄弟有禮了。」舉步向前行去。

王修緊隨在君不語的身後，卻要江曉峰走在一丈開外跟進。

君不語帶兩人行入一座亂墳之中，指著一座青磚砌成的墳墓，道：「那人就在這磚墓之中。」

王修道：「嗯！君兄果然是很細心。」

君不語蹲下身子，掌推指撥，片刻之間，在那磚墓上挖了一個洞，低頭鑽了進去。

王修四顧無人，也跟著行入墓內。

江曉峰略一遲疑，也跟著行入進去。

只見君不語取過一塊很厚的黑色布幔，掩起入口，然後才晃燃了火摺子，燃起一盞油燈。

王修道：「君兄準備的果然齊全。」

江曉峰凝目望去，只見墓中放著一具白木棺材，棺蓋半啓，似是留作通風之用。

君不語微微一笑，道：「武林任何一代的危亡凶險，都沒有這一代大，單以武功而論，在下還想不出滔滔人間，何人能是他的敵手，全命之道，難求於智謀了。」

口中說話，右手已推開了棺上木蓋。

這磚墓空隙，能有多大，三人就緊傍棺木一側而立，只一轉頭就可看清楚棺木中的景物。

那棺木中躺著一個身著天藍色勁裝的少年。

王修仔細望了一眼，道：「他還活著？」

君不語道：「是的，如若他早已死去，血色早變，豈能瞞過藍天義的眼睛。」

王修道：「這人的身材和江少俠相差無幾，但面孔卻一點不像江少俠。」

君不語道：「所以，要請江少俠一同來這磚墓中一行。」

王修道：「君兄要……」

君不語接道：「我要修正他的臉形，使他有江兄的特徵。」

王修訝然說道：「原來君兄還會易容之術。」

君不語道：「雕蟲小技，不登大雅之堂。」

一面伸手揭開了棺中人臉上的人皮面具，接道：「王兄認識他麼？」

王修還未來得及答話，江曉峰已搶先說道：「血手門的二公子高文超。」

君不語道：「不錯，此人不但和藍家鳳已有了夫妻名份，而且也甚得藍天義的寵愛，用他來移花接木，也可使江兄混入之後，就成了藍天義的心腹。」

王修道：「很高明，但也使江少俠的處境很兇險。」

君不語神情凝重地道：「不入虎穴，焉得虎子，所以，在下請江少俠來，由他自作決定。」

江曉峰道：「如若兩位都覺著如此有助武林大局，在下極願盡力。」

君不語道：「那很好，你還有十幾個時辰的時間考慮，心中不願，還可以改變主張。」

口中說話，人卻取出一方白綾，兩道目光盯注在江曉峰的臉上瞧看，似是要從那江曉峰的臉上找出什麼一般。

王修道：「君兄似是言未盡意，有什麼話，只管說出來吧！」

君不語道：「為了要使藍天義確認這人的身分是江少俠，必需把奪命金劍，放在他的身上，因為，天下再無人能造出第二把奪命金劍。」

王修點點頭，道：「十分有理。」

江曉峰一語不發，摸出了奪命金劍，遞給了君不語。

君不語接過金劍，道：「兩位可以去了，在下還要半夜時間工作。」

王修道：「君兄可有要兄弟效勞之處？」

君不語道：「不用了，應用之物，在下都已準備停當，只要兩位記住這墓所在，如是江兄願意混入藍天義的門下，明晚二更時分，兩位再來此墓，江兄的應用之物，在下都會放在這棺

木之中，如若是江兄不願涉險，那也不用勉強，他已有代死的替身，諸位可以暫時蟄伏一段時間，伺機而動，那就不必再到這墓中來了。」

江曉峰道：「如是在下同意呢？」

君不語道：「那兩位一定要在二更之前到此，三更以前離開，因爲兄弟已經設下火棒，明晚三更時分，這墓裏棺材，和棺材中備下的應用之物，都將開始燃燒。」

王修道：「好！咱們就此一言爲定，我等別過了。」

江曉峰伸手去掀黑布，準備離開，但卻爲君不語伸手拉住，道：「慢著。」

呼的一聲，吹熄燈火，掀開黑布，道：「兩位可以去了。」

兩人鑽出了磚墓，仰臉望去，但見浮雲掩月，大約有三更時分。

王修牽著江曉峰疾行了一陣，才放慢了腳步，道：「幸得有這麼一位茅山閒人君不語，助咱們一臂之力。」

苦笑一下，接道：「目前，咱們是憑仗著智計，苟全性命，不知幾時才能使武林中正義伸張。」

江曉峰道：「唉，武林中代有梟雄，但想今日的局面，只怕是不多見了。」

王修道：「何止是不多見，而是從未有過，就在下所知，每當武林遭到劇變時，總有一部分正義力量，未受破壞，雖有消長之別，也不似今日之局的黯淡，幾乎天下找不著任何人和任何門派，能和藍天義一戰。」

回目一顧江曉峰，接道：「你是否準備混入天道教中呢？」

江曉峰道：「晚輩已決心混入，但不知老前輩對此事看法如何？」

王修道：「除非我們退出這場紛爭，永遠息隱深出大澤中，不再出現江湖，否則，藍天義決不會放過我們。」

江曉峰道：「如其亡命天涯，那就不如混入天道教中，一查內情了。」

王修微微一笑，突然改變了話題，道：「江少俠，似是用不著和在下一起奔波了。」

江曉峰道：「我想看看呼延叔叔，唉！這一分別，不知哪年哪月才能會面。」

王修搖搖頭道：「在下覺著，江世兄如若決心投入天道教中，最好是不用會見呼延嘯了，這件事，越少人知道越好。」

江曉峰道：「那麼晚輩……」

王修接道：「君不語雖然未說明，但我想藍天義留他在此，必然會有一番用意，那墓地之外，有幾株高大的古柏，江世兄瞧到了麼？」

江曉峰道：「瞧到了。」

王修道：「那很好，你再悄然的回到墓地，爬上那巨柏之上，找一處枝葉密茂的所在隱身，暗中也好監視那君不語的舉動。」

江曉峰微微一怔，道：「老前輩不信任他？」

王修道：「並非是不信任，我覺著你如多對他多一分了解，日後和他相處時，也可多一分準備。」

江曉峰心中暗道：「如若論智計謀略，比起君、王兩位，我實是相差太遠了。」

王修不聞江曉峰回答，淡然一笑，接道：「那君不語，似乎是具有著多方面的才能，而且其智力之高，設計之密，在下亦有些自歎弗如，似這樣一位人物，江湖上竟然是甚少人知，武林中也很少傳揚他的事蹟。」

江曉峰道：「正因如此，藍天義才對他甚少防備。」

王修道：「我只是覺著他太過深沉了，他設下的計謀，完全叫人無法拒絕，也無選擇餘地。」

江曉峰略一沉吟，道：「好！晚輩這就回去。」

王修沉聲說道：「小心一些，別讓君不語瞧到。」

江曉峰道：「老前輩也多保重。」轉身重又行了回去。

他走得很小心，速度也慢，雙目卻神光炯炯地四下流顧。

原來，他已被王修說得大生警惕之心，覺著那君不語心機深沉難測，實在應該對他小心一些。

江曉峰小心翼翼地行近古柏，又小心翼翼地爬了上去。

他深深地感覺到，在目下這等強敵追索，險象環生的境遇之中，自保之道，謹慎用智，似乎是重過武功。

他選擇了一處能夠看到那磚墓的方位，靜觀變化。

這時，天上的密雲轉淡，星光隱現，江曉峰目力過人，借一點閃爍星光，已可見那墓中情形，直到五更過後，才見君不語抱著一團東西行了出來。他不用看清楚，已知道那是個人，玉燕子藍家鳳的未婚夫高文超。

君不語很沉著，他回顧了一眼之後，放下了高文超，然後蹲下身子，把揭下的青磚一塊一塊放好，才抱起高文超快步而去，消失不見。

江曉峰望著君不語消失的去向，長長吁一口道，暗道：「此人行動沉著，充滿著自信，似是早已成竹在胸，如是追蹤於他，不但可能被藍天義的手下發覺，而且也可能破壞他的計畫，看來只有留在這古柏之上了。」

一天的時間雖不算長，但如要坐在一株大柏樹上，靜靜地等上一天，而且身上既無乾糧，又無飲用之水，這一日就覺著很漫長了，江曉峰極力克制了下樹走動的欲塑，等到了二更時分，一切按照那君不語所囑，推開青磚，行入墓中。

只見火光隱隱，由微啓一縫的棺蓋中透了出來，敢情那君不語思慮周密，早已在棺中留下燈火，江曉峰推開棺蓋，只見棺中高燃著一盞燈，一套衫褲，折疊得十分整齊，正是昨晚高文超穿的衣服，一件封好的密函，放在衣服下面，江曉峰拆開封簡看去，只見上面寫道：

「衣服之內有一張人皮面具，乃在下仿照高文超的臉型精製而成，如若能小心一些，當不致露出馬腳。」

江曉峰取開折疊的衣服，內中果然有一件人皮面具，君不語爲人精細，不但在函中說明了那人皮面具的用法，而且說明了高文超的習慣，和見著藍天義時應對之策。列說詳盡，細微不遺。

江曉峰看完函件，易容更衣之後，已是快近三更時分，出得磚墓，還未把洞口封好，那木棺已開始燃燒起來，江曉峰加快動作，匆匆把青磚砌好，急急轉身而去，一口氣跑出了四、五里。

行上了大道，才放緩腳步，長長吁一口氣，伸展一下雙臂，辨識了彌陀寺的方向，正待舉步，突聞暗影中，傳過來一個冷冷的聲音，道：「什麼人？」

君不語棺中留函，說得雖然極爲詳盡，江曉峰也一一記於心中，但那留函上卻未提到途遇攔劫的應付之法。

變出計算之外，江曉峰只有憑藉個人的才慧，隨機應變了，一面提氣戒備，一面反問道：「閣下甚麼人？」

但見兩丈外，樹後暗影中，緩步行出一個黑色勁裝，手執長劍的人來。

江曉峰神凝雙目，發覺了來人竟然是一位女子。

只見那女子舉手理一理鬢邊的散髮，笑道：「小妹千手仙姬祝小鳳，不知高姑爺是否記得？」

江曉峰道：「祝姑娘深夜當値，定然是很辛苦了。」

祝小鳳笑道：「爲教主效勞，理所應當，怎敢當辛苦二字。」

語聲一頓，接道：「有件事，只怕高姑爺不知曉。」

江曉峰道：「什麼事？」

祝小鳳道：「江曉峰已然伏誅……」

江曉峰接道：「他死在何人之手？據說那神算子王修，是一位詭計多端的人，有他暗中主持其事，只怕不會讓江曉峰落入咱們手中。」

祝小鳳笑道：「神算子王修確然是一位詭計多端的人物，但他獨木難支大廈，除了江曉峰外，他再無可造之將。」

江曉峰道：「在下問姑娘江曉峰死於何人之手？」

祝小鳳道：「死於藍總護法之手。」

江曉峰道：「是藍福麼？」

祝小鳳道：「是的，藍總護法。」

江曉峰心中暗道：「君不語果然有驚人的才慧，不知他如何安排，竟使藍福親手殺死了高文超。」

祝小鳳道：「教主親手在那江曉峰身上，搜出了奪命金劍，當場賜給藍福，自然是不會錯了。」

心中暗暗贊佩，口中卻問道：「教主知道麼？」

江曉峰道：「那江曉峰的屍體呢？」

祝小鳳道：「現停在陀彌寺中。」

江曉峰吃了一驚，暗道：「停屍不葬，不知爲了何故，難道藍天義心中已經動疑了麼？此人武功、智計，都承繼了武林先賢大成，只怕很難瞞得過他。」

祝小鳳不聞江曉峰回答，又接口說道：「高姑爺從此也減少了一個情敵，小妹爲高兄賀。」

僞扮高文超的江曉峰淡淡一笑，道：「人各有志，很難強求，藍家鳳有她的自主看法，在下麼？也不會把這些事放在心上。」

祝小鳳嬌媚一笑，道：「高姑爺實是好風度，不過，據小妹所知，江曉峰停屍未葬，並非是教主之意。」

江曉峰道：「那是誰的意思？」

祝小鳳道：「說出來，希望你高兄不要生氣。」

江曉峰道：「不要緊，祝姑娘請說吧。」

祝小鳳道：「那是藍姑娘的意思。」

江曉峰微微一怔，道：「藍家鳳，她……」

祝小鳳接道：「聽說是藍姑娘請求教主，晚一天埋葬江曉峰的屍體。」

江曉峰道：「那又爲什麼呢？」

祝小鳳微微一笑，道：「詳細內情，小妹就不清楚了，高兄回去一問便知。」略一沉吟，接道：「好像藍姑娘要奠祭那江曉峰吧！唉！小妹多口，希望高兄不要見怪才好。」

江曉峰一揮手，道：「承蒙多賜教益，兄弟感激不盡，豈有見怪之理。」

祝小鳳閃身退到一邊，道：「小妹還未到換班時間，高兄請吧！」

江曉峰道：「姑娘偏勞。」

大步向前行去，心中暗暗忖道：「這姑娘不知是怎麼回事，一會兒稱我高兄，一下子又叫我高姑爺，當真是叫人難測。」

彌陀寺距古墓不過十餘里，江曉峰一陣緊跑，已到了彌陀寺外。

只見重重殿院，靜靜地臥在夜色中，寺門緊閉，一片寂然。

江曉峰早已得君不語留函所示，不能飛越而入，當下行近寺門，舉手扣動門上銅環。

寺門呀然而開，應門的竟然是君不語。

君不語微微一笑，欠身說道：「原來是高護法。」

江曉峰嗯了一聲，道：「教主在麼？」

君不語道：「教主休息了。」

暗施傳音之術，接道：「你可記得臥室？」

江曉峰微微頷首，一面大聲說道：「本座遇上了祝小鳳，告訴我江曉峰已然伏誅。」

君不語也高聲應道：「不錯，那小子死在總護法的劍下。」

江曉峰心中暗道：「原來他是死於劍下。」

口中又道：「聽說江曉峰的屍體，還放在寺中，未曾下葬。」

君不語道：「是的，那小子的屍體，現存在大殿後面一座廂房之中。」

一面又用傳音之術，道：「藍家鳳二更時分在那裏，但此刻已近四更，不知是否還在那裏，你要多加小心。」

江曉峰一抱拳，道：「多承指教。」大步直奔大殿之後。

果然，一間廂房中素燭高燒，但卻未聽得任何聲音。

江曉峰心中忖道：「藍家鳳告訴我她要回鎮江去瞧瞧，怎的又回到彌陀寺來。」

心中疑竇重重，人卻舉步向行前去。

但見人影一閃，一個十四、五歲的女婢，攔住了去路。

那小婢看清楚來人之後，立時退到一側，低聲說道：「姑爺回來了。」

江曉峰點點頭，舉步行入室中。

目光轉動，只見一口白木棺材前面，擺著四包供品。兩隻白燭，已然點去一大半。

藍家鳳坐在一張竹椅上，頭依棺木，沉沉睡去。

江曉峰重重地咳了一聲，緩步走近棺木，伸手抓住了棺蓋，正待用力揭開，卻被一隻滑膩玉手，抓住右腕脈穴。

轉眼望去，只見藍家鳳星目圓睜，臉上隱隱泛起怒容，冷笑一聲，道：「你要幹什麼？」

江曉峰微微一笑，道：「我要瞧瞧江曉峰的屍體。」

藍家鳳道：「不必了，他已經穿好衣服，只等天一亮，就要下葬了。」

她放了江曉峰的脈穴，接道：「你遠行歸來，很辛苦，也該早些休息。」

語雖說得很婉轉，但語氣卻很肯定、堅決，毫無商量餘地。

江曉峰道：「我看你依棺而息，定也很累，也該回房休息一下了。」

藍家鳳道：「多謝關心，天已快亮了，我要守到天亮。」

江曉峰道：「那江曉峰和你非親非故，姑娘何苦為他守靈呢？」

藍家鳳道：「那是我的事，和你無關。」

江曉峰淡淡一笑，道：「姑娘忘了，咱們已經有了婚約。」

藍家鳳道：「可是我還沒嫁給你，而且，你這一生也別想娶我過門。」

江曉峰心中一動，道：「這個只怕姑娘作不了主吧！」

藍家鳳冷笑一聲道：「我爹爹可以逼我嫁給你，但如果我拚死不從，他應該不會硬逼死他的親生女兒。」

江曉峰看她情緒激動，心中暗道：「如是我再用言語激她，她可能會洩漏出一些隱秘。」暗裏打定主意，故作傷感，默然歎一口氣，道：「教主未答應咱們婚姻之前，姑娘對在下

……」

藍家鳳冷冷接道：「不要提過去的事，提起了過去，我很恨……」

江曉峰道：「是恨在下麼？」

藍家鳳道：「你一定想知道，那也只好告訴你了，你猜得不錯。」

江曉峰長長吁一口氣，暗道：「想那高文超定然有什麼對不起她的地方，才使她心中餘恨不消，兩人雖然已有了名份，仍無法消去她心中的恨意。」

當下點頭說道：「姑娘但請放心，在下當不會強逼姑娘。」

藍家鳳恨聲接道：「我永遠不會再信你的話了，你口蜜腹劍，心地惡毒。」

江曉峰接道：「在下壞到這種程度麼？」

藍家鳳道：「我再告訴你一句話。」

江曉峰道：「好，在下洗耳恭聽。」

藍家鳳道：「你不用再妄想自作多情的感動我。」

江曉峰不再答話，轉身向外行去。

藍家鳳目睹江曉峰去遠之後，才舉手一招，那女婢應聲而入，道：「姑娘有什麼吩咐？」

藍家鳳忽然流下淚來，道：「我要你幫我一個忙，好麼？」

那女婢道：「姑娘有什麼事，但請吩咐，小婢萬死不辭，這幫忙二字，叫小婢如何擔當得起。」

藍家鳳低聲說道：「我要離開這裏。」

那女婢道：「你是教主之女，各位護法，哪個不識，你要到哪裏，他們難道敢攔住你不成。」

藍家鳳道：「他們奉有我爹爹之命，不許我離開彌陀寺。」

那女婢啊了一聲，道：「原來如此，不知要小婢如阿幫忙？」

藍家鳳道：「咱們換過衣服，你裝作我，在此守靈。」

那女婢呆了一呆，道：「這個只怕……」

藍家鳳接道：「你不用擔心，我不會讓你爲我送命。」

女婢黯然接道：「如若只是一劍把我殺了，小婢也不會放在心上，只怕教主不會一劍殺死我，小婢不怕死，但卻怕活罪難受。」

藍家鳳道：「你穿上我的衣服，坐在棺木前面，我臨走之前，點了你的穴道，他自然不會再爲難你了。」

只聽一個冷冷的聲音接道：「好辦法，不錯。」

藍家鳳不用回頭瞧看，只聽聲音，已知來人是誰，不禁爲之一呆。

那小婢急急拜伏於地，道：「婢子見過教主。」

敢情來人正是天道教主藍天義。

藍天義揮揮手，道：「沒你的事，你出去。」

那女婢站起身子，嬌軀微微顫抖，緩步而出，顯然，她心中還有著無比的恐懼。

藍天義輕輕咳了一聲，道：「鳳兒，你想到哪裏去？」

藍家鳳緩緩回過頭去，望了藍天義一眼，道：「女兒想回鎮江。」

藍天義怔了一怔，道：「回鎮江？」

藍家鳳道：「是的，女兒想回去看看母親，我已經很久沒有見過娘了。」

長長歎息一聲；接道：「孩兒前天已準備回鎮江一趟，但路上遇到了爹爹。」

藍天義道：「你不用回鎮江了，你母親已經離開了鎮江。」

藍家鳳只覺心頭一涼，暗道：「這麼看來，那江曉峰說的不是謊話了。」

心中念轉，口裏念道：「我母親到哪裏去了？」

藍天義道：「你娘爲了練習一種武功，找一處僻靜的地方練功去了。」

藍家鳳道：「爹爹可知道我母親現在何處麼？」

藍天義道：「這個，你暫時不用問，你母親武功練成了，自然會來看你。」

藍家鳳道：「爹爹可是也不知道母親現在何處麼？」

藍天義臉色一變，冷冷說道：「鳳兒，就算是爲父的知道，難道一定要告訴你不成？」

藍家鳳沉吟了一陣，道：「爹爹，女兒有幾句話，說出來，希望爹爹不要生氣。」

藍天義道：「好！你說吧！爲父的也覺著咱們父女之間的情意，愈來愈淡了，借此機會，咱們父女問，也好好的談一次，你心中有什麼話，全部說出來吧！」

藍家鳳突然流下淚來，道：「爹爹啊！兩年來，你都沒有和女兒這樣說過話了。」

藍天義緩緩坐了下去，道：「這一年多來，爲父的事情較爲繁多，無暇和你多談，今天難得有這麼一個機會，爲父的心情也很好。」

藍家鳳接道：「爹爹心情好，可是因爲江曉峰死去之故麼？」

藍天義微微一笑，道：「你好像很關心他，是麼？」

藍家鳳道：「女兒覺著他是一個很有骨氣的人。」

藍天義道：「唉！可惜他已經死了。」

藍家鳳道：「爹，他如不死，您還不是要想盡方法追殺他。」

藍天義仰天打個哈哈，道：「其實，我也不一定要殺死他，年輕輕的，練成了一身難得的武功，死得也實在太可惜！」

語聲一頓，接道：「不過，人死不能復生，世間還沒有一種藥物，能夠使死了的人，再活回來，是麼？」

他語氣緩和，說來頗有仁慈之感。

藍家鳳道：「其實，那江曉峰和女兒，也沒有什麼，我今夜替他守靈，那也不過是爲了報答他昔年相救女兒之恩。」

藍天義點點頭，道：「感恩圖報，那也是應該的事。」

藍家鳳似乎對父親今宵慈愛的神情，似是大感意外，眨動了一下星目，緩緩說道：「爹爹，今宵對我……」

藍天義接道：「一年多來，我對你太嚴厲了，想一想心中也覺著難過，從今之後，爲父的要對你好些，世人都說我藍天義有一個絕世無倫的美麗女兒，爲父的難道就一點不愛惜麼？」

藍家鳳道：「唉！人說世上沒有不疼兒女的父母，看來果然不錯了。」

藍天義笑道：「你能知曉父母的心，足見是一個很孝順的女兒。」

藍家鳳在藍天義慈和父愛之下，幾乎要把救助江曉峰，和聽得母親死去一事講了出來，但她最後仍是強自忍了下去，說道：「爹爹霸業將成，手下高手如雲，女兒追隨身側，也對爹爹沒有多大幫助。」

藍天義啊了一聲，道：「你的意思是……」

藍家鳳道：「女兒想先回到母親身邊，替她老人家護法。」

藍天義皺皺眉頭，道：「鳳兒，你母親的去處，爲父著實也不知，不過，你娘說過，多則三年，少則兩載，一定會回來看你。」

語聲一頓，接道：「鳳兒，我知道你不願追隨在父親身側的原因，唉！你一向在江湖上走動，自不似深閨少女一般害羞，這廂房中又無外人，你有什麼心事，儘管對爲父的說吧！」

藍家鳳輕輕歎息一聲，道：「孩兒沒有什麼心事。」

藍天義略一沉吟，笑道：「你好像對那高文超有點不滿，是麼？」

藍家鳳道：「女兒覺著他沒有骨氣。」

藍天義微微一笑，道：「當年你們互相愛慕，彼此情投意合，如今怎的竟會極不相容？」

藍家鳳道：「那時女兒，爲他甜言蜜語所欺，不知他的爲人。」

藍天義頷首笑道：「鳳兒！你的婚事，爲父的決不強你所難，你再仔細地想想再說，你坐了一夜，想必很累了，回去休息吧，好好的睡一覺。」

藍家鳳緩緩抬起頭來，道：「爹……」

藍天義伸出手去，輕撫著藍家鳳頭上的秀髮，神態間流現出無限慈愛。

藍天義接道：「回去睡吧！有什麼話，咱們明天再談。」

藍家鳳微微頷首，道：「女兒去了，爹爹連日奔走勞累，也要保重身體才是。」緩緩舉步向外行去。

那女婢侍候在數丈之外，目睹藍家鳳出了廂房，快步迎了上來，道：「小婢……」

藍家鳳接道：「不關你的事，我爹爹武功卓絕，咱們自無法防到他，不過，今後你要特別留心一件事。」

那女婢原想難逃小姐一頓鞭打，哪知不但一頓鞭打免去，而且，連一份責備也不曾受，實是喜出望外，急急說道：「姑娘但請吩咐，小婢萬死不辭。」

藍家鳳道：「我要你從此之後，留心那高文超的舉動。」

那女婢略一沉吟，道：「監視他麼？」

藍家鳳道：「那倒不用了，只是不要他進入我的房中，向我糾纏。」

那女婢似是大感爲難地說道：「小婢盡力，但只怕開罪了姑爺。」

藍家鳳冷笑一聲，道：「我爹已答允不再堅持婚約，你自然也不用怕他了。」

話聲一頓，接道：「除了教主之外，暫時，我不想見任何人。」

小婢道：「藍總護法呢？」

藍家鳳道：「一樣不見，就說我身體不適，不能見客。」舉步向前行去。

那小婢追隨身後，直待藍家鳳行入暫居的閨房，才停下腳步，盤膝坐在門口。

廿四　深入虎穴

且說江曉峰回到了自己居室之中，和衣而臥，希望能小睡片刻，養養精神。

他心中明白，此時此地，必需隨時保留著充沛的體能，準備應付突變。

君不語的設計，雖然是十分周密，但藍天義實非好與人物，一不小心，即可能被人瞧出破綻。

但他思潮起伏，各種事端，紛至沓來，哪裏能睡得著。

突然間，一陣輕微的步履之聲，傳入了耳際。

聲音輕極，江曉峰自覺如是在半年之前，就無法聽到那等輕微的步履之聲。

他暗自吸一口氣，納入丹田，調勻了呼吸，裝作熟睡的樣子，暗中卻凝神戒備，微啓雙目，靜觀變化。

只見一條人影，由門口行了進來，緩緩向前移動。

江曉峰心中一震，暗道：「糟啦，入室之後，竟然忘記了扣上房門，才被人輕易侵入。」

一面暗中運氣於掌，準備隨時出手。

夜暗中，只見來人一對閃閃生光的眸子投注了過來。

江曉峰不敢移身轉頭，使對方忽生警覺，但因臥榻的角度受夜暗所限，無法看清楚來人的

形貌，只見一條人影，和兩個閃光的眼睛。

但見那人影在室中停了下來，大約是已從江曉峰均勻的呼吸中，聽出他睡得很熟，站了片刻之後，突然又舉步向外行去。

江曉峰挺身坐起，低聲說道：「什麼人？」

口中說話，人已蓄勢戒備，準備迎接來人的攻襲。

只見那人低聲說道：「高兄麼？在下君不語。」

江曉峰一躍下榻，低聲說道：「君兄有何見教？」

君不語緩步行了過來，低聲說道：「你見過藍姑娘了？」

江曉峰道：「見過了。」

君不語道：「在下沒有太多時間停留，只能先告訴你一件事，但你要牢牢的記著。」

江曉峰道：「在下洗耳恭聽。」

君不語道：「藍天義已經趕到那廂房中去，目前還無法判斷出，他是否已經對那高文超的死亡動了懷疑，我相信他無法查出內情，但此人不簡單，可能心中已然動疑。」

江曉峰道：「小弟應該如何。」

君不語施用只有兩人可以聽到的聲音道：「他只要找不出證據，我想過一段時間，或可消除他心中之疑，重要的是你，要表現出你是高文超。」

江曉峰道：「那小弟如何表現？」

君不語道：「那高文超愛煞了藍家鳳，那藍家鳳卻似是一點也不喜歡，但高文超想盡了方法，向藍家鳳糾纏不休，最妙是那藍天義似乎也默認此事，而且還似是有些縱容……」

江曉峰接道：「這也和小弟有關了麼？」

君不語道：「關係太大了，只有你繼續不斷的糾纏藍家鳳，才能使人相信你是高文超，何況藍天義有意放縱那高文超向女兒糾纏，個中定有內情，你當心一些，也許還可以發現一件絕大的隱密。」

講完話，也不待江曉峰回答，立時轉身而去。

江曉峰目睹君不語去遠之後，也不再瞧，索性盤坐調息。

一陣坐息醒來，天已大亮，睜眼望去，只見木榻一側的椅子上，端坐著藍天義。

不禁心頭大震，輕輕咳了一聲，一躍下榻，欠身一體，道：「教主到了很久了麼？」

藍天義微微一笑，道：「剛到不久，看你正坐息，沒有驚擾。」

江曉峰欠身應道：「晚輩貪睡得很，竟不知教主駕到。」

藍天義道：「那倒是無關緊要的事，但你大開室門，坐息於木榻，倒是有些叫人擔心，以後，不可再如此大意了。」站起身子向外行去。

江曉峰追隨身後，送於室外道：「送教主。」

藍天義一揮手，道：「不用了。」大步而去。

江曉峰望著藍天義的背影，心中又是震驚，又有迷惘。

震驚的是，藍天義以教主的身分，竟然悄然的到一個下屬房中，坐了很長的時間，定有著特殊原因，迷惘的是，藍天義對自己手下一個並非重要的人物，似乎是太客氣了，客氣得使人意外，而且隱隱間有著一種關懷之意。

江曉峰站在門口思索了一陣，轉回室內，打了盆水，小心翼翼地梳洗一番，緩步行向藍家鳳的宿住之處。

只見房門半掩，顯然，室中人已經起床。

江曉峰輕輕咳了一聲，舉手一推室門，舉步行了進去。

只見人影一閃，一個頭梳雙辮的女婢，橫身攔住了去路。

江曉峰心中暗暗叫苦，忖道：「不知這丫頭的名字，如何稱呼她，我早該想到此事，問問那君不語才是。」

但聞內室中傳出了藍家鳳的聲音，道：「小月，什麼人哪！一大早來這裏幹什麼？」

江曉峰心中喜道：「好啊，她叫小月。」

只聽小月應道：「除了那位高姑爺，誰還敢一大早跑來驚擾姑娘。」

藍家鳳道：「叫他出去，我身體不適，不願見客。」

小月冷冷接道：「高姑爺，你都聽到了，難道還要小婢再下一次逐客令麼？」

江曉峰只覺臉皮發熱，火辣辣的難受，幸好臉上有人皮面具，掩去了大部窘態。

正待退出室去，忽然心中一動，暗道：「那君不語叫我糾纏藍家鳳，既然是用糾纏兩字，自然有些耍賴的味道了。」

心念一轉，淡然說道：「小月，你叫我什麼？」

小月道：「叫你姑爺呀，怎麼樣？」

江曉峰道：「既是叫我姑爺，自非外人，你家姑娘身體不適，姑爺如不能進入房中探望，誰能來此探望？」

小月道：「這個，這個……」

江曉峰道：「不用這個、那個了，快給我讓開路。」

小月被江曉峰連說帶唬的一嚇，真還不知道該如何應付，不自覺地向門旁邊讓去。

只見軟簾啓動，內室門口，出現了絕世玉人藍家鳳。

她臉上泛現怒意，冷冰冰地說道：「高文超，你鬧什麼？」

江曉峰淡然一笑，道：「在下沒有鬧。」

藍家鳳眉宇間，滿布肅殺之氣，緩緩說道：「高文超，我想告訴閣下一件事。」

江曉峰道：「好啊！在下洗耳恭聽。」

藍家鳳道：「昨宵你離去之後，我爹爹到過我這裏，他問起閣下。」

江曉峰怔了一怔，道：「問我什麼？」

藍家鳳道：「問你如何向我糾纏。」

江曉峰接道：「咱們已有婚約，你非我不嫁，我非你不娶，怎會算得糾纏呢？」

藍家鳳道：「我還沒有嫁給你，不論你心中是怎麼想，但我希望你知趣一些，以後如再找我糾纏不清，我爹爹已面允不再過問這件事，你如再來煩我，當心我寶劍無情。」

江曉峰心中暗道：「那高文超不知如何得罪了藍家鳳，一對愛人，竟然會變得冰火不容，這其間的詳細內情，我一點也不知曉，實不宜再和她多談了，如若話題一旦轉回過去，勢必露出馬腳。」

心中念轉，人也轉身行去，口裏卻說道：「可惜那江曉峰已經死了。」

藍家鳳冷笑一聲，道：「站住！」

江曉峰回首說道：「什麼事？」

藍家鳳道：「我和江曉峰清清白白，你不要含血噴人。」

江曉峰心中忖道：「不知她對我有幾分情意，何不借機試試她！」

當下說道：「江曉峰和你非親非故，你如真和他清清白白，爲什麼要爲他守靈，孤燈伴棺，深宵不寢？」

藍家鳳嬌軀微微顫抖，顯然，內心之中有著無比的激動。

只聽她恨聲說道：「你一定想知道麼？」

江曉峰道：「你如沒有什麼虧心之事，爲什麼不敢說呢？」

藍家鳳道：「好吧！告訴你也不妨事，我和他沒有夫妻之名……」

江曉峰接道：「那當然，你已經有丈夫了。」

藍家鳳臉上是一片奇異的神色，緩緩接道：「可是我和他已有了夫妻之實。」

江曉峰呆了一呆，忘記了自己是已扮做高文超的身分，急急叫道：「什麼？你胡說八道。」

藍家鳳看他焦急之狀，盈盈一笑，道：「我說的都是真話，我和他兩心相悅，歡愛情深。所以，我要替他守靈，也要爲他守節，要解去咱們的婚約，終身不嫁人。」

江曉峰道：「有這等事情，我怎麼一點也不知道呢？」

藍家鳳道：「爲什麼要你知道，江曉峰已經死了，我才會告訴你。」

江曉峰道：「荒唐，這話從何說起！」

藍家鳳右手一伸，抓起了放在木案上的寶劍，一按劍柄彈簧，寶劍出鞘，道：「也許我腹中已經有了江曉峰的小寶寶。」

江曉峰一跺腳，道：「滿口胡言！」

藍家鳳冷冷說道：「你想知道的話，我都告訴你了。」

江曉峰道：「哪裏有這些事！」

藍家鳳接道：「信與不信，那是你的事，咱們情義已絕，從此之後，你也別再見我，快點給我滾出去。」長劍一揮，刺出一劍。

江曉峰如施金蟬步法，自可輕而易舉地把這一劍避開，但這一來，也必將暴露出身分，心中略一猶豫，對方劍勢，已近前胸，急急一閃，雖然避開了要害，但劍尖寒芒，卻已刺中了左臂。

衣破皮綻，鮮血泉湧而出。

這一劍，顯然傷得不輕。

江曉峰雖然左臂中劍，但心中卻會過意來，已知藍家鳳是把自己當做了高文超，才故意捏造出這番事故，目的在嘔激高文超，當下伸手按住傷口，轉身而去。

站在旁側的女婢小月，卻看得心頭大震，幾乎失聲而叫，但她強自忍了下去。

直待江曉峰走遠之後，小月才長吁一口氣，道：「姑娘，小婢真怕你那一劍，刺他個洞胸穿背，當場喪命。」

藍家鳳道：「打什麼緊！大不了給他償命。」

語聲一頓，接道：「不過，我覺著有些奇怪。」

小月道：「奇怪什麼？」

藍家鳳道：「以他平日的爲人，縱然不會拔劍而鬥，也該早作避讓，怎肯讓我一劍刺中。」

小月道：「也許他聽得氣怒攻心，忘了閃避姑娘之劍。」

抬頭望了藍家鳳一眼，道：「姑娘，這位高姑爺似很癡情，你把什麼話都告訴他了，他竟是不肯相信。」

藍家鳳呆了一呆，道：「你相信我說的話麼？」

小月道：「婢子，婢子……」

藍家鳳道：「不要緊，你據實說出來就是，我不會怪你。」

小月道：「一個女子的名節，何等重要，怎可自行汙損，因此，婢子覺著姑娘不致於捏詞自傷。」

藍家鳳道：「那你是相信了？」

小月道：「要婢子老實說，我是相信的。」

藍家鳳這才感覺到徒逞一時之快，自傷名節，實在大不該為，江曉峰已然死去，死無對證，此事如若傳了出去，必然留人話柄，再想還我清白，恐非易事了。

心中黯然，緩緩放下長劍，步回內室。

且說那江曉峰快步奔回居室，察看傷勢，竟有半寸深淺，幸好還未傷及筋骨，暗暗忖道：「這丫頭下手極辣，如若我不在緊要之時，閃避一下，勢必重創於她的劍下不可。」

當下脫下上衣，包好傷口，盤坐調息，運氣止血。

他身處虎口，不敢有絲毫大意，雖在坐息，仍然留心室外的情勢變化。

只聽一陣步履聲傳了過來，身著長衫的總護法藍福，快步行了進來。

江曉峰暗中提氣戒備，神情間故作不知，微閉雙目而坐。

藍福行入室中，輕輕咳了一聲道：「高護法……」

忽然瞧到了高文超臂上的傷勢，頓然住口不言。

江曉峰睜開雙目，望了藍福一眼，急急一躍下榻，欠身說道：「見過總護法。」

藍福臉上盡是一片關懷之情，望著江曉峰的左臂，道：「文超，你受了傷？」

江曉峰道：「一點劍傷。」

藍福嗯了一聲，道：「什麼人傷了你？」

江曉峰略一沉吟，想到這事無法說謊，只好說道：「傷在了藍姑娘的劍下。」

藍福雙目中神光一閃，道：「是家鳳麼？」

江曉峰道：「不錯，除她之外，別人怎敢傷我。」

藍福道：「哼！這丫頭越來越野了，你們怎麼比起劍了？」

江曉峰道：「並非比劍，只是言辭間起了衝突。」

藍福怒道：「言辭間起了衝突，也不能拔劍動手啊！我去稟告教主，要好好教訓這個丫頭一下。」

江曉峰心中暗自奇怪，忖道：「君不語說那藍天義有意縱容高文超，這藍福為人一向冷酷，但他對高文超的關心，卻遠遠超過了對屬下應有的關懷，看來這中間，定有隱情。」心中風車一般打轉，口中卻急急說道：「多謝老前輩，我看不用了。」

藍福輕輕歎息一聲，道：「我看你是丟不下藍家鳳了。」

高文超道：「晚輩慚愧得很，還望老前輩大力成全。」

藍福道：「你不用急，藍家鳳飛不了，早晚是你的人，大局安定之後，就由不得她了。」

高文超暗道：「我何不借機激他說出一點內情。」

當下道：「但她是教主掌上明珠。」

藍福淡淡一笑，道：「教主會為你作主，不用擔心……」

語聲一頓，接道：「教主已決定先平服幾個大門派，以振聲威，武當距離最近，已決定先向武當下手，要老夫選帶六位護法開道，教主隨後動身，老夫本想帶你同行，但你既然受了傷，那你就跟著教主走吧！」

江曉峰吃了一驚，急道：「不要緊，晚輩這點皮肉之傷何足為慮，何況追隨總護法，也用不著晚輩出手。」

藍福道：「你想跟著老夫走麼？」

江曉峰道：「晚輩極願追隨，也好多獲一點教益。」

藍福道：「孺子可教，你快收拾東西，老夫再選五人，咱們即刻動身。」言罷，轉身向外行去。

江曉峰急追一步，道：「總護法！」

藍福動作奇快，人已走出室外，聞言停下腳步，回頭說道：「什麼事？」

江曉峰答：「江曉峰雖然已死，但王修等幾個詭計多端之人，還未就逮，斬草如不除根……」

藍福接道：「教主是何等才智之士，豈能計不及此，但事有輕重緩急，等平服了各大門

派之後，再收拾他們不遲，江曉峰得天獨厚，年紀又輕，武林一般自鳴俠義的人物，曾對他寄望甚切，不計門戶之見，傾授本身武功，年來他武功的進境，確有一日千里之勢，他死於老夫劍下，餘子已不足畏，教主平服武林之後，豈能有他們藏身之地，只不過讓他們多活幾日罷了。」

江曉峰道：「得聆前輩高論，使晚輩茅塞頓開。」

藍福微微一笑，大步而去。

江曉峰整理了一下高文超的遺物，打了一個包袱帶上，行出寺外，只見選帶的五位護法，早已勒馬等候。

目光轉動，只見那五位隨行護法是：金刀飛星周振方、踏雪無痕羅清風、千手仙姑祝小鳳、一輪明月梁拱北，茅山閒人君不語。

江曉峰一見君不語也被選中，心中暗自喜道：「此人智謀絕倫，有他隨行，或可解武當之危。」

五位護法似是對那高文超極爲尊重，齊齊欠身作禮。

江曉峰正待抱拳還禮，瞥見君不語以目示意，當下冷漠一笑，伸手從君不語手中接過韁繩。

原來，周震方和君不語的手中，各牽著兩匹健馬，顯然是爲藍福和自己準備的。

片刻之後，藍福大步而出，接過周震方手中一匹健馬，當先躍上馬背，道：「咱們走！」

七人紛紛躍上馬背，放轡奔弛，七匹長程健馬，蕩起一道煙塵，直向武當山弛去。

一路上兼程疾進，除了健馬必得休息之時，才勉做停留之外，不分晝夜趕路。

這日中午時分，到了老河口，藍福突然一變數日行徑，竟然率領六人，投宿於一家天陞客棧之中。

江曉峰沿途之上，一直暗中留心看藍福的一舉一動，希望能從他舉動中，查出天道教佈置於江湖上的實力。

但一路上，除了歇馬進食之外，藍福一直沒有可疑的舉動。

江曉峰爲了避免引起藍福之疑，故示傲慢，很少和其他五位護法談話。

但進天陞客棧之後，江曉峰立時覺出情勢不妙。

天陞客棧似是早已知曉了藍福等一行要來一般，四、五個店夥計，一齊迎了出來，一語未問，立時接過韁繩，牽入店後馬棚。

另一個店夥計帶著七人，直入三進院內一座幽靜的跨院中。

江曉峰目光轉動，只見這座跨院之內，一主兩廂，足足有七、八間房之多，店夥計把幾人讓入空房之內。

藍福大剌剌地坐了主位，道：「叫大掌櫃來。」

店夥計笑道：「諸位先洗個臉，吃杯茶，大掌櫃出去時已交代過我，午時如若不能回來，日落之前回店。」

藍福一皺眉頭，道：「要廚下準備酒飯，先叫二掌櫃來見我。」

店夥計應了一聲，悄然退下。

片刻工夫，酒菜齊上，美酒佳餚，擺滿了一桌子。

藍福舉起筷子道：「諸位數日來兼程趕路，一直未能得好好的休息一下，這一頓酒飯諸位可以放心大吃，開懷暢飲，然後，再好好的睡一覺，今夜裏最早也要二更以後才有行動。」當先舉杯用筷，吃喝起來。

群豪隨後開動，大口菜、大杯酒地狼吞虎嚥。

這當兒，忽見一個頭戴瓜皮小帽，身著海青胡綢長衫的中年人，哈著腰走進來，抱拳給藍福一禮，道：「見過總管大人。」

藍福頭未回顧地嗯了一聲，道：「你是二掌櫃？」

那人欠身應道：「不敢，不敢，小人叫鐵嘴張強。」

藍福道：「武當山有什麼消息？」

鐵嘴張強道：「昨宵三更時分，武當山有兩個道人來此。」

藍福道：「他們說些什麼？」

張強道：「他們和大掌櫃在櫃房中密談甚久，小的未得參與，事後大掌櫃透露了一點內情，似是說武當山近月內戒備很嚴，就是武當門下弟子，也不能隨便出入，七星峰道，設下了一個卡子，由十二名武當弟子守護，朝山進香的人，都被勸了回來。」

藍福放下了手中的木筷，冷笑一聲，道：「一群牛鼻子老道，竟然敢妄圖抗拒……」左手一揮，接道：「你退下去，大掌櫃回來時，叫他來此見我。」

張強應了一聲，哈著腰退了出去。

江曉峰心中暗自歎道：「原來武當派早有內奸，派中情形，盡皆外露，自然是防不勝防了，如若能早些設法通知他們一聲，至少可使武當有個準備，減少一些傷亡。」

他料想藍福必然會述說攻襲之法，哪知藍福卻是一語不發，匆匆食完飯，才說道：「教主已在武當派內安了臥底的人，到時候自會接應咱們，諸位酒飯之後，請各自回房中打坐調息，以消除數日來的疲勞，培養體力，此地也許有武當門下暗樁，諸位未得老夫之命，不可擅離此地。」

幾位護法齊齊應了一聲，退出主房。

江曉峰分配在南面一個廂房中，和金刀飛星周振方、踏雪無痕羅清風同住一起，進門前，故意落後一步，想和君不語研商一下，搶救武當派的法子，哪知君不語昂首而行，目不旁顧，那神情分明是不願答腔。

但耳際間卻傳入君不語傳音之聲，道：「小不忍則亂大謀，大劫之下，難免要有些傷亡，切記著不可輕舉妄動。」

話說完，人已從江曉峰身側行過，始終未轉頭望他一眼。

江曉峰暗暗歎息一聲，舉步行入室內。

這時，他心中已然明白，藍福不但心地陰沉，手段惡毒，而且還十分謹慎。

既然是無法對武當派施以救助，那就只好靜下心來，運氣調息，以求保持住充沛的體力。

是夜二更，月明如晝，萬里藍天，見不到一片浮雲。

江曉峰聽得呼叫之聲，趕出室外，另外五位護法，早已齊集，並肩肅立，站在客棧院中。

藍福背負著雙手，卓然而立。

江曉峰欠身道：「屬下……」

藍福一揮手，不讓他再說下去，接道：「教主行事，一向光明，咱們今宵登上武當山，並非是施行暗襲，但是在沿途之上，難免遇上武當門下弟子查椿施襲，諸位儘管施下毒手，不用顧忌，諸位請跟老夫行動。」轉身向外行去。

眾護法隨行身後，由客棧後門而出。

只見七匹健馬，早已備好了鞍蹬，四個店夥計分別牽著。

藍福當先躍上馬背，放轡馳去。

眾護法幾乎是一齊動作，躍上馬背。

江曉峰走在最後，七騎如飛地疾奔而去。

原來，這老河口距離武當山還有百里以上的行程。

出城不遠，到了湘江渡口，只見兩艘大形渡船，靜靜地泊在岸邊月光之下。

藍福雙手揚起，互擊一掌。

巨舟中跳出一個全身黑衣，頭戴小帽的人，一欠身，道：「請總管上船。」伸手牽住了藍福座馬。

藍福嗯了一聲，跳下馬背，舉步向前行去。

巨舟上人影閃動，又跳上六個大漢，分別接過了眾護法的馬轡。

江曉峰心中暗道：「看來他們早已在此布下了據點耳目，水道、旱路，都有人手。」

兩艘大形巨舟，一次渡過了七人七馬。

船到對岸，藍福立時牽馬登岸，縱騎而去。

他很少說話，但眾護法卻似是都對他有著很深的敬畏，爭先恐後地躍登上岸，縱馬急追。

半宵奔馳，七匹健馬，都跑得通體是汗。

天亮時，眾人已入山區。

藍福從懷中摸出了一張地圖，瞧了一陣，一帶馬頭，折轉入一條荒僻的小徑上。

群豪魚貫追隨，行約三、四里，繞過了一片竹林，翠樹林中，矗立著雙幢茅舍。

藍福重重咳了一聲，道：「有人麼？」

翠樹叢中，應聲奔出來三個人。

居中一人，年約五旬，一身農家裝束，兩側卻是兩個疾服勁裝的年輕人。

藍福爲人倨傲，但對這老農，卻似是極爲客氣，躍下馬背一拱手，道：「怎敢勞王兄大駕親迎。」

那一身著農裝的老人笑道：「藍兄現在是總護法，兄弟理當迎接。」

藍福道：「偏勞了。」

語聲一頓，放低了聲響，道：「教主的手諭說了什麼？」

農裝老人笑道：「兄弟拜讀了教主手諭，諸事早已齊備，不敢再勞總護法費心。」

藍福道：「王兄辦事，一向是乾淨俐落，兄弟佩服得很。」

農裝老人道：「總護法誇獎了，茅舍中備了酒飯，總護法請入內侍茶。」

藍福道：「那倒不用了，兄弟時限迫促，就要動身，從此入山，馬已無用，留在這裏餵牠們吧！」

農裝老人笑道：「總護法大駕已到，連牠們也要大飽口福了。」

藍福微微一笑，回顧了周振方、君不語、江曉峰等眾位護法一眼，道：「各位快取下馬背

上應用之物，從此刻起，我們要步行登山。」

江曉峰取下馬鞍上的長劍、乾糧，心中暗暗忖道：「聽藍福和那老農交談之言，似是並非是指人而言，不知說的何物？」

回目望去，只見君不語站在一丈開外，似是有意地逃避，不願和自己交談。

但見藍福一拱手，道：「王兄，咱們武當山見。」轉身而去。

眾護法急急奔走追隨。

這數日以來，江曉峰深深覺到，這一行人中很少講話，藍福說話少，卻處處以行動領導，其他所有的人，更是難得開次口，彼此之間，全不交談，每時每刻中，都有著一種沉默的緊張，和自己同王修、方秀梅等在一起時，那等縱論江湖、談笑風生的氣象，大不相同。

君不語本來走在最後，此刻突然加快腳步，由江曉峰身側掠過，就借著那錯身而過的瞬間，低聲說道：「顧全大局，莫拘小節。」

追過了周振方，緊隨在藍福身後。

眾護法展開身法，登上疾行。

這些人，無不是武林中叫得響的人物，輕功卓絕，全力施展，疾逾奔馬。

一口氣翻過了四座山峰。

江曉峰暗中留心查看，只見這一陣奔行之後，五位護法的功力，已然分出了高下。

那藍福臉不變色，頭不見汗，行若無事一般。

周振方和梁拱北，不停大聲地喘氣，聲聞丈外。

千手仙姬祝小鳳更是滿臉汗水。

羅清風號稱踏雪無痕，輕功上造詣果然不凡，還能夠氣定神閒，只是頂門上微微見汗。

君不語有輕微的喘息，但他並非輕功見長之人，這護法之中，除了藍福之外，大概應以他功力最深了。

江曉峰默查四下形勢，突然有所警覺，趕忙運氣，逼出頭上的汗水，微微輕作喘息。

藍福看過了眾護法的情形，頷首一笑，道：「此地相距七星峰，大約還有兩個時辰的路程，只要咱們太陽下山之前趕到就行了，時間還很充裕，諸位感覺睏倦，不妨在此坐息一下，吃點乾糧，老夫去看看前面的山勢。」說罷，轉過身子，大步而去。

周振萬、梁拱北當先坐了下去，運氣調息。

緊接著祝小鳳、君不語等相繼盤坐，江曉峰雖然毫無倦意，也跟著盤膝坐下。

藍福似是有意地要和諸位護法造成一種距離，一去近一個時辰之久，回來時，幾位護法都已坐息醒來。

一切計畫，都深藏藍福胸中，也不和隨行護法商談，所謂護法，也只有聽命行事的份兒。

江曉峰沿途行來，一直留心觀察周震方、羅清風等的舉動神情，希望找出這些人，何以會對藍天義無條件效忠，儘管他全神貫注，但仍然無法瞧出一點內情。

藍福下令動身，翻山越嶺，盡走捷徑，太陽下山之前，到了一座高峰下面。

攔路的山峰雖高，但卻登山有徑，盤轉於峰腰之上。

藍福望著那高聳的山峰，緩緩說道：「此刻，咱們才算正式和武當派交上了手，這是屏障武當本院的七星峰，武當四子，必集聚門下部分高手，扼守此地，咱們在行途之中，極可能遭

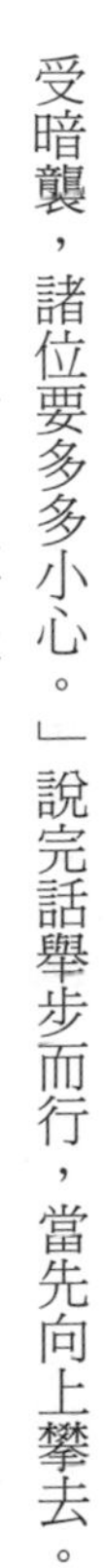

受暗襲，諸位要多多小心。」說完話舉步而行，當先向上攀去。

眾護法魚貫相隨於後。

江曉峰心中暗道：「這不算偷襲，也不按武林規矩投柬拜山，非明非暗，不知算什麼名堂。」

忖思之間，瞥見一條人影，由峰上直奔下來。

不大工夫，已到了幾人身前兩丈左右處，停下了腳步。

江曉峰凝目望去，只見來人是留著長鬚的中年道人，背插長劍，足著多耳麻鞋，打了問訊，道：「諸位施主，本觀因事暫閉山門。」

藍福冷哼一聲，接道：「你這小道士是真不知道了，還是明知故問？」

那中年道人打量了藍福等一眼，道：「諸位身帶兵刃，分明是武林中人，如若不是朝山進香，不知來意如何？」

藍福冷冷說道：「祝護法，下了他的兵刃。」

祝小鳳應聲而出，格格一笑，道：「老道士，你如果不想獻醜，那就解下身上配劍，我們總護法一向仁慈，也許不會傷害你。」

那中年道士臉色一整，道：「施主說笑話了。」

祝小鳳道：「我說的千真萬確，你如是不肯相信，那也是沒有法子的事了，動口不行，姑娘我只好動手了。」

說打就打，一躬身，陡然飛身而起，直向那中年道人撲了過去。

左手玉指纖纖，點向那道士的右肩，右手「分花拂柳」，去抓那道人的劍柄。

那中年道人疾快地後退了兩步，右手亦向劍柄之上抓去。

祝小鳳動作快，但那道人的動作更快，右手後發先至，當先握住了劍柄，同時，左手大袖一拂，反向祝小鳳的左手掃去。

祝小鳳眼看制敵、搶劍，都已無望，立時一低頭，道：「老道士，小心啦。」

一點寒光，竟從粉頸中疾射而出。

雙方距離很近，這弩箭來勢又極快速，那道人匆忙之中，急急一偏腦袋。

饒是他應變迅快，仍是慢了一步，短箭過處，穿過了那道人右耳。

一陣劇疼，鮮血泉湧而出。

就在那道人中箭的一瞬，祝小鳳右手已撥開了那中年道人的五指，抓住了劍柄，嗆的一聲，抽出長劍，啪一聲棄置於地。

她被人稱做千手仙姬，全身都是暗器，和敵人近身搏鬥之中打出，實叫人防不勝防。

江曉峰只瞧得暗暗吃了一驚，忖道：「江湖上什麼樣怪人、奇技都有，這丫頭脖子裏竟然藏有暗器，如是日後和她動手時，當真也得小心一些才是。」

祝小鳳棄去奪過的長劍後，格格一笑，道：「老道士，回去吧！告訴你們掌門人，就說天道教藍總護法，親率六大高手，登山問罪，識時務的撤去暗樁，開門投降，還可保存一派實力，如是不識時務，妄圖抗拒，只怕難免全派被屠的厄運。」

那中年道人臉上一片悲忿之色，但他卻強忍下了心中怒火，冷冷說道：「姑娘好奇幻的暗器，貧道希望還有領教的機會。」轉身疾向山上奔去。

敵勢強大，他必須把此訊傳到峰頂，故忍辱而去。

藍福目睹他背影消失之後，突然伏身撿起長劍，道：「走，咱們也該上去了。」

日光一掠君不語、祝小鳳，接道：「君、祝兩位護法開道。」

君不語應聲而出，和祝小鳳並肩向上行去。

藍福居中，江曉峰、羅清風、周振方等斷後而行。

祝小鳳一面奔行，一面說道：「君兄，你好像很少講話。」

君不語道：「在下口齒拙笨，不善言詞，故而不喜多言。」

祝小鳳笑道：「君兄深藏不露，定然身懷絕技，等一會兒遇上強敵時，還要君兄施展手段，讓小妹瞻仰瞻仰。」

君不語微微一笑，道：「在下要仗憑姑娘了。」

講話之間，突聞金風破空，兩支強箭，電射而至。

暗射箭人，不但臂力強大，箭勢勁厲，而且取位甚準，兩支長箭，分別射向兩人的前胸。

君不語陡然收住了奔行之勢，右手一抬，竟然把長箭接住。

祝小鳳卻驟裏一閃，讓過一箭。

君不語五指暗中加勁，啪的一聲，折斷了手中的長箭，道：「祝姑娘，敵人箭勢強勁，非一般弓箭手可比，都是身具武功之人所施放，如若前面埋伏有十名以上的弓箭手，憑咱們兩人武功，恐難衝得過去。」

祝小鳳回顧了避開的長箭一眼，只見長箭釘入一塊山岩之內，心中暗暗吃驚，忖道：「這等強弓勁箭，取位極準，如是閃避不及，一箭足可致命。」

一顰柳眉，道：「君兄之意呢？」

君不語道：「應該稟報總護法，恭請裁奪，咱們人手不多，如若強行攀登，勢必要有很大的傷亡不可。」

談話之間，藍福已經追了上來，冷冷說道：「兩位怎麼不走了？」

祝小鳳道：「上面有埋伏。」

藍福望望君不語棄置於地上的斷箭，道：「只有幾個弓箭手麼？」

君不語道：「箭勢強勁，取位極準，強行攀登，難免要有傷亡。」

藍福冷笑一聲，還未來得及開口，兩隻疾勁強箭，已挾著破空銳嘯，疾射而來，雙箭並至，齊取藍福前胸。

江曉峰疾快地拔劍一揮，擊落了一支長箭，另一支被藍福伸手接住。

藍福回顧了江曉峰一眼，笑道：「文超，你的劍法又有了不少進境，深得快字一訣，老夫教你的幾招，練熟了沒有？」

江曉峰弄巧成拙，引起藍福相問，趕忙應答：「練熟了，練熟了。」

藍福點點頭，道：「很難得。」

江曉峰暗暗舒一口氣，忖道：「如是他要我當場練給他看，勢非露出破綻不可，這一記馬屁，幾乎拍出了毛病。」

只見藍福掂了掂手中長箭，道：「箭重勁強，確是高手所發，老夫開道，你們追隨老天身後。」棄去長箭，拔劍向前行去。

君不語、江曉峰等，分成兩行，魚貫追隨在藍福身後而行。

只聽弓弦聲動，長箭飛來，支支挾著金風破空的嘯聲。

藍福暗運內功，貫注於劍身之上，揮劍撥打勁箭。眾護法也都拔出了兵刃，撥箭而行。

強弓勁箭，雖然未能阻止住藍福等向上行進，但卻延緩了藍福等行進的速度。

原來，藍福和江曉峰等，都已覺出愈向上行進，那長箭勁道愈是強大，長箭雖非密如飛蝗而來，但卻連續不斷，而且每一箭都取位極準，迫得藍福等無不全神貫注，擊打來箭。

藍福陡然間停下腳步，凝目四顧了一陣，道：「五丈外，一塊高大的石岩後，隱藏的幾名弓箭手，對咱們威脅極大，必先得把他們消滅才成，老夫親自出手，你們留此等侯。」

也不待幾人答話，話落口，人已飛身而起，一式「潛龍升天」，躍起了一丈四、五尺高。

兩支長箭，由岩後電射而出，飛向藍福。

藍福懸空舞劍，擊落兩支長箭，腳尖一點實地，再次騰空而起，接連兩個飛躍，已近巨岩。

只見藍福一揮長箭，繞著那巨岩飛閃起一道白虹。

兩顆人頭，由岩後飛起，滾落山下。

江曉峰轉目望去，只見君不語就站在自己身側，目光卻投注在那巨岩之上。

藍福身軀飛起，躍入岩後，消失不見，片刻之後，只見一條人影，直向峰上奔去。

夕陽照耀，可清楚地瞧見那人一身道裝，顯是武當弟子。

藍福飛身而出，兩個飛躍，已折回眾護法停身之處，說道：「岩後有五個武當弟子，已被我傷了四人，另外一個被我遣回山峰，要他轉告掌門人，再要施放弓箭，我們登峰之後，定當誅絕全派，一人不留。」

周振方道：「總護法的面諭，諒他們不敢不聽了。」

藍福道：「武當弟子，都是聰明人，他們已該明白，弓箭並不能阻攔我們登山，只不過拖延一些時間罷了。」

祝小鳳突然接口說道：「總護法，屬下心中有一句話，不知是當不當問？」

藍福道：「你問吧！問錯了也不要緊。」

祝小鳳道：「就屬下所知，武當一派中人，不下數百，練劍有成，當得高手之稱的，也不下數十人之眾，總護法武功卓絕，或可獨擋武當四子，但我們六人，抵擋武當門下數百弟子，只怕勝機不大。」

這幾句話，正是江曉峰心中急欲知道的，但不敢出言相問，當下凝神傾聽，看藍福如何回答。

藍福沉吟了一陣，道：「好！老夫不妨告訴你們，教主早有安排，我們此番上山，旨在迫服武當的主腦，使武當門下弟子，爲我們所用，教主愛護屬下，不會要你們身涉奇險，和人拚命。」

祝小鳳道：「屬下再問一句，總護法可否告訴我們，教主如何安排？」

藍福淡淡一笑，道：「到時間，你們自會大開眼界。」

這幾句話，答覆的雖然婉轉，但祝小鳳已嚇得噤若寒蟬，不敢多問。

此時的藍福，威風煞氣，和昔年在鎭江藍府中，那一口一個老奴的自稱，前後判若兩人。

藍福目光掃掠了環立身側的六人一眼，舉步向前行去。

眾護法邁步追隨，神情間一片恭謹。

果然，沿途上再無長箭射來。

藍福加快腳步，直登峰上。

這七里峰頂，乃武當前山，一座規模不大的道觀，聳立峰頂，觀前空地上，長箭生輝，近百位身著青色道袍、白襪布靴的道人，抱劍而立。

西方天際，晚霞燦爛，七星峰頂天氣森寒，百多位執劍道人，個個神情嚴肅，靜得聽不到聲息。

藍福望了那環列峰頂的武當弟子一眼，只見每人凝重神情之中，隱含著一種不肯屈服的神色，使人看一眼，就能感覺到這些人都存了寧為玉碎的決心。

不禁心中暗驚忖道：「如若這些人，個個存心拚命，寧願戰死不屈，今日這一場惡鬥，定也十分棘手。」

心中念轉，人卻故作鎮靜，冷然一笑，道：「老夫乃天道教中總護法藍福，諸位之中，哪一個是頭目，請給老夫答話。」

只聽一聲輕咳，居中的道人突然分向兩側，讓出一條路來，一個身著紫色道袍的中年道人，緩步行去。

江曉峰凝目望去，只見他紫面黑髯，背插長劍，紫色的劍穗，在山風中飄動。

藍福冷笑一聲，正待喝問，那紫面紫袍的道人已搶先說道：「貧道浮生子，藍施主有何見教？」

祝小鳳突然搶步而出，道：「哎喲，原來是武當四子中的老三，還認識祝姑娘麼？」

敢情祝小鳳和浮生子兩人之間，竟然還結有樑子。

浮生子目光一掠祝小鳳道：「千手仙姬祝姑娘，貧道怎會不識？」

祝小鳳道：「道長想不到，咱們會在武當山上相見吧！」

浮生子嗯了一聲，道：「的確是很意外。」

祝小鳳語氣一變，冷冷說道：「小妹是憑仗暗器取勝，道長小心了。」

藍福急急喝道：「祝護法，老夫還未下令動手，快給我退下。」

祝小鳳聽得藍福喝聲，頓時心頭一寒，急急倒退了五尺。

藍福喝退祝小鳳，卻對浮生子一拱手，道：「老夫想見見貴派掌門人。」

浮生子神情嚴肅，但語氣卻一直很平和，緩緩說道：「敝師兄現不在此，藍老施主有什麼話，告訴貧道也是一樣。」

藍福冷笑一聲，道：「你作得了主麼？」

浮生子道：「那要看什麼事了。」

他的話不卑不亢，但卻給人一種堅定不屈的感覺。

藍福沉吟了一陣，道：「好！老夫告訴你也是一樣的。」

浮生子道：「貧道洗耳恭聽。」

藍福道：「數百年來，武林中一直是少林和貴派主盟大局，但卻也一直未能把江湖的暴亂停息下來，因此，敝教主……」

浮生子道：「藍施主說的是什麼教？貴教主是何許人？」

藍福臉色一變，道：「道長當真不知道？」

浮生子道：「貧道自然是真的不知。」
藍福道：「天道教，至高無上的天，大道之行的道，敝教教主藍天義。」
浮生子道：「貴教主原來是藍大俠，貧道失敬了。」
藍福冷冷說道：「敝教行天下之大道，決心消去武林中今後的仇殺紛爭，合併各大門派，統一於一教之下。」
浮生子道：「藍大俠在武林中的聲望，在下相信他自有這等大志雄心，不過，此事非我武當一門一派之力，所能決定，藍大俠有此用心，那就請召集天下武林各大門派，共商大計才是。」
藍福冷笑一聲，道：「千百年來，各大門派之間，形成的門戶之見，十分深刻，恐已非言語所能解決了。」
浮生子道：「藍總護法的意思是……」
藍福接道：「以殺止殺，行天道於世，難免要有一些小小的傷亡了。」
浮生子道：「照你藍總護法的說法，那是一定先要殺我武當一個屍橫遍野，血流漂杵，才算能行天道了？」
藍福一向生性急躁，但此刻卻似是變得很有耐性，望望西天落日，哈哈一笑，道：「道長的口舌很伶俐，大約這就是貴掌門派你出面的原因了。」
浮生子道：「武林大事，要武林中人共議共決，藍總護法找我們武當一派，於事何補呢？」
突聞一聲長嘯，傳了過來，藍福聽得臉色一寒，語氣突變，道：「敝教主先選了貴派，以傳本教天道。」

浮生子淡然一笑，道：「大約是藍總護法接應到了……」

語聲一頓，道：「藍天義藍教主，要本派如何呢？」

藍福道：「放下兵刃，解散武當派，聽候我教主之命，傳道天下。」

浮生子道：「茲事體大，很難在短時而決……」

藍福冷然接過：「可惜的是，貴派已不能多所考慮了。」

浮生子道：「那麼藍總護法之意呢？」

藍福冷冷說道：「立刻放下長劍，聽候我教主點收，至少可使你們武當派三代弟子，不致於身受屠戮之慘。」

浮生子抬頭打量了藍福一眼，道：「藍總護法，就只帶六位從人麼？」

藍福冷笑一聲，道：「怎麼？你可是覺著不夠麼？」

浮生子臉色突然一整，肅然說道：「貧道可以代表掌門師兄，回答你藍總護法一句話，這件事辦不到，我武當派上下三代數百弟子，已存了寧爲玉碎之心。」

藍福仰天打個哈哈，道：「看來你是敬酒不吃吃罰酒了。」

浮生子向後退了一步，道：「你藍總護法可以出手了。」

這時太陽已沉，夜幕低垂，七星峰籠罩在一片暮色之中。

浮生子緩緩抽出背上長劍一揮，身後近百位身著青袍、手執長劍的道人，突然間開始移動，向兩側伸延，緩緩向中間圍去，顯然，想把藍福等包圍起來。

江曉峰心頭大震，暗暗忖道：「這多道人，如若一擁而上，這一場惡戰，恐不是三、五人

的死亡，能夠解決了。」

但見藍福左手一探，入懷中摸出了奪命金劍，右手同時拔出長劍，冷冷說道：「以貴派名宿玄真道長的劍術、功力，比你浮生子如何？」

浮生子道：「玄真師伯武功絕倫，貧道難及。」

藍福道：「那玄真道長已然歸依我天道教中，爾等竟然妄圖抗拒。」

一直很少講話的君不語，此刻卻突然接口說道：「總護法，武當派不知死活，準備以多爲勝，總護法何不先用奪命金劍，傷他們幾人？」

江曉峰聽得一怔，暗道：「那奪命金劍中的毒針，惡毒無比，中人必死，這君不語竟然鼓勵他用之殺人，不知是何用心？」

很快地，另一個新的念頭升起，忖道：「是了，他如此一叫，表面上是提醒藍福，要他施用奪命金劍，但也無疑告訴了武當門下弟子，要他們小心提防，這歹毒震江湖的奪命金劍，藍福已拔劍在手，顯已有施用之心，似已用不著再提醒他了，這主要用心，顯然是告訴那武當門下弟子了。」

一念及此，對那君不語之心機、膽氣，更增加了一成效服之心。

果然，奪命金劍的惡毒之名甚著，浮生子呆了一呆，道：「小心那奪命金劍中的毒針。」

藍福冷笑一聲，道：「你既已知道厲害，還不喝令他們棄劍！」

只聽一個洪亮的聲音傳入耳際，道：「三師叔，我們寧可戰死，也不願棄劍，武當派在江湖上幾百年威名，不能在我們手中斷送。」

藍福轉眼望去，朦朧夜色中，只見說話之人，是個四旬上下，留著長髯的道人，不禁冷笑一聲，道：「好！你先死。」

左手奪命金劍一揚，那說話道人應聲而倒。

浮生子長劍一振，道：「藍施主武功高強，又有奪命金劍的惡毒厲害，但我們武當派有的是人，不畏死亡的人。」

藍福冷冷說道：「老夫看看你有幾條命？」一揚左手奪命金劍，發出毒針。

但見人影一閃，緊接著響起一聲悶哼，一個青袍道人，倒地死去。

江曉峰吃了一驚，暗道：「浮生子如是身中毒針而死，眾道無首，必將引起一番極大的混亂。」

凝目望去，那浮生子仍然執劍而立，蒼茫夜色中，仍然可見他一臉悲忿神色。

原來藍福揚手施放毒針之時，浮生子旁側一個武當弟子，突然一橫身，攔在了浮生子的身前，代浮生子而死了。

武當弟子連死了兩人之後，立時引起了所有之人的激忿。

夜色中，劍光閃動，團團把藍福等七人圍了起來。

一場激烈絕倫的惡戰，眼看就要展開。

藍福表面上雖然仍是鎮靜如常，但心中卻是暗暗的震駭，忖道：「如若這百多位高手，一擁而上，個個捨命相搏，今日一戰，是吉是凶，倒是難以預料了。」

江曉峰突然移動身子，靠近了君不語，低聲說道：「百位武林高手拚命，這一戰，定將是驚天動地的惡鬥。」

君不語回顧了一眼，微微一笑，道：「武當派人這一戰中，恐怕至少要傷亡過半，咱們也很難生離此地。」

江曉峰暗施傳音之術道：「君兄，如若動上手，希望君兄盡量靠近兄弟。」

這時，近百位的武當弟子，已然布成了合圍之勢，他們人數雖然眾多，但卻是有條不紊，而非一擁而上。

只見十八位青袍道人，緩步行了出來，另有一行十二人，魚貫而行，對準藍福。

顯然，這是一套早有準備的拒敵陣略，三人合力對一位護法，另有十二人一行對付藍福，準備著前仆後繼地死於奪命金劍之下。

藍福暗暗吁一口氣，忖道：「武當究竟是正大門戶，和一般武林中的烏合之眾大不相同。」

忽然間，浮生子一聲長嘯，當先撲向藍福。

就在他發動的同時，一行縱立的十二位青袍道人，也向藍福衝來。

藍福用心，原想先用奪命金劍傷了浮生子，以震懾群道，哪知那一行衝來的十二位道人，卻似是先已顧慮及此，他們衝奔的方位，正是藍福的左側。

他身懷絕技，動作快速無比，左手按機簧，毒針擊出，兩個青袍道人應聲倒了下去。

但第三個道人不待第二個同伴的屍體倒下，急忙飛起一腳，踢開了同伴屍體，長劍一探，指向藍福左腕。

藍福心分二用，左手按動機簧的同時，右手長劍噹的一聲，震開了浮生子攻來的一劍，左手金劍轉動，封開另一人攻來的利劍。

就這一瞬之間，另外三柄長劍，齊齊攻到，全都指向藍福的左腕。

藍福大喝一聲，奪命金劍回轉，震開了四柄長劍，又乘隙發出了一枚毒針。最左手一個青袍道人，應聲而倒。

但立時間，又有一個道人補了上來，四柄劍纏攻藍福左臂。

這是武林中極少見的打法，四支劍，集於一點，專攻一支左臂。

顯然，這些道人，都已存了必死之心，不讓藍福左手奪命金劍騰開，用以對付那浮生子。

浮生子卻全力運劍，主攻藍福右側，但見長劍翻飛，星光下閃起了朵朵劍花。

其餘青袍道人，以三對一分攻六位護法。

江曉峰身懷奇學，劍法精純，應付三位武當弟子圍攻，十分輕鬆，但也不願傷人，表面卻又裝出一副勉可對付的情形。

君不語、周振方、羅清風、梁拱北，都是江南道上一流人物，全力應付三個武當弟子的圍攻，暫可保一個不勝不敗之局。

千手仙姬祝小鳳，一支劍拒擋三強敵，極感吃力，但她全身暗器，用以補助劍勢之不足，勉可暫保不敗。

轉眼之間，雙方已搏鬥了二十餘回合。

浮生子完全是拚命的打法，凌厲的劍招，著著指向藍福的要害。

武當弟子不計傷亡的特殊打法，四支劍纏住了藍福的左手，無疑把藍福一個人分成了兩半，使他左、右雙手不能互相爲用。

但那藍福確有著人所難及的武功，竟能雙手分用，施出兩種大不相同的武功，分別拒敵。

他雖然能夠支撐著不敗，但卻打得暗暗驚心，武當弟子這等全然不懼死亡的豪勇之氣，大

出他意料之外。

搏鬥之間，突聞幾聲連續不絕的長嘯傳了過來。

緊接著衣袂飄風，三個身著青袍的道人，飄落峰頂。

江曉峰打得若無其事一般，除了封擋三個圍攻人的劍勢之外，還能夠留心四處的形勢。

只見那居中道人，一部花白長髯直垂及腹，除了背上的長劍之外，手中還拿著一柄拂塵，左手道人，年越四旬以上，乾枯瘦小，黑髯垂胸，右首道人右手上少了一個食指，正是武當四子中的老四，青萍子。

想來，另外兩位，定然是武當掌門朝陽子，和老二巢南子了。

只聽那居中花白長髯道人舌綻春雷地大喝一聲：「住手！」

武當弟子立時紛紛收劍而退。

藍福抬眼望了那居中道人一眼，冷冷說道：「道長定是武當掌門人朝陽子了？」

朝陽子道：「閣下是？」

藍福道：「老夫藍福。」

朝陽子目光轉動，望了橫臥地上的數具屍體一眼，道：「這都是藍施主的傑作了？」

藍福道：「老夫已然先行警告過他們，但他們不知死活，如何能怪老夫？」

這一陣搏鬥之中，除了藍福施用奪命金劍，連斃六人之外，祝小鳳暗器傷了兩個武當弟子，其他再無傷亡。

但聞浮生子道：「掌門師兄小心，藍福手握奪命金劍，隨時可以出手傷人。」

朝陽子輕輕歎息一聲，回顧了青萍子一眼，道：「這麼說來，那位江少俠已然遇難了？」

藍福道：「不錯，屍骨已寒多時了。」

朝陽子道：「那是天意了。」

一揮手中拂塵，接道：「奪命金劍，天下至毒至惡之物，藍老施主施用此物傷人，不覺著有些慚愧麼？」

江曉峰只聽得心頭一震，暗道：「這奪命金劍確是歹毒，如若日後再能收回，必然把它沉於江海之中，使它永不能再在世間出現。」

只聽藍福冷冷說道：「貴派之中，集百餘高手，埋伏於峰頂之上，老夫等只不過七人而已，縱然施用絕毒的奪命金劍傷人，老夫亦是無憾於心，傳揚江湖之上，也不至留人話柄。」

青萍子突然接道：「貧道不信你們能殺了江少俠。」

藍福道：「你不信也得信了，這奪命金劍原本爲他所有，現在老夫手中。」

青萍子道：「那江少俠死於何人之手？」

藍福道：「死於老夫之手。」

青萍子還待再問，突聞一陣飄飄樂聲傳上峰來。

廿五　劍底訂盟

這樂聲來得極是奇怪，是一種弦管交奏之聲。

深更半夜，荒涼高山，什麼人會在此吹管拉弦，做出這等美妙的樂聲呢？

武當四子和近百屬下，都聽得爲之一怔。

藍福卻面有喜色，長長吁一口氣，收了左手的奪命金劍，緩緩說道：「如若貴派願意派出高手，和老夫單打獨鬥，縱然是車輪戰法，老夫也決不動用奪命金劍。」

朝陽子神情肅穆地緩緩說道：「深夜荒山，傳來樂聲，豈是無因，想來定和你藍老施主有關了。」

藍福淡然一笑，道：「道兄如若很想了然內情，老夫自當奉告。」

這兩句話，聽來並無不敬之處，骨子裏卻是陰損得很，因爲那朝陽子乃一派掌門之尊，要他親口說出很想了然內情之言，實是大丟顏面的事。

果然，朝陽子沉吟難決，良久之後，才緩緩說道：「至多是貴教中援手趕到，弦管交奏，想必是緩兵之計。」

藍福道：「對付貴教，似乎是還用不到緩兵之計，那弦管交奏之聲，乃敝教教主大駕親臨，貴掌門能親自和敝教主見面，實是一種榮幸。」

朝陽子淡然一笑，未置可否，那乾枯瘦小的巢南子卻冷冷地接道：「藍福，你不過是藍天義執鞭隨蹬的一個老僕，竟也敢如此賣狂。」

那藍福最恨人家揭他瘡疤，氣得連聲嘿嘿冷笑，道：「就憑你牛鼻子老道這一句話，老夫也不能讓你活著。」

這時，那樂聲已到峰頂，藍福強自忍了心中一口氣，道：「見過我們教主，老夫再殺你不遲。」

朝陽子舉手一揮，道：「你們退開。」

武當弟子雖然滿懷激忿，極願捨命一戰，但對掌門人之命，卻又不敢不從，立時紛紛向旁側退去。

轉眼望去，只見乾坤二怪當先登上峰頂，緊隨著四個高舉紗燈的大漢，並排而上。

八個身著勁裝、腰束黃帶的大漢，抬著一頂金頂軟轎，在四盞紗燈導引之下，登上峰頂。

江曉峰凝目望去，只見金頂軟轎兩側，各有兩人相護，左面是神行追風萬子常、袖裏日月余三省，右面是嶺南神鷲鍾大光、金旗秀士商玉朗。

緊隨在金頂軟轎後面的是，少林高僧無缺大師和玄真道長。

乾坤二怪中的大怪馬長倫，二怪羊白子，目光轉動，先行四顧了一眼，閃到兩側，四個高舉紗燈的勁裝大漢，也迅快地閃站兩側。

八個大漢，緩緩放下軟轎，商玉朗和余三省同時一欠身，打開了軟轎垂簾。

藍天義身著青袍，緩緩行了出來。

朝陽子單掌立胸，微一欠身，道：「藍大俠，久違了！」

藍天義淡淡一笑，道：「嗯！道長還能認識在下，很難得啊！」

這時，藍福帶著六位護法，抱拳躬身，道：「屬下等見過教主。」

藍天義一揮手，道：「你們站開。」

目光一掠武當四子，道：「四子齊集於此，想是和本教分個高下了？」

朝陽子一皺眉頭，道：「在貧道記憶之中，藍大俠是一位胸懷仁慈，名滿天下的俠士，而且一向對人謙和。」

藍天義接道：「現在，我也是一樣仁慈。」

朝陽子道：「貧道自信接掌武當門戶之後，從未有過對不住武林同道的事，藍大俠今日率領人馬到此，不知是何用心？」

藍天義道：「江湖上門派分立，各有成見，致使武林中難有寧日，在下覺著消除江湖上凶殺殘事，首先要消除門派之見，不知道長以爲如何？」

朝陽子道：「藍大俠立願宏大，貧道極爲敬佩，不過，江湖上紛爭，似非我們武當一派的事，藍大俠有此宏願，就該柬邀武林中各門派的掌門，共商大計，會商一個完全之策才是。」

藍天義道：「召請各門派掌門人共商大計，自是難免，但在下覺著與天下各門派掌門人大會之前，需得先由貴派和少林派支持，否則難竟全功，因此，在下不速造訪，還望貴派相助一臂。」

朝陽子略一沉吟，道：「不知要我武當如何一個支持之法？」

藍天義道：「容易得很，貴掌門先行宣佈解散武當派，並入我天道教中就成了。」

他態度雖然一直很溫和，但用詞堅定，使人感覺到，此事已非言語所能解決。

巢南子突然接口說道：「天下紛爭之故，多因正邪不並存，名利難擺脫，至於和門派有關之論，不過小焉而已，數百年來，武林中雖然紛爭時起，但仍能保持均衡大勢，也就因爲各門派中，都有著嚴厲的門規束縛，如若是一旦解散各大門派，武林中必將成散亂無章之局，那時，會武之人，全無束縛，必將胡作非爲，蒼生無辜，生靈塗炭……」

藍天義道：「在下和你掌門師兄談話，道長橫裏插口，全無規矩。」

巢南子冷笑一聲，接道：「藍大俠之意很明顯，解散了天下各大門派之後，所有武林人物，全都在你藍大俠的統治之下了。」

藍天義伸手一捋長髯笑道：「不錯，天下如若在老夫統治之下，再無門戶紛爭之事了。」

朝陽子道：「以你藍大俠的聲譽，說出此言，貧道可以相信得過，但此事非我武當一門一派的事，也非貧道能作得主。」

藍天義似是已不耐煩，冷冷說道：「不要你作主，只要你答應就行了。」

朝陽子道：「如是貧道拒絕呢？」

藍天義神情突然間變得十分冷肅，道：「那是逼我出手了，貴派三代弟子，都將死無葬身之地。」

朝陽子略一沉吟，道：「藍大俠，敝派中現有百位以上習劍有成的弟子，藍大俠如是逼人太甚，說不得，貧道只好放手一戰了。」

藍天義道：「你真想打麼？」說完時，雙目中暴射出一片神光，炯炯逼人，充滿著殺機。

只聽一個洪亮的聲音說道：「我等寧願戰死，亦不願降。」

一呼百應，盡都是一片戰死之聲，歷久不絕。

藍天義直待聲音平息之後，才緩緩說道：「朝陽子，那你的意見如何？是否也和他們一樣，準備戰死？」

朝陽子神情肅然地說道：「如若藍大俠堅不讓步，貧道只好率我門下弟子，決一死戰。」

藍天義冷然一笑，道：「那很好，不過，你們百條性命，全都戰死，實是有傷天道，因此在下想先讓你們見識一下，如若還不能改變心意，諸位再全死不遲。」

說完話，突然舉手一招，道：「讓他們上來。」

只聽樂聲揚起，一片怪嘯聲，混入悠揚的樂聲之中。

四個身著紅衣、頭戴紅帽的怪人，疾奔而上。

江曉峰轉頭望去，只見那四個紅衣人身後，各帶著八隻奇大的人猿，人猿經過了一番化妝，腰中繫著紅色的彩帶，雙臂上異光閃動，戴著特製的護臂。

朝陽子望了四八三十二個高大人猿一眼，道：「藍大俠可是準備役使這幾十個畜牲對付我們麼？」

藍天義淡然一笑，道：「你們如若能搏殺這些畜牲，在下自會出手。」

目光一掠四個紅衣人，道：「下令人猿出手。」

四個紅衣人一躬身，各自撮唇發出一聲長嘯。

嘯聲出唇，三十二隻人猿齊聲發出了一陣怪笑，飛身長臂揮舞，直向武當群道衝去。

只聽一串怒喝：「畜牲無禮。」劍光閃動，劈向人猿。

江曉峰心中暗道：「這些人猿皮毛之軀，如何能擋得那武當道人的利劍？」

只聽一陣叮叮咚咚之聲，劈向人猿的長劍，大都為人猿臂上的護圈封擋開去。

這一來，不但那江曉峰大吃一驚，武當四子也看得為之一愣。

但見人影閃動，人和猿展開了一場激烈絕倫地惡鬥。

人猿桀桀怪笑聲，和武當弟子們的呼喝叱叫聲，夾雜著金鐵相觸聲，交織成一片雜亂、淒厲，震人心弦的聲音。

武當四子沒有出手，一側觀戰，但他們已瞧出情勢有些不對，這些人猿，竟然知曉以臂上的護鐵，封擋劍勢，再仗著天賦過人的膂力，和靈活的身手，與人搏鬥，交手不過一盞熱茶工夫，已有十餘位武當弟子，傷在人猿利爪之下。

朝陽子目睹弟子傷在人猿利爪之下，已逾二十餘人，心中暗暗震駭，忖道：「百多位武當弟子，都是派中精銳，竟然無法阻擋這一群人猿的攻襲。」

巢南子愈看愈怒，再也忍耐不住，彈劍長嘯，縱身而上。

藍天義左手一揮，乾坤二怪中的大怪馬長倫，應手飛起，迎向了巢南子，手中閻王筆一招「玄鳥劃沙」，噹的一聲，震開了巢南子手中長劍，左手疾快地拍出一掌。

巢南子左手推出，硬接了一掌。

雙掌接實，兩人齊齊由空中落下。

藍天義低聲說道：「喝退人猿。」

四個紅衣人應了一聲，各發長嘯。

那嘯聲對人猿竟有著嚴厲的束縛之力，怪叫奔躍在武當群道劍光之中的人猿，聞聲而退。

江曉峰凝目望去，只見場中只有三具人猿的屍體，但武當弟子，卻有二十餘位倒在地上，輕傷者還未算入，心中暗暗吃驚。

只見藍天義緩步而出，冷冷說道：「如若再惡戰下去，貴派中人，縱不全數被殲，也將傷亡十之八、九。」

朝陽子口齒啓動，欲言又止。

藍天義淡淡一笑，道：「我知道你們心中還是不服，在下索性再給你們一個機會。」

朝陽子接道：「什麼機會？」

藍天義道：「你們武當四子，各執兵器，圍攻在下一人……」

朝陽子道：「要我們四個人合力出手？」

藍天義道：「不錯，你們合力出手，便宜讓你們占到底，在下赤手空拳，對付你們四個，如若中途抽出兵刃，那就算在下輸了，我立時帶人離開，從此之後，再不找你們武當派的晦氣。」

巢南子冷笑一聲，道：「口氣很大，但這一戰，關係我們武當派的生死存亡，不是一般的比武之爭，我們恭敬不如從命了。」

他心中知曉，朝陽子乃一派掌門之尊，要他親口說出以四對一之事，實是很難啓齒，因此，代師兄答允下來。

藍天義淡然一笑道：「我在四十招內奪下你們四人手中長劍，每人合十招，多一招我就認輸。」

朝陽子道：「藍大俠如是真能在四十招內，奪下我們四人手中之劍，武當四子，自當認輸。」

藍天義一頷首，冷冷說道：「那很好！到時，希望你們歸服我天道教下，如是屆時還是不允，那就不要怪我手下誅絕你武當弟子了。」

向前行了三步，腳下不丁不八地一站，接道：「你們可以動手了。」

朝陽子滿臉悲痛神色，掃掠了巢南子、浮生子、青萍子三人一眼，道：「你們趕快亮劍，我們各選一方。」一說完話，當先搶佔了東方木位。

巢南子占了北方水位，青萍子占了西方金位，浮生子占了南方的火位。

藍天義好整以暇地用右手彈彈身上的灰塵，笑道：「四位中哪一個領頭先攻？」

巢南子長劍一舉，高聲說道：「藍大俠武功高強，兩位師弟不用手下留情。」

朝陽子長劍一探，一式「流沙千里」，點向藍天義的前胸。

藍天義望也未望那攻來的劍招，身子突然一轉，左手一揮，竟向巢南子長劍之上迎去。

巢南子冷笑一聲，暗道：「就算你練成了護身罡氣，也不該打得如此之狂。」

心中念動，劍勢上暗加真力。

巢南子內功深厚，且這一劍貫注了全部內力之後，縱然是生鐵金石，也無法擋此一劍。

哪知藍天義的掌與指，要和長劍觸接之時，突然屈指一彈，正中劍身，一股強大的暗勁，把巢南子手中的長劍，直蕩開去。

巢南子怔了一怔，暗道：「這是什麼武功？」

心中念頭還未轉完，藍天義右手已然快如電光石火一般伸了過來，一把扣住了巢南子的右腕，用力一甩，生生把巢南子長劍奪了過來。

朝陽子、浮生子、青萍子，都未料到藍天義竟然能在一招之下，把巢南子手中的長劍奪下，心頭大為震駭，三柄長劍，同時閃電擊出。

江曉峰冷眼旁觀，目睹那藍天義奪下巢南子長劍的手法，亦是驚震不已，暗道：「這人武

功實已到了極高的境界。」

只見藍天義右手一揚，奪得巢南子手中的長劍，投擲出手，流星飛矢一般，破空直上。

原來，他竟要赤手空拳地力搏武當四子。

藍天義不但能心分二用，而且動作還快速無比，右手投劍的同時，左手屈指而出，鏘鏘兩聲，震開了浮生子和青萍子手中的長劍，身子同時微微一閃，避開了朝陽子手中的劍勢。

他每一個動作都含有變化、玄機，那側身讓劍的一轉，右手隨著身子轉動之勢，以迅雷不及掩耳的手法，奪下了青萍子手中長劍。

浮生於右腕一振，閃出了三朵劍花，分刺那藍天義三處要害大穴。

藍天義突然一個巧妙無比的轉身，閃到了青萍子的身後，右手輕輕一拂，一股潛力，逼得那青萍子身不由己地直向那浮生子的劍上撞去。

同時，飛起一腳，逼開了巢南子的攻勢。

原來，那巢南子手中長劍，雖然已被藍天義奪了過去，但他並未退下，仍然赤手搶攻。

浮生子吃了一驚，急急一收劍勢，向後退開。

藍天義卻以奔雷閃電之勢，隨著浮生子收劍後退之勢，欺攻而上，右手一探，抓住了浮生子右腕，奪下長劍，棄置於地。

他在不足五回合之間，奪下了三柄長劍，朝陽子已知難再抗拒，依照雙方相約之言，雖然還有三十五回合好打，自已已絕難支撐，與其被他奪下長劍，倒不如早些認輸。

當下後退了兩步，棄去長劍，道：「住手。」

但聞砰然一聲，一長劍炳，落在山岩之上。

原來是巢南子的長劍，被那藍天義奪了下來，投擲高空，劍還未落實地，他已又奪下了浮生子、青萍子兩人手中的長劍。

巢南子原本還有拚命之心，但見掌門師兄棄劍呼退，只好向後退開。

藍天義微微一笑，道：「一派掌門人的氣度，果是不凡，眼光遠大，較諸你幾位師弟，那是不可同日而語了。」

朝陽子黯然說道：「貧道無能，愧對武當派歷代先師，我們認輸了。」

藍天義點點頭，道：「那可以免去一場悲慘的殺戮……」

語聲微微一頓，接道：「道長既願認輸，不知準備如何處理今日之局？」

朝陽子神情沉重，緩緩說道：「藍大俠的用心，是想把整個武林同道，置於一人管理之下，但若你想用我們武當派，爲你效命，去征服其他門派，此事萬難辦到，因此，貧道願勒令我武當弟子，從此刻起，不得擅自離開武當山一步，我們閉關自守，不問江湖中事。」

藍天義搖搖頭，笑道：「這個不大妥當。」

朝陽子道：「貧道也想到你藍大俠不會同意，因此，貧道還有一案。」

藍天義道：「那就請說吧！」

朝陽子道：「這一代武當派中，由我們武當四子領導，如若是我們四子死去，整個武當派就算陷入了癱瘓之中，自然是沒有作爲了，藍大俠對我們武當派應該是再無顧慮了。」

藍天義道：「道長之意，可是說你們武當四子，準備在區區面前，橫劍自絕，是麼？」

朝陽子道：「如若你藍大俠能答應放了我們武當弟子，貧道願和三位師弟，在你藍大俠的面前自絕而死。」

但見藍天義淡然一笑，道：「這不是你們武當四子的生死問題，而是整個武當派的存亡覆滅，我既然話已說出口，決不更改，除非你願率武當門下弟子，歸依我天道教下之外，只有全派覆亡一途。」

朝陽子道：「如若我們全派弟子，都難逃死亡之危，那是逼我們捨命一拚了。」

藍天義語氣突轉冷漠，道：「那很好！我已經先作說明，不教而誅爲之虐，教而誅之，在心中無憾了。」

忽見朝陽子一合掌，道：「藍大俠……」

藍天義微微一笑，道：「道長可是又改變了心意？」

朝陽子緩緩說道：「如若貧道率領武當派，歸依於你天道教下，貧道和我三位師弟，在天道教中是何等身分？」

藍天義道：「武當門下弟子，仍然由你們四子率領，不過，要取消武當派的名義，武當山將變成天道教下一個分舵。」

朝陽子道：「但貧道也有兩個條件，希望藍教主能夠答允。」

藍福突然接口道：「敗軍之將，還有什麼條件可提！」

藍天義卻擺手攔住了藍福，道：「道長請說，如果本教能夠答允，決不叫道長失望。」

朝陽子道：「情勢迫人，爲了數百條人命，看來貧道似乎是只有依從閣下之意，加入你們天道教中了，不過，教主請給貧道三天的時間，在三天之內，教主的屬下，不能進入三元觀中。」

藍天義沉吟了一陣，道：「爲什麼？」

朝陽子道：「貧道要奠祭我武當派中歷代祖師神位。」
藍天義道：「三天之後呢？」
朝陽子道：「貧道當率領我三位師弟，迎候教主入觀。」
藍天義道：「好吧！我答應你，還有什麼條件？」
朝陽子道：「貧道率領的武當分舵，要直屬於你藍教主之下，除了教主面諭、手令之外，不聽他人之命……」
藍天義接道：「好，還有麼？」
朝陽子道：「武當分舵弟子不改裝束，仍穿道袍。」
巢南子、浮生子，都聽得臉色大變，激忿塡胸，巢南子最先忍耐不住，厲聲喝道：「師兄如願歸附於藍天義的天道教下，你只管率領親信降敵，小弟願戰死此峰，濺血五步。」
朝陽子望了巢南子一眼，道：「師弟，數百位武當弟子的生命，都操在諸位之手，你願意眼看到他們個個血流五步，暴屍荒山麼？」
巢南子怔了一怔，默然不語，但神情之間，卻是激忿難耐，全身微微顫抖。
朝陽子一合掌，道：「藍大俠，三日後，貧道當以天道教武當分舵主的身分，晉見教主，目下本門中難免有生性躁急之人，貧道必得一番口舌說服他們。」
藍天義道：「可要我派人助你一臂之力麼？」
朝陽子道：「貧道自信能夠應付。」
藍天義道：「那很好，三日後，本座再來。」
回顧了藍福一眼，道：「我們走吧！」

轉身登上金轎，在藍福等擁護之下而去。

朝陽子目睹藍天義等離山而去，才回顧了巢南子等一眼，道：「師弟，咱們回到觀中去吧！」

巢南子道：「小弟不想回去了。」

浮生子、青萍子齊聲接道：「掌門師兄，小弟等希望能夠追隨二師兄，一起離開。」

朝陽子道：「你們當真的都要走麼？」

巢南子、浮生子、青萍子齊聲應道：「小弟等不願淪爲藍天義的爪牙。」

朝陽子神情嚴肅，冷笑一聲，說道：「你們自覺能夠走得了麼？」

巢南子道：「藍天義很可能在七星峰下埋伏了高手伏擊，不允許我們武當派有人能離開此地，但小弟覺著如其受命於人，濟惡助虐，倒不如戰死來得心安。」

朝陽子仰天長歎一聲，道：「你們可是誠心要把歷代祖師辛辛苦苦創出的基業，完全斷送，要眼看著幾百位武當弟子，全都送命在藍天義的利劍之下麼？」

巢南子道：「小弟覺著，如其瓦全，不如玉碎，同樣是門戶覆亡，爲什麼不留一個英勇之名呢？」

朝陽子冷冷說道：「虛名誤人，於事何補，你們和我相處甚久，竟然是對我全不了解。」

長歎一聲，低聲說道：「你們可是認爲師兄當真降了那藍天義麼？」

巢南子、青萍子，對望了一眼，默然垂下頭去。

朝陽子接道：「我只是不願眼看百多位武當弟子，身遭慘死。」

環顧了四周的弟子一眼，低聲接道：「小不忍則亂大謀，如其全派被屠，不留一個活口，

何不僞事降敵，以圖後起，武當派流傳數百年的基業，如若毀在你們這一代，於心何安？」

巢南子突然一欠身，合掌說道：「我們幾乎誤了師兄大事，還望掌門師兄勿怪。」

朝陽子道：「我想那藍天義，也不會就很放心的相信了咱們，必然還會有進一步控制咱們的辦法，好在我們有數日時間，還可從長計議。」

且說藍天義乘坐軟轎，在藍福前呼後擁之下，離開了七星峰。一路上奔行迅快，已到峰下。

藍天義輕輕一拍轎杆，軟轎停了下來。

馬長倫伸手掀起轎簾，藍天義緩步行了出來。

只見藍天義微微一笑，道：「武當四子受降一事，只恐有詐。」

藍福道：「教主算無遺策，令人敬服。」

藍天義伸手從懷中摸出一張地圖，就地展開，火炬耀照之下，只見那是一張武當山形勢全圖，圖上並有硃砂打了很多圈圈。

藍天義指著硃砂紅圈說道：「每一個圈圈，都代表一條出路，只要把上面出路封死，他們就無法離開了。」

收起地圖，交給了藍福，接道：「你分派人手，要他們各守一條出路，每人帶一個竹哨，發現敵人之後，以哨音報警，你好及時率人趕去截殺，放出的崗哨，要他們第四天午時，自行集合於七星峰下候命。」

藍福道：「屬下領命。」

藍天義緩步行入轎中，接道：「我只帶無缺、玄真和乾坤二怪，餘下的人，留此聽你調遣，再加人猿相助，縱然出手再戰，你也可以應付了。」

藍福道：「多謝教主。」

藍天義一拍轎杆，軟轎離地，如飛而去。

藍福展開地圖，仔細地查看了圖上形勢，立時分配人手分守出山之路。

時光匆匆，轉眼三日。

第四天，日出時分，藍天義長衫簡從，只帶著乾坤二怪，和無缺、玄真，登上了七星峰頂。

朝陽子、巢南子、浮生子、青萍子，早已在峰頂恭候。

武當四子，穿著一色黑道袍，赤手空拳，未帶兵刃。

藍天義微微一笑，道：「道長果然是言而有信。」

朝陽子道：「貧道和幾位師弟研討甚久，貧道覺著教主立下的宏願，十分博大，實在是救人救世的大願，因此，我們武當四子研商之後，決定歸依天道教中，聽候教主差遣。」

藍天義啊了一聲，道：「貴派中門下弟子眾多，難道就沒有人反對麼？」

朝陽子道：「自然是有人反對，但我已把他們鎮入後山的悔過室中，要他們面壁思過。」

藍天義目光轉注到巢南子的臉上，接道：「如是本座沒有記錯，你該是最為反對歸依天道教中的人。」

巢南子道：「不錯，教主去後，貧道仍是反對最烈，而且為此幾乎和掌門師兄反目動手……」

藍天義接過：「現在你怎會改變了心意？」

巢南子緩緩說道：「敝師兄一番開導之後，貧道覺著他言之有理，因此，決定追隨師兄，共入天道教內。」

藍天義道：「希望你們言出衷誠。」

朝陽子道：「武當弟子的名冊，和山中錢糧，貧道都已備妥，恭請教主入觀點收。」

藍天義搖頭微笑，道：「錢糧、名冊，不必點收了，仍由道長保管，目下正是本教用兵之際，倒需要請貴派中人即刻效力。」

朝陽子道：「這個貧道亦曾想到，已從門下弟子，選出了三十六名武功高強的人，由我們四兄弟分別率領，合為四十人，隨時可以奉命出動。」

這一番回答，使得藍天義大為高興，微笑說道：「從此，道長已為本教中武當山分壇壇主，你三位師弟，同為分壇香主……」

語聲一頓，接道：「本教主決定立刻動身，趕往嵩山，以迅雷不及掩耳的行動，征服少林本院，少林受制，中原各大門派，自是再無人敢和本教為敵了。」

朝陽子道：「多謝教主賜封，但不知本分壇在征服少林行動中，擔任何職？」

藍天義臉上泛現出一片詭秘的微笑道：「你們武當四子，各率門人九位，盡出精銳，日落之前，於七星峰下候命。」

朝陽子雖然有很多未解之處，但不再多問，欠道應道：「屬下領命。」

藍天義回顧了玄真道長一眼，笑道：「武當門中，連同你玄真護法算起，都是識時務的俊傑。」

玄真一欠身，道：「教主德威遠播，所向無敵。」

藍天義對武當四子一揮手，道：「你們準備一下，我們要連夜動身。」

朝陽子合掌欠身，道：「送教主。」

藍天義道：「不用了。」

轉身下山而去。

朝陽子目送藍天義帶著四大護法去遠之後，才長長吁一口氣，道：「咱們也該回去準備一下了。」

原來，朝陽子在這三日之內，已說服了巢南子、浮生子、青萍子三人，假意歸依於天道教中，不過除了四子之外，門下弟子再無人知道內情。

需知武當派仍武林一大主脈，門下弟子，都經嚴格的挑選，除了才質之外，品德亦屬上選，大都不明內情，不少人因不願歸降天道教，橫劍自絕而死，亦有很多人，甘願領罰面壁，鎖入深洞。

武當四子，內心至苦，不敢說明內情，恐防洩漏，只好設法勸說，四個人整整費了三日工夫，才算把門下弟子安撫下來。

朝陽子另具慧心，別作了一番安排，爲求隱密，連巢南子等三位弟子，亦未說明。

再說那以高文超的身分混入天道教中的江曉峰，甚得藍福歡心，藍福遣派人手，守候要溢，卻把江曉峰留在身側。

江曉峰也瞧出了藍福極得藍天義的信任，權高位重，如想參與機要，知曉隱密，必得讓藍福引爲心腹才成，因此，也就處處投其所好，以博藍福的信任。

這日，中午過後，藍福遣出的人手，都已陸續歸來，集聚於七星峰下。

各方所報，一樣的結果，從未見一個武當弟子妄圖離山。

江曉峰這幾日冷眼旁觀，發覺那藍福狠辣，尤勝過藍天義，但在智計方面，除了豐富的江湖閱歷之外，並非很難對付的人物，這使江曉峰放心很多。

但那藍天義卻是狡獪絕倫的人物，而且行蹤飄忽，忽而乘轎，忽而步行，來無蹤，去無影，叫人莫可預測。

江曉峰眼看派出之人，全都歸來，三日之內，無一人發覺過武當派人有離山之意，心中忽然一動，忖道：「無法猜出武當在做何打算，應該套套藍福的話。」

心念一轉，低聲說道：「總護法，我看武當四子，不會是真的存心歸順咱們。」

藍福笑道：「要他們真心聽命，並非難事，無缺大師和玄真道長，不論內功、定力，都強過那武當四子，但他們目下無不是唯教主之命是從，只不過，此刻時間急促，教主無暇對他再用心血，只好別作計較了。」

他雖然未說出詳細內情，但江曉峰已聽出了一點眉目，那就是天道教收羅的高手，都經過藍天義一番心血，使其忘記過去，性情大變，甘為效命。

但他無法知曉那是一種什麼樣的心血，也許是藥物，也許是一種神奇、詭秘的武功。

心中念頭轉動，口中卻又問道：「什麼計較？」

藍福道：「少林門人眾多，人才輩出，尤其是幾個老一輩高僧，武功都已經進入了登峰造極之境，他們大都不再問江湖中事，但如遇到了覆滅門戶的大事，自然不能再袖手不問，實力之強，豈是武當派能望其項背。」

江曉峰已聽懂了藍福話中含意，但卻故作不知地問道：「那和武當派有何關係呢？」

藍福微微一笑，道：「征服少林的一戰，非比尋常，必將有一場激烈絕倫地惡鬥，武當將會在這一戰之中，精銳盡失，這叫做以敵制敵之策。」

江曉峰連聲贊道：「妙計，妙計，除了教主和總護法之外，別人決難有這等才智了。」心中卻暗暗罵道：「好惡毒的手段。」

藍福淡淡一笑，道：「此事不可對人洩漏。」

江曉峰一欠身，道：「屬下遵命。」

轉眼望去，只見君不語倚在一丈外一個大岩石上，微閉著雙目，似是正在休息，忽覺腦際靈光一閃，低聲問道：「總護法，那位君護法爲人如何？」

藍福一皺眉頭，也用極爲低微的聲音，答道：「他已經過教主慈悲，按說應該十分忠實可靠，但據我觀察，這個人似乎是有些怪僻難測，你以後不妨和他多多接近，暗中注意他的言詞舉動，如覺有異，立時報我。」

江曉峰道：「屬下謹記心中，十日之內，必有回報。」

半日時光，彈指而過，太陽下山時，武當四子帶領了三十六位道袍佩劍的弟子，依約趕到了七星峰下。

江曉峰暗暗盤算道：「不論武當四子是否已猜知藍天義的用心，我也該設法告訴他們一下。」

只見朝陽子大步行了過來，對藍福合掌一禮，道：「武當山分壇壇主朝陽子，見過總護法。」

藍福抱拳還了一禮，道：「分壇壇主之位，在我天道教中身分不低，希望你能體念教主的慈悲，為教主盡忠。」

只聽一個清亮的聲音，道：「總護法，把各位護法召集過來。」

轉目望去，只見藍天義背負雙手，站在七尺外一塊山石上面。

江曉峰心中一動，暗道：「這多高人，雲集於此，竟然不知他何時到此，單憑這份絕高的輕功，已足可驚世駭俗了。」

藍福應了一聲，招呼了散佈於峰下的護法。

藍天義兩道森寒的目光，掃掠了在場之人一眼，道：「我已遣派了三路人馬，先行赴往少林，這雖非最後一戰，但如征服了少林之後，江湖上各大門派，再敢和天道教為敵，已是絕無僅有了……」

藍福接口說道：「啓奏教主，此次少林之行，難免一場惡鬥，武當山分壇的人手，最好能併入屬下指揮……」

藍天義不待藍福話完，搖頭笑道：「你和武當分壇壇主朝陽子，各率一路，進入嵩山，本教主親總其成……」

伸手從懷中取出兩幅白卷，又道：「這白卷之內，不但有詳細的嵩山形勢圖，而且還說明了你們應走的路線和詳盡計畫，如有改變，本座另會遣人通知，時已不早，你們即刻上路。」

藍福和朝陽子一齊伸手，接過了捲圖，藏入了懷中。

朝陽子微微欠身，道：「教主還有什麼吩咐麼？」

藍天義微微一笑，道：「我一向用人不疑，希望你們都能全力以赴……」一揮手，接道：「你們上路吧！我會安排人手接應你們。」

朝陽子欠身一禮，別過藍天義，帶著三位師弟和三十六弟子，轉身而去。

藍天義目視朝陽子等一行去遠，才望著藍福說道：「嵩山少林寺中，傳來消息，少林僧侶，雖然不敢和咱們揭開臉，在江湖之上衝突，但他們卻有著誓保少林的決心，而且早在三月之前，已然開始佈署，更由少林掌門具名，柬邀了丐幫幫主，和一般被譽為俠義的各方人物，聚會少室峰頂，研商對付咱們的辦法，如若少林寺和丐幫聯合起來，雖然不足以和咱們爭霸江湖，但丐幫弟子滿天下，少林支脈綿長，人數眾多，對咱們不無干擾，因此少林一戰，希望能制服兩派，使他們為我所用，至少也要他們減少對我的困擾。」

藍福道：「教主算無遺策，屬下極是敬服。」

藍天義淡淡一笑，道：「江曉峰死在你劍下之後，王修等一般人，大約已經自知難敵，故而深藏不露，但王修智計多端，不能留為後患，此番征服少林之後，我要全力殺他。」

藍福道：「彌陀寺的方丈，漏網而去，亦是一大禍患，不可不防。」

藍天義語氣一變，接道：「少林之行，不比武當，難免一番血戰，你率領六大護法，人手不足，現在我把乾坤二怪，撥你率領，我已下令兩人，他們立即就來報到，至於如何行動，已盡記於那捲圖之上，你照計畫行事，不得有誤。」

藍福一欠身，道：「教主放心，屬下決不會誤事。」

藍天義不再多言，轉身而去。

只見衣袂飄飄，行途並不很快，其實迅快已極，一眨眼間，已然走得沒了影兒。

藍天義去後不久，乾坤二怪，果然趕來報到。

藍福展開捲圖，瞧了片刻，收起捲圖，一揮手，道：「咱們上路。」

當先舉步向前行去，一路上曉行夜宿，未生事故。

這日，中午時分，已到了嵩山腳下。

君不語似是有意地避開江曉峰，江曉峰行途之上，幾次找機會想和他說幾句話，但君不語每次都不給他開口的機會，轉身躲開。

江曉峰想不出君不語葫蘆裏賣的什麼藥，但心知必有緣故，也就不再勉強找他。

到了嵩山腳下之後，藍福並未立刻帶人上山，卻找了一片雜貨林，讓幾人躲入林中休息。

藍福獨自走開，行到數丈之外，展開了捲圖瞧看了一陣後，行近群豪說道：「咱們入夜之後登山，諸位可以有半日閒暇，可以坐息一下，養養精神。」

江曉峰忍了又忍，仍是忍耐不住，低聲問道：「總護法，就只有咱們幾個人在今夜登山麼？」

藍福微微一笑，道：「教主設計周詳，實叫人歎爲觀止，豈能叫咱們孤軍深入？」

最使江曉峰關心和不解的是，武當四子帶領了三十六位弟子，既是同時由武當山出動，趕來嵩山少林，先後也不過是頓飯工夫之差，在江曉峰想像之中，縱然不走一路，沿途之上亦必互通聲息，保持連絡，但江曉峰沿途留心觀察，藍福並未分心查看途上暗記。

對藍福的答覆，江曉峰自不滿意，忍不住又問道：「武當分壇的人呢？怎的一個未見？」

藍福笑道：「教主的設計之妙，也就在此了，大家一路而來，目標相同，但卻叫你互不相

見。」

江曉峰心知如若再問，可能會引起藍福之疑，只好強自忍下。

半日時光，彈指即逝，不大工夫，已然夜幕四合。

這是無月之夜，但晴空萬里，群星閃爍，景物隱隱可辨。

初更時分，藍福招呼群豪，分食乾糧之後，開始登山。

山道崎嶇，羊徑一線，夜暗中藍福雖然有捲圖在身，也不易分辨出方向，行來十分緩慢。

江曉峰緊隨藍福身後，一直暗中留心著藍福的舉動。

但見藍福目光轉動，四下搜望，似是在找尋什麼標識。

江曉峰心中暗道：「夜暗如漆，就算你目力過人，也難辨五丈外的景物，這山道峰岩之上，縱然留有標識，你也無法辨認。」

忖思之間，瞥見藍福突然停下了腳步。

目光凝注，向正北方位瞧著。

江曉峰一直心念轉動不停，幾乎撞在了藍福身上，趕忙停下腳步，收攝心神，順著藍福目光望去。

只見正北方上漆黑一片，似是一座密林。

這時，正有著一點火光，在黑暗之中晃動。

那火光時隱時現，在靜悄、荒涼的高山夜暗中閃動，給人一種神秘和詭異的感受。

藍福目不轉睛的望著那閃現的一點星火。

似是要從隱現不定的星火中，瞧出什麼機密一般。

突然間，藍福探手從懷中取出一個火摺子，迎風晃燃，握在手中搖了幾搖，立時熄去。火摺熄滅不久，那閃動的一點火光，也同時隱去不見。

藍福又抬頭望天，似是在查看星位，片刻之後，才緩緩說道：「咱們已進入了少林僧侶佈守的防衛圈中，隨時可能遇上少林僧侶截攔、攻擊……」

江曉峰、君不語、乾坤二怪等，環守藍福身側，靜靜的聽著，無人發問，亦無人接言。

藍福停了片刻，接道：「遇上少林僧侶喝問之時，諸位不用答話，只管下手施襲，而且下手要快，招數要毒，最好能一擊致命，使對方無法還手。」

江曉峰暗暗忖道：「好惡毒的用心，全無半點光明正大的氣度，無怪要夜間登山，當真是見不得天日了。」

但聞祝小鳳問道：「總護法，可以施用暗青子麼？」

藍福道：「可以，而且用的暗器要越毒越好。」

一直很少講話的君不語，忽然開口問道：「此刻，可是已深入少林僧侶防守之地？」

藍福道：「不錯，君護法很少開口，開口必有高見。」

君不語道：「屬下覺著咱們既已進入了少林僧侶佈守之區，似是不應該用火光在夜暗之中連絡，那豈不是自暴身分麼？」

藍福緩緩說道：「咱們正是要暴露身分。」

君不語道：「原來如此，屬下多慮了。」

藍福伸手摸一摸背上的劍把，說道：「諸位要小心了，咱們已入險境。」

舉步向前行去。

江曉峰心中一動，低聲說道：「總護法，屬下還有一事不明，請領教益。」

藍福停下腳步，回頭說道：「什麼事？」

江曉峰道：「總護法的示諭，好像是說，只要遇到人，我們就出手施襲，對麼？」

藍福嗯了一聲，道：「怎麼樣？」

江曉峰道：「如若咱們不和對方答話，出手施襲，不知對方是敵是友，萬一對方恰是咱們自己的朋友，那豈不是要造成一大憾事？」

藍福緩緩說道：「你們行動之間，不要離我太遠，如是來人是咱們自己人，我自會招呼你們。」

江曉峰應道：「多謝護法的指教。」心中暗忖：「藍天義想是早已訂下了自己人連絡的信號，所以藍福心中全無傷到自己人的顧慮，這倒要留心一些，看看他們用的什麼方法連絡。」

藍福目光轉動，四顧了一眼，道：「哪一位心中還有疑問？」

群豪相顧，默然再無一人多言。

藍福輕輕咳了一聲，道：「好了，現在我們出動，諸位請緊隨在下的身後。」

當先向前行去。

行過了半個山彎，突聞一聲沉喝傳來，道：「什麼人？」

祝小鳳右手一抬，一支袖箭，破空而出。

那人隱身在一株大樹之後，袖箭啪的一聲，盯在了樹身之上。

藍福停下腳步，隨行群豪也各自運氣戒備。

須知夜色黑暗，如若對方打出暗器，很難閃避，尤其是很多人聚集一處，讓避起來，更爲

困難。

是故，祝小鳳袖箭出手之後，群豪本能地散佈開去。

乾坤雙怪中的羊白子，最先忍耐不住，冷冷喝道：「臭和尚，躲在樹後面，不敢出頭，不怕弱了你們少林寺的名氣？」

但聞丈外樹後，傳出那沉重的聲音，道：「少林寺方圓十里，都已布下了天羅地網，而且一道比一道厲害，諸位如是再要向裏面行走，那是自尋死路了。」

羊白子凝神靜聽話聲來處，那人話剛說完，羊白子已算準他停身之處，飛身而起，直撲過去。

他動作迅快無比，夜暗中幾乎是無法看得清楚，只聽到一陣輕微的衣袂飄風之聲。

只見寒光一閃，那樹身之後，斜裏飛出來一把刀，直向羊白子劈了過來。

羊白子右手疾出，啪的一聲，拍在樹身之上，使向前奔衝的身子，陡然間停了下來，避開了一刀，右腳飛起，疾快地踢了過去。

這一腳去勢疾急，果然把那隱身在樹後之人，生生給逼了出來。

江曉峰凝目望去，只見那人身披灰色僧袍，手執戒刀，果然是少林寺中的僧侶。

羊白子逼那和尚現身之後，立時又縱身而起，右手已鬆開腰間的扣把，抖出白骨神鞭，隨手一揮，兜頭打去。

那灰袍僧人右手戒刀一橫，迎向骨鞭上削去。

他手中戒刀舉起一半，忽然間哼了一聲，倒摔在地上。

江曉峰很留心兩人搏鬥的形勢，看那和尚無緣無故地倒了下去，心頭大是駭然，暗道：

「這是什麼武功，竟然如此厲害。」

但聞啵的一聲，羊白子手中白骨神鞭，正擊在那僧侶頭上，立時腦殼迸裂而死。

羊白子怔了一怔，收了白骨神鞭，回顧了藍福一眼，道：「可是總護法暗中相助麼？」

藍福搖搖頭道：「不是我。」

祝小鳳道：「是小妹給了他一枚七步斷魂針。」

羊白子冷哼一聲，道：「祝護法即使不出手，在下也會在十招之內，取他之命。」

祝小鳳出手相助，使羊白子一招取了那和尚之命，不但未聽到一句感謝之言，反而碰了羊白子一個釘子，心中大爲氣惱，但這次爲顧及藍福實力不足，藍天義特命二怪隨同而來，說起來，二怪並不算藍福管轄下的護法。

因此，藍福在行動之間，對二怪也不得不客氣一些，當下說道：「咱們已和少林僧侶們接上了手，此後，一步比一步凶險，諸位要小心一些。」

他不便出言責怪羊白子，但祝小鳳施放毒針助拳，並沒有錯，只好用話題岔開，又舉步向前行去。

在江曉峰想像之中，那少林僧侶被傷之後，定然會有援手趕來，哪知事情竟然是大出人意料之外，這少林僧侶之死，竟然是全無反應，似乎是除了這死去的僧侶之外，附近再無埋伏之人。

君不語突然說道：「總護法，這少林僧侶之死，不見救援之人，證明了少林寺的佈置十分可怕。」

藍福道：「可怕什麼？」

君不語道：「就常理推斷，少林寺中僧侶，既然在這裏設下了埋伏，決然不會只埋伏一個人，一人遇險，其他人豈有不救之理？因此，他們不肯救助同伴，不外兩個原因。」

藍福微感不耐，冷冷說道：「不要賣關子，說下去，什麼原因？」

君不語道：「第一個原因，他們別有所圖，怕暴露了存身位置，所以才任憑同伴死亡，不肯出手援救。第二個原因是，少林布下了步步死樁，要他們力拚強敵，自求生存，不論遇上了什麼凶險，都無人相救，以激起保命之心，這是一著狠棋，咱們將遇上少林僧侶的死拚。」

藍福道：「嗯！此話有理。」

君不語又道：「少林這佈署還有一個好處。」

藍福道：「君護法請說。」

他忽然間客氣起來，顯然，已爲君不語的智慧折服。

君不語道：「這等佈署之下，不論少林寺中有著多大傷亡，也不會自亂陣腳。」

藍福道：藍福略一沉吟，道：「不錯，不錯，君護法的見解，確是高論，但目下咱們騎上虎背，欲罷不能，只有冒險挺進一途了。」

君不語道：「總護法說得是，不過，少林寺這等佈署，顯然是也不惜施用暗襲手段了，總護法似是不宜再走在前面，獨冒大險。」

藍福點點頭道：「說得也是……」

話聲一頓，接道：「梁護法、祝護法，請走在前面開道。」

一輪明月梁拱北、千手仙姬祝小鳳，齊齊呆了一呆，但又不敢拒絕，兩人相互望了一眼，舉步向前行去。

廿六　龍爭虎鬥

藍福走在兩人身後，江曉峰等眾護法，隨在藍福身後。

這時，幾人已進入了山區，山峰高聳，林木蒼鬱，托襯得夜色更顯得黑暗。

但聞對面草叢中，響起了一個清冷的聲音，道：「不論諸位施主是何等身分，都不能再向前行進一步。」

祝小鳳格格一笑，道：「如若我們不買這個帳呢？」

那聲音應道：「諸位如若不肯聽老衲警告之言，那就難免受到傷害了。」

祝小鳳冷笑一聲，雙手齊齊一揚，幾點寒芒，破空而出。

只見兩丈外暗影中，突然飛起來一道寒光，一陣叮叮咚咚之聲，祝小鳳射出的暗器，盡都為飛起的寒光擊落。

江曉峰全神貫注場中形勢，看那飛起刀光擊落暗器手法，心中一動，暗道：「這人的武功不弱。」

需知在夜色幽暗中，一個人目光如何銳利，也不易看清楚飛來的暗器，全憑聽風辨音術，能揮刀一擊之下，把數枚暗器一起擊落，而手法十分俐落。

只看那擊落暗器的一刀，已不難測知他刀法的造詣。

祝小鳳冷笑一聲，道：「少林派一向被武林稱作大門戶，怎麼鬼鬼祟祟的躲在暗處算計人，有種的給我出來，和你姑奶奶明刀明槍的打一架。」

只聽一聲佛號，傳入耳際，緊接著一個身披月白袈裟的和尚，緩步行了出來，手中的大刀，在星光下閃閃生光。

那和尚直逼到梁拱北和祝小鳳的身前三、四步處，才停了下來，緩緩說道：「姑娘當真要和老衲動手？」

祝小鳳呆了一呆，道：「大師是少林寺中人？」

那老僧冷漠一笑道：「不錯。」

她突然改口稱那老和尚為大師，顯然內心之中已生出了畏懼之意。

梁拱北突然開口叫道：「你是冷佛天蟬大師。」

天蟬大師道：「正是老衲。」

藍福緩緩說道：「冷佛天蟬的威名，在江湖上很大麼？」

祝小鳳和梁拱北，都已聽出了藍福的弦外之意，是在指責兩人示弱。

梁拱北首先發難，右手一揮，刀光閃動，直劈過去。

天蟬大師肅立不動，直待梁拱北刀勢近身之時，才突然一舉手中戒刀，向梁拱北單刀之上迎去。

他靜如山嶽，動起來，卻快如電光石火一般。

梁拱北看他戒刀迎來，想收招變式，已自不及。

但聞砰的一聲，金鐵大震，夜暗中閃起了一道火光，梁拱北手中的單刀，突然脫手飛出。

冷佛天蟬一刀震飛了梁拱北手中單刀，戒刀順手一推，一股強烈的刀氣直逼過去。

梁拱北駭然一震，急急向後倒躍而退。

但冷佛天蟬的刀勢似是有著迴旋的力道，梁拱北竟然感覺到有著無法脫離之感。

只見寒光一閃，一道劍芒斜裏伸了過來，噹的一聲，擋住了冷佛天蟬的刀勢。

冷佛天蟬緩緩收回刀勢，道：「閣下劍招很快，內功很深厚。」

梁拱北回頭望去，只見那出劍救了自己性命的人，正是總護法藍福。

藍福不答冷佛天蟬的問話，卻回顧了祝小鳳和梁拱北一眼，道：「你們退開……」目光轉到天蟬大師的臉上，接道：「大師過獎了……」

冷佛天蟬冷漠一笑，道：「果不出老衲所料，前面兩人，不過是開道小卒而已，施主是藍天義吧！」

敢情這冷佛天蟬，不常在武林之中走動，並不認識藍天義，看到藍福劍上功力，想他定然是藍天義了。

藍福輕輕咳了一聲，道：「在下藍福，天道教中的總護法，敝教主如若在此，只怕你此刻已身首異處了。」

冷佛天蟬抬首望去，一臉不屑神色，緩緩說道：「老衲久聞藍天義之名，卻是沒有聽到過藍福這個名字。」

藍福道：「你現在聽到了。」

冷佛天蟬嘆道：「可惜呀！可惜。」

藍福被他如此輕藐，心中已然動怒，正想運功發劍，聽他連說可惜，心中大感奇怪，道：

「可惜什麼？」

冷佛天蟬道：「老衲因犯殺戒，被囚於戒恃院中面壁，聽到弟子傳言，藍天義成立了什麼天道教，而且準備犯我少林寶刹，因此老衲偷離了戒恃院，希望能鬥鬥藍大俠，想不到那藍天義竟然未來。」

他雖然面孔冷漠，帶有一股肅殺之氣，使人望而生畏，但言詞坦白，顯然是一個不擅心機的人。

藍福強自按下心中的激動怒火，緩緩說道：「大師如若能夠勝了天道教中的總護法，藍教主自會現身。」

冷佛天蟬淡淡一笑，道：「好！教主既不敢親身趕來，那就只好對付你這總護法了。」

江曉峰心中暗道：「據說少林武功，一向是堂堂正正之學，但這和尚手中戒刀卻是殺機逼人。」

心中念轉，人卻緩步行近了君不語，低聲說道：「君兄知道這位冷佛天蟬麼？」

君不語道：「自然是知道了，他是少林寺中第一號殺星，據說，他手中的戒刀，已殺了一百多人，這次被囚禁恃院，定然是又殺了人。」

江曉峰道：「佛門子弟，怎會如此嗜殺？」

君不語道：「這大概是很多因素促成，他生性嫉惡如仇，難以自禁，遇上了凶惡之徒，忍不住施下辣手，再者可能和他習練的刀法有關。」

江曉峰道：「這就聽得兄弟有些糊塗了，少林武功同出一源，他的刀法怎會與眾不同？」

君不語沉吟了片刻，道：「少林武功博大精深、浩瀚如海，其中有一門禪宗別支，武功全

走的淩厲凶狠的路子，據說那武功練到了某一種成就之後，就像冷佛天蟬一般，全身都有一股冷肅的味道，刀法更是殺機逼人。」

就在兩人談話之間，冷佛天蟬已然和藍福動上了手。

天蟬大師手中的戒刀，一揮之間，攻出了三刀，每一刀都奇詭凌厲，劈向藍福的致命所在，刀法奇幻，全不似少林武學。

藍福亦已是武林中頂尖高手，長劍搖揮，劍芒閃動，擋住了冷佛天蟬的三刀快攻。

但聞冷佛天蟬仰天長笑三聲，道：「你能接下我追命三刀，果然非凡，老衲這二十年來，從未遇到過堪於一戰的人，今宵也許能夠痛痛快快地搏殺一場。」

藍福一皺眉頭，暗道：「這和尚的刀法似已到了大成之境，我就算能夠勝他，也非三、五十招內可分勝負，這一戰拖延時刻，豈不是要耽誤了會師時限，似此等高人，如若少林寺有個十個、八個，教主擬訂的奇襲之策，只怕是很難收效了。」

冷佛天蟬久久不聞藍福回答，冷然一聲，接道：「其實，你們夜襲嵩山，已然是少林之敵，老衲已有迫你出手的理由，你是否敢出手迎戰，已然用不著再要你同意了。」

藍福怒道：「老夫為何不敢迎戰。」

冷佛天蟬道：「那很好，老衲讓你先機。」

藍福量度形勢，除了打敗或殺死這和尚之外，似是已無別法，當下一振長劍，刺了過去，口中說道：「老夫無暇和你鬥口。」

冷佛天蟬戒刀劃出了一片銀芒，砰的一聲，震開了藍福手中的長劍。

他本有借勢反擊的機會，但他卻停手不攻，橫刀待敵。

藍福長劍被戒刀擋開之後，劍上攻勢，亦爲對方的刀勢消去，料想他反擊過來的一刀，必將如排山倒海一般，哪知對方竟也是收了刀勢，停手不攻。

需知絕頂的高手過招，除招術上的變化之外，還要講求氣勢，和顧慮是否一擊之後，會留給對方破綻。

藍福自知攻出的一劍，已被對方戒刀封出中宮以外，門戶大開，如若再強行攻出一劍，反而授敵以可乘之機，立時改採守勢。

冷佛天蟬的收刀不攻，大出了藍福的意外，忍不住問道：「你正有反擊的機會，爲什麼竟然停手不攻？」

天蟬冷漠一笑，道：「我很難得遇上個可堪一戰的人，不願在一動上手，就取了他的性命，剛才我如攻出一刀，很可能取你老命。」

藍福怒道：「你爲什麼不出刀試試看。」

冷佛天蟬道：「老衲要給你機會。」說完話，舉手攻出一刀。

藍福長劍揮動，在胸前劃出了一片護身劍光。

旁側觀戰的護法，都看得大爲不解，看兩人刀勢、劍招，若有意避開衝接一般。

原來冷佛天蟬攻出的一刀，大異前勢，戒刀擊出，去勢極緩。

藍福也似是有意迴避，長劍劃出了一片護身的劍光，卻不肯封接戒刀。

戒刀、長劍將要交觸之時，兩人又同時劍回刀避，身子也隨著兵刃轉動，交換了一個方位。

站在遠處觀戰之人，看得心中不解，但站在較近的千手仙姬祝小鳳，卻感覺到強厲的刀

風、劍氣，砭寒肌膚，不自覺地向後退了三步，忖道：「原來，這兩人都已到飛葉傷人，摘花殺敵的境界，但憑刀風劍氣，已足可制人死地了。」

但見兩人刀劍並舉，又同時攻出。

這一招交手極快，刀光劍影，一閃而過。

藍福搶制先機，長劍忽然回擊，「斗轉星移」，凌厲劍風中，撒出一片寒芒。

這一劍招中藏變，殺機隱隱。

冷佛天蟬大聲喝道：「好劍法啊！好劍法。」話出口，戒刀也同時遞出。

刀劍相觸，兩人同時向後閃開。

突聞噹噹兩聲，似是有物墜地。

凝目望去，只見半截戒刀，和一段利劍，跌落在實地之上。

再看藍福手中之劍，和冷佛天蟬手中的戒刀，都已是殘劍、缺刀，各斷一截。原來，兩人各運內力的一擊，竟使得百煉精鋼的長劍、戒刀，斷去了一截。

天蟬冷冷說道：「你可要易劍再戰？」

藍福道：「斷劍也是一樣。」

天蟬道：「那很好。」揮動半截戒刀，欺身攻上。

雙方以半刀、斷劍，展開一場激烈絕倫地惡鬥，雙方絕招連出，看得人眼花撩亂。

冷佛天蟬手中的戒刀，雖然斷去了一截，但刀法招術的凶狠，毫釐未減，刀刀具都指向藍福的致命要害。

藍福的斷劍，也發出無與倫比的威勢，封、點、劈、刺，極盡變換之能。

雙方的搏殺，雖然如奔雷閃電一般，但刀、劍卻未再觸接。

四周圍觀之人，一丈內，都能感覺到那強烈的刀風和劍氣，刺肌寒膚。

江曉峰目光轉動，看四下無人留意自己，低聲對君不語道：「如若那冷佛天蟬，能夠勝過總護法，少林寺或可免去今宵大劫。」

君不語搖搖頭，用傳音之術應道：「別忘了教主也來到了此地，再說，那冷佛天蟬未必能是藍福的敵手，藍福胸羅極博，而且經驗豐富，如若久戰下去，藍福了然了那冷佛天蟬的刀法變化之後，必有破解之法。」

君不語還想說什麼，但搏鬥場中，已有了很大的變化。

但聞鏘鏘鏘三聲金鐵相觸，藍福和冷佛天蟬，兩條交纏盤旋的人影，霍然分開。

凝目望去，只見兩人手中的斷劍、半刀，又少去了一截，幾乎只餘下了刀把、劍柄。原來，兩人各運內力，又硬拚三招，刀劍各斷三截。

藍福似是已穩操勝機，冷笑一聲，道：「大師除了施用戒刀之外，不知還能使用什麼兵刃？」

冷佛天蟬已不像初現身時那般冷傲逼人，沉吟了片刻，道：「老衲一生中只有戒刀。」

藍福道：「好！叫他們送一柄戒刀來，咱們換了兵刃，今日之搏，不死不休……」

語聲一頓，接道：「不過，你是老夫所見用刀之人中，刀法最強的一個，你如願歸附我天道教下，老夫願向教主保薦，日後由你統領嵩山少林分壇。」

冷佛天蟬對藍福重名引誘，全不動心，一臉冷漠地說道：「老衲生性如同閒雲野鶴，不慣於名位束縛。」

藍福道：「閣下在少林寺聲譽並不很好，但老夫相信你的武功，在少林寺中必定是第一流中首座高手，這也許就是少林寺掌門方丈，對你屢犯戒律，不予重懲的原因。但總有一天，你將身受少林門規的重罰，不丟性命，也將會被廢去你數十年苦練而成的武功。」

冷佛天蟬似是被藍福言語打動一般，沉吟了一陣，道：「多承誇獎，老衲在少林寺中，只不過是二、三流的人物，敝寺掌門乃得道高僧，執法有據，如是老衲犯了該受重懲的罪，那也是理當身受。」

藍福怒道：「老夫念你一身武功來得不易，才這般好言相勸，你既不肯聽從，老夫就不能留你活在世間……」

突然一陣悠長的號角聲，傳了過來，打斷藍福未完之言。

藍福伸手取出奪命金劍，接道：「老夫成全你，送你上西天。」

冷佛天蟬望望藍福手中短小的金劍，緩緩說道：「你手中的兵刃如此短小，定然是有過人的凶險之處，不知它叫什麼名字？」

藍福心中暗暗笑道：「這和尚武功高強絕倫，而且刀法又極殘酷，全不似少林武學，認不出奪命金劍，如能收入我天道教中，倒是極爲恰當。」

心念一轉，殺機頓斂，微微一笑，道：「你活幾十歲的年紀，連這天下英雄聞名喪膽的奪命金劍也不認識麼？」

冷佛天蟬漠然說道：「區區一柄短小的金劍，只怕未必能奪人之命。」

藍福道：「看來你果然是全無見識，這奪命金劍之名，是因劍身之內，控制著見血封喉的毒針，中人必死。」

冷佛天蟬沉吟了一陣，道：「如此說來，你劍中毒針，一定能取我的性命了？」

藍福道：「不錯，你如不信，不妨試試。」

這當兒，突聞一聲佛號傳了過來，道：「天蟬師弟，不可以身相試奪命金劍，快退回來。」

藍福冷笑一聲，道：「此劍追魂奪命於兩丈之內，只怕他退不了吧！」

只聽一個威重的聲音，道：「藍老管家不覺著太誇口麼？」

藍福緩緩說道：「大師何許人，既然認識藍某，何以不敢現身？」

原來，那說話之人，隱身在一株大樹之後，沒有現出身來。

但聞那威重聲音，說道：「藍大俠深夜帶人，偷襲本寺，那已經違背了武林規戒，老衲自也不用以武林常禮，迎接諸位。」

話聲落口，突聞一陣金風破空之聲，一面飛鈸破空而至，挾著一聲厲嘯，飛了過來。銅鈸暗器，非同一般，盤旋而至，聲勢奪人。

藍福乃久經大敵的人物，一聽那銅鈸飛旋之聲，已知發鈸之人功力深厚，急急叫道：「你們大家小心了。」喝聲中身子橫向一側閃去。

冷佛天蟬借勢一個轉身，大袖一拂，身如流矢一般，躍入前面樹林之中。

那盤旋飛轉的銅鈸，挾著破空金風，轉輪一般地由藍福和幾位護法頭上飛過，劃了一個數丈方圓的圈子，然後，又飛回那銅鈸飛來之處。

千手仙姬祝小鳳低聲說道：「迴旋鈸，是少林寺中飛鈸大師天音的絕技。」

藍福萬想不到，少林天字輩的長老高手，竟然都出而擔任暗樁巡查，一開始，就和這些高

僧接上了手。

心中暗暗震驚，忖道：「看來少林已經嚴密的戒備，盡出動天字輩的高僧，不知無字輩的高僧，是否也全部出動了。」

原來，飛鈸大師天音在武林中聲譽極重，四面迴旋飛鈸，運用得神山鬼沒，使人防不勝防。天蟬、天音兩大天字輩高手的出現，使藍福心中提高不少警覺，今宵會師之約，信心頓失。

他細想屬下護法，除高文超受自己指點甚多，勉可擋住天字輩的高僧之外，那位君不語的武功，叫人莫測高深，其他的人，都難是天字輩高僧之敵，自己也只能抵禦一、兩個，衡量大蟬刀法成就，多過兩人，自己必敗無疑。

少林寺究竟有多少天字輩的高手，恐怕是武林中一大隱密，很少人能夠知曉。因為，除了幾個常年在江湖上走動的天字輩高僧以外，別人很難知曉寺中還有多少苦修的天字輩高僧。

一時間，竟不敢再行下令屬下前進。

但聞天音大師的聲音，傳了過來，道：「藍福，你們在江南道上，胡作非為，雄霸一方，本寺未遣人問罪，也就罷了，竟然敢率領人手，夜襲我少林寶刹。」

藍福冷笑一聲，接道：「你心目中的少林寶刹，在藍某人眼中看來，只不過是一個嵩山分舵之位而已。」

天音大師緩緩說道：「敝掌門有好生之德，老衲等都奉有嚴令，不能妄傷從犯……」

語聲一頓，接道：「以少林寺為中軸的四面八方，都密佈了我們的人手，別說諸位是人，就是飛鳥也難度過。」

藍福想到了會師之約，心中十分著急，怒聲喝道：「天音，老夫久聞你迴旋飛鈸之能，你可敢現身和老夫決一死戰。」

天音大師道：「來日方長，如若你藍福真想和老衲分個高下，錯開今宵之後，老衲隨時候教。」

藍福冷笑一聲說道：「隱身暗處，施鈸暗襲，不覺著有失你們少林寺的威名麼？」

天蟬大師道：「你們事先既無戰書，深夜率人暗襲，又何嘗是光明行徑，我佛門弟子，不願沾惹起太多殺孽，你如再深入數丈，即將陷入我重重埋伏之中。」

藍福回顧了隨行的護法一眼，低聲說道：「少林寺中僧侶，憑藉地形，不肯出戰，以守阻攻，咱們遠道來此，自不能和他們長時對峙，老夫準備親率兩人，試試他們的埋伏，不知哪兩位護法願和老夫同行。」

江曉峰、君不語同聲應道：「屬下願往。」

藍福對化身高文超的江曉峰，似是有一分偏愛，低聲說道：「此行甚為險惡，你是教主愛婿……」

江曉峰接道：「在下在總護法照顧之下，縱遇強敵，亦必無恙。」

這一句話，倒使藍福難再回絕，略一沉吟，道：「好！但你們要緊隨老夫身後，天字輩高僧，個個身負絕技，不可太過逞強。」

目光轉到乾坤二怪臉上，接道：「老夫和君、高二位護法，和敵人動上手時，兩位隨時趕入接應。」

馬長倫、羊白子齊齊應了一聲：「遵命。」

藍福目光又轉到踏雪無痕羅清風的身上，道：「你率領各位護法，守候於此，未得老大之命，不可深入。」

羅清風欠身應道：「屬下敬領法諭。」

藍福低聲說道：「如是我們在一頓飯工夫後，還無消息，你們不用在此等候，立刻退出嵩山，報告教主，詳述內情。」

也不待羅清風答話，伸手取過羅清風手中長劍，大步向前行去。

君不語、江曉峰一左一右，追隨在藍福身後而行。

藍福自和冷佛天蟬搏殺了一陣之後，心中對少林寺高僧，已有了憚忌，天音大師的「迴旋飛鈸」，更是武林一絕，他雖然大步而行，暗中卻是全神戒備。

行約丈餘，到了林邊，這片樹林，生長在一座峰下邊際，一邊峭壁高聳，一面懸崖百丈，一條小道正好由林中通過。

藍福運目望去，只見那樹林寬窄，隨著天然的形勢而成，樹林愈深愈密。

江曉峰長劍護身，直向一株大樹之後撲去，他戒備森嚴，但那樹後並無人隱藏，亦無人出手。

君不語低聲說道：「他們恐怕躲入林木深處去了。」

但問冷佛天蟬的聲音，由二丈以外傳了過來，道：「藍施主如若棄去手中的奪命金劍，老衲原和你一決生死。」

藍福心中暗暗盤算，道：「冷佛天蟬，再加上一個飛鈸天音，這地方有兩個天字輩的

高僧，其他的僧侶埋伏，大約不會再是天字輩的人了，我如能傷他一個，可減去他們不少實力。」

心中念轉，突然縱身一躍，人如天馬行空一般，直向天蟬發話之處衝去。

右手中的長劍護住前胸，左手中的奪命金劍，待機施襲。

但那天蟬大師說過話後，人似已經換過了方位，藍福腳落實地，並無人施襲。

君不語、江曉峰雙雙飛起，躍落到藍福身後。

只聽天音大師的聲音又傳了過來，道：「藍福，密林之中，設有一座羅漢陣，你如自負本領高強，何不入陣一試？」

君不語冷冷說道：「大師名重江湖，飛鈸絕技，更是人人敬仰，何以不敢現身一戰，卻步步退避，圖誘我等進入埋伏。」

天音大師道：「藍天義如若真的想仗武功，和我們少林寺一分高下，何不堂堂正正，約期一戰，少室峰頂，各憑武功，以決勝負，現今卻四路遣人，夜襲少林，藍天義既已不擇手段，老衲等也只好以毒攻毒，各逞心機了。」

江曉峰、君不語，各自聽得暗暗歡欣，忖道：「原來少林寺中，並非只有此處一路戒備，既已知藍天義四路遣兵，自然是四路分人拒檔強敵了，看來，藍天義這偷襲之策，已經是完全失敗了。」

藍福高聲說道：「兵不厭詐，愈詐愈好。」

天音道：「藍老管家，有什麼過人才智，不妨施展就是。」

藍福借他答話機會，估定了天音大師停身之處，左手一揚，按動機簧，一枚毒針疾射而

出。

夜色暗黑，林中更是視界不清，藍福雖然發出一針，但卻無法知曉天音大師是否會傷在針下，傾耳聽去，半晌不聞聲息。

藍福哈哈一笑，道：「天音大師，老夫很想再聽聽你的聲音。」

但聞左側響起了天音的聲音，道：「藍老管家手中奪命金劍雖然厲害，可惜此地林木交錯，閣下枉費一番心機了。」

聽音辨位，天音大師最少移動了一丈以上的距離，藍福心中暗道：「這老和尚果然是沉著得很，竟然能悄然移動方位，衣袂未帶飄風之聲。」只聽天音大師接道：「來而不往非禮也，藍老管家小心了。」

藍福知那天音大師飛鈸之技，冠絕江湖，聽他之言，倒也不敢大意，立時全神貫注，靜待飛鈸。

原來，天音大師發出的飛鈸，中含巧勁，常於盤旋途中，折轉傷人，而且轉旋之力，十分龐大，中途如若遇上阻擋之力，鈸勢另有變化，確是叫人防不勝防。

哪知天音大師呼喝一聲之後，並未發出銅鈸。

藍福凝神戒備甚久，不見銅鈸飛來，亦不聞金風破空之聲，心中大感奇怪，忍不住怨聲喝道：「賊和尚爲何不發銅鈸？」

天音大師的聲音又傳了過來，道：「老衲飛鈸已經出來，藍總護法感覺不出，那只怪你耳目不靈了。」

藍福正待答話，突聞一陣破空之聲，傳了過來，回頭看去，只見一片金芒，破空而至。

藍福沉聲道：「你們躺下。」

君不語應聲伏在地上，江曉峰正在猶豫，卻被君不語伸手一拖，只好借勢伏倒於地，抬目望去，只見藍福全神貫注，望著那飛來的銅鈸。

只見那銅鈸呼的一聲，竟從藍福的頭頂上掠過。

藍福的神情很嚴肅，但卻站著一直未動，任那飛鈸由頭頂掠過。

江曉峰低聲說道：「君兄，這飛鈸是怎麼回事？」

君不語道：「天音大師的飛鈸，手法怪異，任誰也不知道，他發出的銅鈸的變化。」

但聞嗤的一聲，一面銅鈸突然間破空而下，這一次，銅鈸直向藍福的頭上劈去。

藍福右手一抬，長劍陡然出手，夜暗中只見寒光一閃，直向銅鈸上面迎去，但聞咣一聲，長劍和銅鈸觸接在一起。

只見那銅鈸，呼的一聲，斜斜向一側飛去，轉入了密林之中。

江曉峰低聲道：「君兄，天音大師的飛鈸，果然是很奇怪……」

話猶未完，只聞嗤嗤兩聲，兩面飛鈸分由兩面飛了過來。

這一次，兩面飛鈸一前一後，飛襲前胸、後背。

藍福長劍一推，迎向前面飛鈸。

但聞一聲金鐵相觸之聲，前面銅鈸，突然斜向一側飛去。

藍福一劍撥開了前面的銅鈸，身子突然向前一倒，伏在地上。

後面銅鈸擦著藍福的後背而過。

兩面銅鈸似是長了翅膀一樣，交錯而過，又轉入密林之中。

江曉峰低聲說道：「君兄，那天音大師身上帶有多少銅鈸？」
君不語道：「有人見過他四鈸齊飛的絕技，但通常他只帶兩面銅鈸。」
江曉峰奇道：「他如只帶兩面銅鈸，何以這般發之不盡。」
君不語道：「他銅鈸之上，有著一股強大的迴旋之力，除非擊落了飛旋中的銅鈸，或者能改變他銅鈸飛旋的力道之外，這兩面銅鈸，仍然飛回他發鈸之處。」
江曉峰啊了一聲，道：「這的確是稱得起一種絕技……」
但聞金風破空，兩面銅鈸一先一後地掠著兩人背上飛過。
這一次，式樣又變，兩鈸一路飛向藍福。
藍福避開適才兩鈸之後，人已站了起來。
但他既不敢跑，也不敢撲向天音大師的停身之處，站起身子之後，就全神戒備。
但見藍福右手一抬，長劍閃起一片劍花，兩面一前一後飛到的銅鈸，盡都被藍福的劍勢擋開。
但見前面銅鈸，吃劍花一擋之後，竟突然一個翻轉，由下向上飛去，唰的一聲，掠著藍福的頭頂而過，劃破了藍福的頭巾。
後面銅鈸卻打個旋身，掠腿而過，劃破了藍福身上的長衫。
這一次飛鈸變化詭奇，幾乎使藍福傷在鈸下，看得人觸目驚心。
只聽藍福的聲音，傳了過來，道：「君護法，你過來。」
君不語怔了一怔，站起身子，道：「什麼事？」
藍福道：「你站在老夫的前面。」

江曉峰心中一動，暗道：「他要君不語在他的身前，分明是要他抗拒飛鈸了。」

君不語回顧了江曉峰一眼，暗施傳聲之術，道：「如若我不幸死於飛鈸之下，你要小心一些。」舉步對藍福行了過去。

只見藍福對君不語低言數句，緩緩把手中長劍，交到那君不語的手中。

君不語點點頭，接過長劍，以作戒備。

藍福突然一仰身，倒臥於地上，暗中貫注林內舉動。

只要天音大師發出雙鈸，由君不語替代藍福拒擋那飛來的雙鈸，藍福即將以快速絕倫的身法，飛入林中。

哪知足足等了一盞熱茶工夫，仍然不見天音大師的雙鈸飛出。

藍福大感不耐地說道：「威動江湖的飛鈸之技，也不過如此而已，和尚何以不再施放？」

但聞夜風吹動樹葉，響起了一片沙沙之聲，不聞天音大師回答之言。

藍福霍然站起身子，又從君不語手中取過長劍，道：「你去招呼羅清風和馬、羊兩位護法，要他們全部進來。」

君不語應了一聲，舉步而去。

江曉峰站起身子，暗道了一聲僥倖，君不語的武功雖然叫人莫測高深，但他決難強過藍福，如若那天音大師，再行發出飛鈸，君不語很難逃出那詭奇莫測、變化萬端的飛鈸之厄。

心中念轉，人卻舉步行近藍福，低聲說道：「總護法，我們現在應該如何？」

藍福仰臉望望天色，道：「我們已經過了限期，還未到少林寺前，所以老夫已決定冒險而進，縱然難免傷亡，那也是顧不得了。」

江曉峰道：「這林中還有少林寺的埋伏麼？」

藍福道：「文超，你以後要多用頭腦想想，如若這林中沒有埋伏，天音大師怎會收了飛鈸退走？」

藍福似是對那高文超特別有緣，責備了兩句，似又不忍之狀，語氣緩和地說道：「等一會兒我們進入這密林之後，你要隨時跟在我的身後。」

江曉峰點點頭道：「晚輩記下了。」

片刻之後，君不語帶著乾坤二怪、金刀飛星周振方、千手仙姫祝小鳳，一齊走了過來。

群豪垂手站好，藍福才輕輕咳了一聲，接道：「少林寺派出了天字輩的高僧，攔阻我們，實在大出意外，致使我們的計畫受到了一些影響。教主號令森嚴，諸位早已知曉，如若我們不能在約定的時限內，趕到會合之處，必然會受到教主的責罰。因此，老夫決定不計損傷，強行闖越……」

目光如電，掃掠了身側群豪一眼，又道：「不過，這林中有著少林寺的埋伏，諸位要各自小心。」

周振方等眾護法齊聲應道：「屬下遵命。」

藍福長劍護胸，當先向前行去，江曉峰急跨兩步，緊隨在藍福的身後，君不語卻故意落後兩步，和踏雪無痕羅清風站在一起。

行不過四、五丈遠，突聞一陣急促的木魚之聲，傳入耳際。

藍福聽那木魚聲，從左面一棵大樹上傳了過來，立時一揚左手，按動機關，打出一枚毒針。

木魚聲頓然而住，接著蓬然一聲，一具屍體由樹上摔了下來。

藍福冷笑一聲，舉步向前行去。

只聽嗤的一聲，一道紅光，直飛過來。

藍福長劍一揮，啪的一聲，擊在那飛來的紅光之上。

紅光著地，化成一團火花自行燃燒起來。

君不語突然急行兩步，到了藍福身側，低聲說道：「總護法，這火光箭只不過是問路之計，咱們已經暴露在少林僧侶的暗器之下，要分散開些，才能減少傷亡。」

藍福四顧了一眼，不見一點動靜，心中有些不信，低聲說道：「什麼暗器？」

君不語道：「什麼暗器，屬下不知道。不過，一定是暗器就是……」

語聲未完，突聞一陣尖風破空之聲，十餘支勁箭，電射而至。

藍福大聲喝道：「散開。」長劍展開，閃起了一片護身寒光。

只聽一陣波波之聲，數支近身勁箭，被藍福長劍擊落。

這時，周振方、江曉峰等都已經亮出了兵刃，一片刀光劍影，近身勁箭盡力擊落。

藍福突然大喝一聲，繞身寒芒，化成了一道銀虹，直向密林之中投去。

江曉峰一面撥打勁箭，一面留心著藍福，看他連人帶劍，飛入了林中，消失不見。

緊接著傳來了幾聲悶哼慘呼，林中箭雨，忽然停止。

江曉峰暗暗歎息一聲，忖道：「只怕伏於林中弓箭手，大部份仍在那奪命金劍的毒針之下。」

但聞羅清風大聲喝道：「咱們衝進去。」

一躍而起，飛鳥般投入密林之中，他外號踏雪無痕，輕功了得，一個飛躍，竟有兩丈以上。

乾坤二怪，緊追在羅清風的身後，連袂而起，衝入林中。

君不語、江曉峰、梁拱北、祝小鳳等，也各舉兵刃護身，行入密林。

星光閃爍之下，只見藍福手執長劍，站在五具身著月白僧袍的屍體前面。

兩具屍體殘缺，似是傷在了藍福的劍下，另外三具屍體無損，想來定然是死於那奪命金劍的毒針之下。

乾坤二怪和羅清風，並肩站在藍福身後三尺左右處。

江曉峰望望那五具屍體，光頭上烙有戒疤，定是少林僧侶無疑，心中暗自奇怪道：「大蟬、天音兩位高僧，都是身負絕技的高手，不知何故，突然撤走，如若兩位留此相助，藍福雖然越過埋伏，也未必能夠如願，如若兩人退去，只留下林中埋伏，想阻攔藍福這等傑出的高手，只怕是極不容易。」

心念轉動之間，突然呱呱呱三聲鴉叫，傳入耳際。

藍福探手從懷中摸出一個竹哨，也放在口中，吹出了三聲鴉叫！

只聽一個低沉的聲音道：「金木水火土，來人不過五個，各位是何方神聖？」

別人聽了還不明白，但藍福卻是極爲清楚，當下說道：「東南西北中，武林歸一統，在下乃齊天大聖。」

仍聞那低沉的聲音道：「你可以帶兩人同行，前進五十步。」

藍福低聲對江曉峰和君不語道：「你們跟我去。」當先舉步向前行去。

君不語、江曉峰相互望了一眼，緊追在藍福的身後而行。

江曉峰一面舉步行走，一面忖道：「那兩句金木水火土，東南西北中，分明是他們一種特殊的連絡暗記，但那人會是誰呢？而且他竟能潛伏在少林寺僧侶埋伏之地，而不爲少林寺的僧侶發覺。」

他心中充滿著疑問，但卻不便開口相詢。

忖思之間，已然行夠了五十步。

江曉峰抬頭看去，只見停身之處，在一株高大的古松之下。

藍福流目四顧了一眼，道：「在下已然行了五十步。」

只聽那巨松上枝葉分動，人影一閃，飛落下一個人來。

江曉峰凝目望去，只見那人穿著一件月白色的僧抱，身軀很高大，臉上戴著一層很厚的蒙面黑紗，不禁心頭一動，暗道：「這人模樣，分明是少林寺中的僧侶，難道他是內奸不成？」

那蒙面人態度十分倨傲，緩緩說道：「由這棵大松樹起，少林寺後面的埋伏，都已經完全撤走。」

藍福對那蒙面人身分，似亦不清楚，雙目盯注在那蒙面僧人面紗上瞧了一陣，道：「大師是少林寺中人麼？」

蒙面人語聲冷漠地說道：「總護法如若想知曉在下是何許人，回去問問藍教主就明白。」

藍福在天道教中，自居功高，又和教主相處數十年，情同手足，自覺天道教中，除了教主之外，自己該是首座人物。

那蒙面人給他一個軟釘子碰，心中大感不悅，冷然說道：「大師認識老夫吧！」

蒙面人的語氣更爲冷漠地說道：「首先我要糾正你，別稱我大師，我穿上僧袍，不一定就是少林寺中和尙……」

語聲微微一頓，接道：「至於你的身分，我想天下無人不知了，你是天道教中的總護法，過去是教主的僕從……」

藍福臉色一變，道：「住口，僕從也是你叫的麼？」

蒙面人冷然一笑，道：「藍福，你不用如此賣狂，藍教主也不會如此對我。」

江曉峰心中暗道：「這人隱於少林寺僧侶埋伏之中，竟然未被人發覺，不論機智武功，都該是第一流的人物，如若他和藍福鬧翻，也許會對少林寺幫個大忙，免去了一場浩劫。」

那藍福雖自居功高、驕狂，但他究竟是有著豐富經驗，見過大風大浪的人，覺出情勢，立時忍氣吞聲，輕輕咳了一聲，道：「咱們同爲教主屬下，希望不要因意氣之爭，誤了大事。」

蒙面人似是餘怒未息，語聲仍甚冷漠地說道：「少林寺原本在下面設下羅漢陣，準備把你們攔阻於這片樹林之中，由飛鈸天音和冷佛天蟬主持，除了羅漢陣外，他們還準備了施展火攻，但卻被在下略施小計，驚得他們全軍而退，這一道主要的關卡已撤，沿途上雖然還有攔阻之人，但獨椿、暗卡，已不足攔阻你總護法了，你們已誤了時限，可以動身趕往少林寺了。」

言罷，也不待藍福答話，僧袍一拂，破空而起，一躍間，頓失蹤跡。

藍福望著那蒙面人的去向，出了一陣子神，冷笑兩聲道：「咱們走吧！」

江曉峰低聲說道：「那穿僧袍的蒙面人是何身分？」

藍福搖搖頭，道：「老夫如著知他是誰，諒他也不敢在我面前如此賣狂。」

君不語道：「好像是教主內定的少林分壇壇主。」

藍福道：「區區一個分壇壇主，也敢對老夫如此無禮，日後有得他苦頭好吃。」

君不語道：「總護法的身分，以及和教主的關係，凡是天道教的門下，有誰不知，這人既然敢和總護法當面頂撞，必然有所憑仗，總護法對此事，應該小心一些處理。」

藍福回顧了君不語一眼，緩緩說道：「原來君護法，是一位滿腹錦繡、智計多端的人物，老夫過去總覺著你有些莫測高深，現在我覺著你滿腹智計，日後，老夫有什麼事，倒要和你商量一下才成，不過……」

君不語接道：「不過什麼？」

藍福笑道：「不過，老夫很懷疑你的忠誠。」

君不語道：「總護法如若懷疑屬下，屬下以後不再多口就是。」

藍福微微一笑，道：「但你確是一位胸羅玄機的人，老人如若不重用你，那未免太過可惜了。」

輕輕咳了一聲，道：「現在，咱們應該如何？」

君不語沉吟了一陣，道：「屬下可以提供意見麼？」

藍福道：「老夫既然問你，自然是要你說了。」

君不語輕輕歎息一聲，道：「目下少林寺的僧侶，已然完全撤走，咱們可以長驅直入，直逼少林寺外。」

藍福道：「那人身分不明，他的話咱們能夠聽麼？」

君不語道：「目下的情況似乎是，咱們已經別無選擇了，除了直奔少林寺外，總護法只怕

無法向教主交代？」

藍福點點頭道：「不錯，咱們先到少林寺去，如若沿途上沒有少林僧侶的阻礙，那人的身分，就可以確定。」

目光轉到乾坤二怪的臉上，道：「你們兩位開道。」

藍福緊追在乾坤二怪身後，向前行去。

君不語、江曉峰、周振方等魚貫追在藍福身後。

一切都如那灰衣僧人所言，一路行來，竟然未遇到少林僧侶的攔截。

一路順利，直到少林寺前，仍未遇到過有人攔阻。

夜色中，只見少林寺巍峨的大門，屹立在山風之中。

星光閃爍之下，但見少林寺兩扇大門，緊緊地關閉著。

藍福一皺眉頭，回顧了君不語一眼，道：「君護法，這是怎麼回事？」

君不語道：「總護法問的什麼事？」

藍福道：「教主函中示明，要我等在少林寺中會合……」

君不語怔了一怔道：「那是說，其他各路人馬，未能依限趕到了。」

藍福低聲道：「如若其他各路人馬，都不能配合，那灰衣僧人定非咱們天道教中人了。」

君不語還未來得及答話，突聞木門開動之聲，少林寺兩扇緊閉的木門，突然大開。

請續看《翠袖玉環》（三）

臥龍生武俠經典珍藏版 38

翠袖玉環（二）

作者：臥龍生
發行人：陳曉林
出版所：風雲時代出版股份有限公司
地址：10576台北市民生東路五段178號7樓之3
電話：(02) 2756-0949
傳真：(02) 2765-3799
執行主編：劉宇青
美術設計：許惠芳
業務總監：張瑋鳳
出版日期：臥龍生60週年珍藏版 2023年5月
版權授權：春秋出版社呂秦書
ISBN ：978-986-5589-79-0
風雲書網：http://www.eastbooks.com.tw
官方部落格：http://eastbooks.pixnet.net/blog
Facebook：http://www.facebook.com/h7560949
E-mail：h7560949@ms15.hinet.net
劃撥帳號：12043291
戶名：風雲時代出版股份有限公司

風雲發行所：33373桃園市龜山區公西村2鄰復興街304巷96號
電話：(03) 318-1378　　傳真：(03) 318-1378
法律顧問：永然法律事務所 李永然律師
北辰著作權事務所 蕭雄淋律師

行政院新聞局局版台業字第3595號 營利事業統一編號22759935
©2023 by Storm & Stress Publishing Co.Printed in Taiwan
◎如有缺頁或裝訂錯誤，請退回本社更換

定價：320元
版權所有　翻印必究

國家圖書館出版品預行編目資料

翠袖玉環／臥龍生 著. -- 臺北市：風雲時代出版股份有限公司，2021.06- 冊；公分（臥龍生武俠經典珍藏版）
ISBN：978-986-5589-78-3（第1冊：平裝）
ISBN：978-986-5589-79-0（第2冊：平裝）
ISBN：978-986-5589-80-6（第3冊：平裝）
ISBN：978-986-5589-81-3（第4冊：平裝）

863.57　　110007332